Dr. Jack J.R. van Minden

ALLES OVER
LOOPBAANPLANNING

2002
Uitgeverij Business Contact
Amsterdam / Antwerpen

Dedicated to: Rob, Wendy, Mark.

Tweede druk, januari 2002
© 2000 Dr. J.J.R. van Minden
Alle rechten voorbehouden
Uitgeverij Business Contact, Amsterdam / Antwerpen
Boekverzorging: LINE UP tekstprodukties bv, Groningen

ISBN 90-254-1506-7
D/2000/0108/683
NUGI 685

www.boekenwereld.com

Inhoud

Ten geleide

'Gebruiksaanwijzingen'

Om alles uit dit boek te halen doet u er goed aan eerst deze 'gebruiks-
aanwijzingen' te lezen.

Een baan, voltijds dan wel deeltijds, staat bij bijna iedereen hoog op de
verlanglijst. Werkloosheid is voor vrijwel niemand een 'betaalde vakantie' en stemt zelden tot gelukzaligheid. Dit boek verschaft de wapens om
tijdig greep te krijgen op uw werk en loopbaan en veranderingen pijnloos
op te vangen en kansen – na uitvoerig onderzoek – te grijpen.

Dit boek daagt u uit, het prikkelt, provoceert misschien. Maar bedenk
dat het om het goede doel gaat: de kwaliteit van uw werkzame leven te
verbeteren, onverwachte gebeurtenissen vóór te zijn, tijdig nieuwe loop-
baanstappen te durven en kunnen ondernemen en fit te blijven voor de
arbeidsmarkt in onze turbulente wereld. Het heft in eigen hand nemen
betekent betere banen verkrijgen.

Dit boek gaat over planning van de loopbaan – en dat houdt in dat u
keuze heeft. U kunt bij tijden van economische voorspoed, maar ook bij
een neergaande economie leren nadenken over uw carrière. Planning is
hierbij een hulpmiddel, een methode, maar geen garantie.

Alles over loopbaanplanning is gebaseerd op de jarenlange ervaring van
het bureau van de auteur, Psycom in Amstelveen, bij het helpen van werknemers om boven te blijven of om als een phoenix te herrijzen uit de eigen
as. Velen zijn u voorgegaan in het maken van de talrijke oefeningen van
dit boek; de methoden zijn beproefd.

We danken de vele anonieme personen voor de kleine of (soms hen onbe-
kend!) grote bijdragen die zij hebben geleverd bij het totstandkomen van
dit boek. Dank gaat ook uit naar de kritische meelezers van het manu-
script. Zij hebben de stammen, takken en bladeren van het woordenbos
weer zichtbaar gemaakt.

Het is duidelijk wanneer het schrijven van dit boek is geëindigd. Maar
wanneer is het begonnen? Er zitten vele jaren van onderzoek, luisteren
naar de vragen en problemen van loopbaanzoekers en aangeboden advie-

zen in. Dit boek is als een vrucht gegroeid, laag voor laag. Nu is het rijp en kan worden geplukt. We hopen dat het de lezers smaakt en gelukkig en succesvol in hun (toekomstige) werk maakt. Dan pas beantwoordt het aan zijn doel!

Los Angeles, juni 2000

Heeft u op- of aanmerkingen op dit boek? Heeft u een specifiek probleem of een vraag? Maak dan gebruik van de bijgesloten antwoordkaart. U kunt ook bellen, schrijven, faxen of e-mailen:

Psycom
T.a.v. dr. Jack J.R. van Minden
Parlevinker 5; 1186 ZA Amstelveen
Tel.: 020-6450292/6451073
Fax: 020-6450340
E-mail: psycom@xs4all.nl

De missie van dit boek

Alles over loopbaanplanning steunt op drie pijlers:

De eerste is onze visie op werk, nu en in de nabije toekomst. Hieruit kunt u destilleren wat er met uw werk zal kunnen gebeuren of hoe u het best naar nieuwe banen kunt speuren.

De tweede is dat de wereld maar één expert kent op uw gebied: dat bent uzelf. Maar heeft u wel voldoende tijd om u in uzelf te verdiepen? Stelt u de juiste vragen? Komt u tot de beste adviezen? Sommige kinderen hebben een roeping en een gave; ze kunnen hun loopbaan op jonge leeftijd uitzetten. Anderen luisteren naar ouders, familieleden, buren of hebben rolmodellen. De meeste mensen tasten in het duister – en kunnen dus hulp gebruiken.

De derde pijler is een praktische handleiding over het behouden van uw baan (dat gaat niet vanzelf; niets in dit leven gaat vanzelf), een baanverbetering of, belangrijker, een loopbaan.

De toekomst maak je zelf. Waarom niet meteen beginnen aan deze puike reis?

Wie moeten dit boek lezen? Wie moeten oefenen?

We durven te stellen dat voor verreweg de meeste mensen het nadenken over de eigen loopbaan een probleem is. Voor sommigen een luxeprobleem, want zij hebben een prima job en in velden noch wegen is een vlekje te bespeuren. Voor anderen is het bittere noodzaak, want ze moeten uitkijken naar een nieuwe baan. Maar wat en waar? En hoe kunnen ze er zeker van zijn (dit keer) de juiste keuze te maken?

Was voorheen carrièreplanning een zaak van de werkgever (die het goed met zijn mensen meende), tegenwoordig ligt de verantwoordelijkheid bij de medewerker zelf. 'Personeelszaken' wil vaak wel behulpzaam zijn, maar laat het initiatief toch liever aan de zoeker over. In een snel veranderende omgeving – en voorlopig wijst niets erop dat het tempo van veranderingen zal vertragen – moeten loopbanen ook worden aangepast aan het doorlopend verschuivende decor.

Als je je loopbaan op een andere manier (en elders) wilt voortzetten, is het tegenwoordig steeds gebruikelijker om een *executive searcher* of wervings- en selectiebureau te benaderen. Daar is niets mis mee, maar je kunt niet vragen naar een 'leuke baan'. Waar moet de searcher zoeken? Wat is een leuke baan? Waar wilt u werken? Als ú geen antwoord heeft op deze vragen, wie dan wel? U loopt bovendien het risico dat u naar een ongewenste baan wordt geleid. Als u de juiste job heeft gevonden – die voelt als een handgemaakt kledingstuk – zult u gelukkig zijn.

Dit boek is geschreven voor iedereen die met een werkprobleem zit of denkt daarmee geconfronteerd te worden. We hebben het over zaken als de beëindiging van de eigen functie, verandering van de werkzaamheden, onzekerheden over het voortbestaan van de werkgever, de solide kleilaag van de organisatie die leem is geworden. Als u hierin berust, klap dan dit boek meteen dicht. Maar moet u 'voort', dan dient u ervoor te gaan zitten en úren te investeren in de oefeningen en adviezen. Loopbaanplanning krijg je niet cadeau. (Misschien dit boek wel.)

Mijmeren over de toekomst levert niet veel op. Dit boek is bestemd voor mensen die zich heel bewust bezighouden met hun loopbaan en misschien daarom worden teruggeworpen op zichzelf; het is het baken in de koude en donkere zee. Het is ook erg geschikt voor personen die zichzelf een 'oneerlijke' voorsprong willen geven op zichtbare en vooral onzichtbare concurrenten in sollicitatieprocedures.

Dit boek is vooral geschikt voor:

1. Medewerkers die uitgekeken zijn op hun huidige baan, zelf menen te zijn vastgeroest, een knellende baan hebben, en niet goed (meer) weten welke volgende stap ze moeten zetten en hoe. Dit boek opent ook de ogen van lezers die *doen alsof* ze tevreden zijn met hun baan – en daarbij niet beseffen dat de bazen *doen alsof* zij tevreden zijn met de geleverde prestaties.

2. Zij die gemangeld worden door de manager of ontdekt hebben dat de nieuwe baas een geheel nieuwe betekenis aan de term 'management' geeft.

3. Zij die aan lange-termijnloopbaanplanning willen doen. We doelen niet op het traject van jongste bediende tot oudste bediende. Medewerkers maken steeds vaker zelf een bewuste keuze voor een volgende stap. Dat willen ze, maar daarnaast doet de organisatie dat telkens minder voor hen.

4. Managers en functionarissen die in turbulente organisaties 'leven'. (U weet zelf wel wat dat betekent. Als dat niet het geval is, is het misschien al te laat...)

5. Zij die moe zijn van alle uitgestuurde sollicitatiebrieven – zonder gunstig resultaat – en er nu achter proberen te komen waaraan het uitblijven van succes ligt.

6. Studenten en bijna/juist afgestudeerden die zich aan het oriënteren zijn op een eerste baan of het werkspoor zijn bijster geraakt en zich willen bezinnen op hun toekomst.

Daarnaast zal dit boek ook goede diensten bewijzen aan:

7. Studenten psychologie, personeelswetenschappen, *human resources* en vergelijkbare academische en hbo-opleidingen die kennis willen (moeten) nemen van loopbaanproblemen en -oplossingen.

8. Personeelsmanagers, loopbaanbegeleiders en mobiliteitsbevorderaars die de oefeningen en adviezen voor hun collega-medewerkers kunnen gebruiken om hen te helpen bij hun planning.

9. Loopbaandeskundigen bij loopbaanadviesbureaus, *executive searchers*, outplacementbureaus en dergelijke.

Vraagt u zich ook wel eens af...

Sommigen menen dat loopbaanvragen luxeproblemen zijn. (Ze erkennen dus dat het problemen zijn...) Er zijn maar weinigen die hun werkzame leven als een tocht op een koninklijk plezierjacht beleven. De manager of medewerker zonder problemen moet nog worden geboren... Heeft u soms één van de volgende problemen? Of meer dan één? Herkent u ze?

- Ik kan geen promotie maken in mijn organisatie. Alle posities zijn en blijven bezet.
- Er doen geruchten de ronde over een op handen zijnde fusie... Wat zal dat voor mijn positie betekenen?
- Ik heb mijn baan opgezegd om een wereldreis te maken. 'Ach', dacht ik, 'bij mijn terugkeer heb ik zo weer een nieuwe baan.' Dat is nu vijf maanden geleden...
- Ze zeggen dat ik te oud ben voor de functie waarnaar ik heb gesolliciteerd.
- Ik ben uitgekeken op mijn baan. Mag het, na elf jaar?
- Dit is wat ik wil: niet van baan veranderen, maar van loopbaan. Hoe pak ik dat aan?
- Kan ik na vijftien jaar rijksambtenaarschap nog een overstap maken naar het bedrijfsleven?
- Het klinkt banaal, maar ik ben toe aan een nieuwe uitdaging!
- Ik wil het kalmer aan doen op mijn werk, maar wel hetzelfde werk blijven doen. Hoe zal mijn werkgever hierop reageren?
- Ben ik nog echt gelukkig met mijn baan? Schenkt het werk mij nog wel voldoende bevrediging? Kan ik er mijn creativiteit nog in leggen?
- Heb ik meer (potentieel en energie) in mij dan ik nu op mijn werk kwijt kan?
- Staat mijn persoonlijkheid mij op de een of andere wijze in de weg in mijn loopbaan?
- Wat zijn als herintreedster mijn kansen op de arbeidsmarkt? Wat kan ik? Wat wil ik?
- Zal ik gelukkiger worden in een totaal andere werkkring, in een ander beroep? Of is dat maar een droombeeld?
- Zit ik in een midlifecrisis? Wat is dat? Hoe ga ik daar dan mee om?
- Is dit wel het juiste ogenblik om mijn carrière een andere wending te geven?
- Ik word binnenkort ontslagen. (Maar ze noemen dat tegenwoordig anders....) Wat moet ik nu, op mijn leeftijd? Heb ik een probleem of juist een fantastische kans?
- Wat zijn beroepen met toekomst? En hoe weet ik of ik daar geschikt voor ben?

- Hoe kan ik doorgroeien in mijn huidige baan? Of moet ik dat juist niet doen?
- Ik heb de pest aan solliciteren! Wat nu?
- Ik stel beslissingen steeds uit...
- Ik besteed geen tijd aan mijn loopbaan – ik modder maar door.
- Ik heb altijd pech!
- Ik heb geen flauw idee wat ik wil met mijn baan.
- Nadenken over mijn werk ontaardt in piekeren en prakkiseren.
- Over mijn loopbaan denken? Ik heb niet eens tijd mijn vrienden te bezoeken!
- Ik heb steeds de verkeerde banen gekozen...
- Ik heb faalangst.
- Ik begrijp niet waarom ik geen promotie maak.
- De arbeidsmarkt voor iemand met mijn opleiding is al 100 jaar slecht.
- Kijk ik wel eens met een schuin oog naar vacatures?
- Ben ik wel eens jaloers als een vriend(in) mij vertelt binnenkort aan een nieuwe baan te beginnen?
- Ik verveel mij vaak op het werk. Waar duidt dat op?
- Luisteren ze nog wel naar mij? Of ben ik tot meubilair verworden?
- Ben ik wel de juiste persoon om voor mijzelf te beginnen? Ben ik uit ondernemershout gesneden?
- Hoe kan ik doorgroeien in mijn huidige baan? Of moet ik dat juist niet doen?
- Hoe breng ik weer vaart in mijn loopbaan?
- Mijn zoektocht duurt zo lang, omdat ik niet weet wáár te zoeken.
- Alle banen die op mijn lijf zijn geschreven zijn al vergeven. Wat nu?
- Ik doe alsof ik bezig ben mij op mijn loopbaan te concentreren...
- Als ik denk aan een andere baan word ik ziek van angst... maar ik moet verkassen.
- Ik ben het zat steeds weer afgewezen te worden na elk sollicitatiegesprek.
- Ik voel mij naakt en hulpeloos bij het zoeken naar een nieuwe baan.
- Ik ben volledig uitgekeken op mijn werk, maar ik heb geen flauw idee hoe ik mijn lot in eigen hand moet nemen.
- Ik heb geen flauw idee wat mijn potentieel is.
- Ik mis een netwerk dat mij kan helpen en ondersteunen.
- Mijn bedrijf reorganiseert en mijn baan komt te vervallen. Wat nu...?
- Mijn laatste beoordelingsgesprek was rampzalig. Ik kan het best ontslag nemen. Maar waar moet ik dan heen?
- Ik weet wat ik wil, maar ik kom niet tot actie...
- Niets interesseert mij. Er zijn geen aantrekkelijke banen. Wat nu?
- Er zijn zo veel boeiende banen. Waar begin ik?

- Ik kan kiezen tussen twee banen. Welke past het best bij mij – nu en in de toekomst?
- Nooit eerder heb ik aan mijn loopbaan gedacht, maar nu is het zover...

Alles over loopbaanplanning helpt bij het verkrijgen van antwoorden op deze en andere loopbaanvragen.

Wat kan dit boek voor u doen?

Alles over loopbaanplanning is een veelzijdig boek:

1. Het licht uitgebreid voor over loopbanen, problemen en kansen op werkgebied. Dit boek is uw persoonlijke *helpdesk*.
2. Het laat u bepalen wat uw motivatie is, uw interne drijfveren, voor uw tegenwoordige baan en een toekomstige. Het leert u ook kritisch na te denken over uw sterke en zwakke kanten. Het bepalen van de gewenste loopbaan is geen kwestie van aan de banenboom schudden en de juiste valt naar beneden, voor uw voeten. Het is een zorgvuldig proces en geen exacte wetenschap. En aan het eind hiervan bent u weerbaarder en wendbaarder geworden. Het maakt u onafhankelijk van uw werkgever. U hoeft het boek niet in één ruk en met rode oortjes uit te lezen. In dit proces moet er tijd zijn voor overpeinzing en rijping van ideeën. Een tussendoortje op het perron zit er dus niet in.
3. Het geeft allerlei handvatten waarmee u zelf uw loopbaan kunt uitstippelen of op het juiste spoor kunt zetten of houden.
4. U leert iets over micromobiliteit, dat wil zeggen kleinere veranderingen binnen de huidige job. Maar ook externe mobiliteit kan kansen bieden: uitkijken naar een werkkring elders.
5. U zult zelfverzekerder gesprekken aangaan met 'bazen', personeelsmanagers en anderen wanneer het onderwerp *uw* carrière betreft.
6. U ontvangt een groot aantal *praktische tips* voor het inrichten van uw loopbaan, maar u wordt ook gewezen op potentiële *gevaren* voor verkeerde beslissingen.
7. Dit boek biedt velerlei inzichten, waardoor u uw loopbaan kunt *managen*. Dat wil zeggen pro-actief aan de slag gaan, dus niet uitsluitend in tijden van crisis. Loopbaanplanning bestaat niet alleen maar uit het doorspitten van vakbladvacatures. Dat is juist het einde van het graaftraject, wanneer u weer bovengronds komt.
8. Dit boek bevat een aantal bijlagen: proviand voor de speurtocht door loopbaanland.

Dit boek zal zijn diensten bewijzen, zowel in een krappe arbeidsmarkt (wanneer er een overvloed is aan banen om uit te kiezen) als in een 'slappe' markt (wanneer de jobs niet voor het opscheppen zijn).

De 'tipbox'

Tip:

....

....

....

In dit boek komt u op verschillende plaatsen in grijze kaders 'TIP' tegen. In deze 'tipboxen' vindt u allerlei praktische adviezen. Benut ze!

Daarnaast treft u ook hier en daar verwijzingen aan naar de boeken *Alles over psychologische tests*, *Alles over management tests*, *Alles over selectiegesprekken*, *Alles over salarisonderhandelingen* en *Alles over solliciteren op Internet* van dezelfde auteur. Dat is een service aan de lezers, want daarin treft u méér (gedetailleerde) informatie aan. Verwijzingen zijn onder andere weergegeven als:

*** Zie *Alles over selectiegesprekken* *** Hoofdstuk 7

De 'gevarendriehoek'

 Verspreid in het boek zult u gewaarschuwd worden voor mogelijke gevaarlijke bochten en situaties via de 'gevarendriehoek' die, hoe kan het anders, door het symbool hiernaast.

Om over na te denken

Met een zekere regelmaat hebben we kaders opgenomen die beginnen met de intrigerende woorden **Om over na te denken**. Ze proberen te prikkelen en u een slapeloze nacht te bezorgen.

Oefeningen

Dit boek bevat veel oefeningen om uzelf in kaart te brengen. Het zijn hulpmiddelen in de speurtocht naar een begin of voortzetting van een loopbaan. Er zijn geen tests opgenomen die bijvoorbeeld uw nooit vermoede talenten vaststellen, maar wél instrumenten die systematisch blootleggen wat uw vroegere ervaringen zijn geweest, wat uw vrijetijds-besteding is en hoe dit eventueel gekoppeld kan worden aan een volgen-de baan, et cetera.

Wees bij het afleggen van de opdrachten eerlijk – ook jegens het beken-nen van de eigen zwakheden. Bluf u niet suf. Vul de vragen in naar eer en geweten. Werp het masker af. Maar gebruik ook uw verbeelding en ga creatief om met de eigen sterke kanten. Tenslotte moet u er een boterham mee verdienen!

De oefeningen zijn duidelijk herkenbaar:

Oefening (van nummer en titel voorzien)

Sommige oefeningen overlappen elkaar – althans daar lijkt het op. Soms is het verschil dat ze in uiteenlopende perioden van uw ontdekkingsreis gemaakt moeten worden of dat ze verschillende invalshoeken hebben.

Alles over loopbaanplanning heeft eigenlijk nóg een auteur: dat bent u. Want dit is geen boek voor passieve lezers. Nee, u wordt aangezet tot nadenken, schrijven en actie. Veel computerprogramma's zijn van het type '*plug and play*'. Werken met dit boek gaat minder snel en gemakke-lijk. Kennis en inzicht over uzelf verwerven kost geen bloed, zweet en tra-nen, maar wel energie, tijd en geduld. Wij stellen de vragen, u verschaft de antwoorden. Zo eenvoudig is dat.

Pas afgestudeerden opgelet!

Pas afgestudeerden opgelet!

Adviezen in deze kaders zijn speciaal bestemd voor pas afgestudeerden en anderen die (bijna) nieuw en groen de arbeidsmarkt betreden.

Taalgebruik

Synoniemen
De woorden 'loopbaan' en 'carrière' worden door elkaar gebruikt. We maken geen onderscheid tussen beide. Dat geldt ook voor de termen 'werkgever', 'baas', 'organisatie', 'instelling' en 'bedrijf'. Dit laatste begrip slaat niet uitsluitend op commerciële werkgevers.

M=V, V=M

Komt u 'hij' tegen, lees het gerust als 'zij'. Struikelt u over een mannelijke vorm van een beroepsbeoefenaar, maak er een toepasselijke vrouwelijke van. (Van loodgieter naar loodgietster, van cameraman naar cameravrouw, van hoogleraar naar hooglerares.) Gelukkig zijn de steeds vaker voorkomende Engelse beroepsaanduidingen (account manager, designer, IT-professional) geslachtsneutraal.

Wat dit boek niet is

We geven geen historische uiteenzetting over hoe banen zijn ontstaan. Evenmin wordt besproken welke effecten het verdwijnen ervan op onze samenleving zal hebben of wat de maatschappelijke gevolgen zijn van een tekort van medewerkers. Dat is allemaal heel interessant, maar zal u niet verder helpen.

Dit boek gaat ook niet over het inrichten van uw leven. Alhoewel we moeten toegeven dat werk en leven hand in hand gaan, beperken we ons tot het arbeidzame deel van uw bestaan.

Deze publicatie is geen sollicitatiegids, maar betreft alles wat daaraan voorafgaat: het bepalen van het gewenste werkveld dat aansluit bij de persoon van de mogelijk aanstaande sollicitant. We leren u evenmin werken volgens militaire precisie. Loopbaanplanning is geen exacte wetenschap. Dat betekent dat onder andere de meetinstrumenten van dit boek niet zo sterk zijn als een meetlat of weegschaal. We beloven wel dat u inzichten en ideeën op zult doen en indicaties verkrijgt voor de volgende stap in uw loopbaan.

Dit boek is uw *persoonlijke routeplanner*. Durft u de reis aan?

Veel plezier en succes!

HOOFDSTUK I

Turbulente tijden

Niets is meer zeker. Vraag het maar aan Flora de Roos. Zij had die ochtend op het kantoor van haar baas (hopelijk onzichtbaar voor hem) even iets weg moeten slikken. Ze kon met een ijskoude glimlach haar leven verdelen in twee perioden: tot vanochtend 11.05 uur en daarna. Een wrange constatering. Voor het gesprek zag zij zichzelf als een uitmuntend advocaat die zes jaar van haar leven had opgeofferd om te horen dat ze partner kon worden in de maatschap waarin ze de laatste jaren zo veel geld had verdiend – voor haar baas... 'Voorlopig zit het er niet in', zei haar baas als antwoord op haar vraag: 'Wanneer dan wel?' Hij kon alleen maar uitroepen 'Daar moeten we te zijner tijd een nieuwe beslissing over nemen.' 'Maar waarom kan ik niet als partner worden benoemd, wat schort er dan aan mij?' Een collega zou deze vraag later op de dag oogcontactloos beantwoorden: 'kwaliteit.' Onduidelijker had hij het niet kunnen zeggen.

'Hoeveel avonden heb ik niet op kantoor achter de pc gezeten? Hoeveel zaterdagen moest ik mijn vriendinnen afzeggen? Hoeveel vakanties heb ik opgeofferd? En waarvoor?'

Een gesprek met haar oude patroon bracht haar weer op onze groene planeet terug. 'Denk je niet dat je als partner ook nog vrije zondagen aan je toetsenbord zult moeten schenken', had hij in al zijn wijsheid meegedeeld. Bij nader inzien was Flora opgelucht en besloot eens heel lang en heel diep na te denken over haar toekomst. Wat wilde zij echt in het leven bereiken? Contractjes bedenken, dag en nacht, was dat waar ze een warm gevoel van kreeg? Ze besloot nu eens zichzelf te analyseren en plannen te smeden, in plaats van voor haar cliënten.

Vroeg de volgende ochtend kwam zij in de gang haar collega Govert van den Abeele tegen. In haar ogen behoorde hij tot het meubilair van het kantoor. De rots in de branding, de toeverlaat voor elke jonge advocaat. De meestal nogal sombergeblikte Govert had nu pretogen. Hij scheen heel gelukkig en tevreden met zichzelf. 'Wat maakt jou zo stralend, vooral aan het begin van de dag?', vroeg Flora. 'Heb je het dan niet gehoord? Ik dacht dat iedereen het al wist. Over twee maanden vertrek ik en word maat bij Law International, het nieuw gefuseerde kantoor, tegen een topsalaris!' Flora ontdekte dat niets meer zeker is en besloot 'werk van zichzelf' te maken en de dip om te zetten in een piek.

21

Bron: *Advertentie Mckinsey & Company*

Bron: *Advertentie Nederlandse Spoorwegen*

Waarom werken? Wat is de zin?

Werk is een van de belangrijkste activiteiten van ons leven. Het hoeft natuurlijk niet per se in een betaalde 9-5 baan, maar dat is toch wel het richtsnoer, een punt van (h)erkenning. Werk als 'acht uur per dag onder de pannen zijn' is een wat negatief uitgangspunt. Het betekent vooral een inkomen en een persoonlijke vervulling. Want in een passende baan kun je je talenten vervullen, wordt je belangstelling bevredigd en kun je je ideeën en plannen verwerkelijken. Laten we de financiële kant niet vergeten; het inkomen bepaalt waar en hoe je woont, de inrichting van het huis, wie je vrienden zijn, wat voor kleding je draagt, je favoriete vrijetijdsbesteding, et cetera. Een baan betekent voor sommigen ook status en macht, al is dat laatste woord wat besmet. Vandaar dat het verlies van een baan of de dreiging ervan velen hoofdpijn bezorgt en slapeloze nachten.

Mensen *identificeren* zich met hun baan en beroep. Op de vraag 'Wat ben je?' volgt meestal geen fysiologisch, filosofisch, anatomisch of psychologisch antwoord maar een beroep: 'Ik ben accountant' (of advocaat, leraar Frans, ondernemer, tandartsassistente). Via hun werk kunnen ze hun plaats op de maatschappelijke ladder (de 'pikorde' – soms wordt dat ietwat letterlijk opgevat) bepalen en zich vergelijken met anderen. Werk levert ook respect en achting op.

Werk geeft de meeste mensen een gevoel van doel, richting en structuur in het leven. Aan de sociale kant levert het vrienden, kennissen en relaties op en de baan is ons visitekaartje naar de buitenwereld. Het toont wie we zijn. En natuurlijk kan de inhoud van het werk heel spannend zijn of maatschappelijk bevredigend: 'iets doen' voor de zwakkeren of zieken in de samenleving. Gelukkig maar, zijn er ook mensen die niet voor het grote geld gaan en behoeftige bejaarden of ontspoorde kinderen verzorgen.

Werken bezit iets aantrekkelijks. Vraag het maar aan werklozen. Of aan 'gouden parachutisten' (in bezit van een 'prettige' regeling met de laatste werkgever), of aan hen die tachtig uur per week 'draaien' (en niet altijd tegen een fabuleuze beloning). De *nietsdoende klasse* doet niet niets – en wil meestal weer snel aan de bak. Zonder werk voelen de meesten zich hulpeloos.

Waarom werkt ú eigenlijk? Doet u dat voor de poen, de roem of misschien de status? De contacten? Of om de verveling tegen te gaan? Om de 'schande van het nietsdoen' te vermijden? Of om alsmaar door te leren en uzelf verder te ontwikkelen? Of is het de 'calvinistische prestatiedrang'? Geeft dat bevrediging? Iedereen heeft zo zijn eigen redenen...

23

Alleen voor het geld?

Tien manieren om (bijna) slapend rijk te worden, in willekeurige volgorde, dat wel:

1. Huw een rijke partner.
2. Start een wereldgodsdienst (een lucratieve en belastingvrije sekte).
3. Beroof een bank (geen bijkantoor of geldautomaat).
4. Win de belastingvrije hoofdprijs van de Duitse Klassen loterij.
5. Schrijf een internationale bestseller en verpats de filmrechten.
6. Word profvoetballer in Zuid-Europa (Engeland mag ook).
7. Ga olie boren in Kazachstan.
8. Zet een criminele organisatie op poten (en leg wat geld opzij voor omkopingen).
9. Ontwikkel een effectief geneesmiddel tegen aids.
10. Koop aandelen Prinselijk Gas voor een prik, wacht een paar jaar en verkoop ze voor het duizendvoudige.

Als u alleen op geld 'jaagt', zult u uw werk niet lang volhouden, want dat boeit niet voldoende. De motivatie daalt, de prestaties nemen af – en de rest kunt u zelf invullen...

Hoe is het met zaken als ontplooiing gesteld? Toekomstperspectief? Het plezier om juist met *deze* collega's samen te werken?

Werk en levensfase

Onze mening over werken en banen blijft niet altijd hetzelfde. Onze aanvankelijke ideeën zijn ons met de paplepel ingegoten: thuis, op de bezochte scholen en via vrienden. Als we ouder worden, samenwonen, trouwen, verandert het oorspronkelijke beeld. De vrouw (meestal) of de man die een kind krijgt, beseft dat de prioriteit is verschoven van het werk naar de boreling.

Tachtig uur per week werken is niet alleen zelf moeilijk vol te houden; het gezin herkent de foto op de schoorsteen als de man of vrouw die af en toe in het weekend aanwezig is om op de bank in de woonkamer uit te slapen. Zo'n situatie is niet vol te houden. Of de partner zegt toedeloe, óf de noeste werker is bang zijn gezin te verliezen en zijn houding jegens het werk verandert als bij blikseminslag. Er komt ook een tijdstip waarop de inmiddels ouder geworden werknemer meent 'dat het niet meer zo nodig hoeft'; opgegroeide kinderen hebben het ouderlijk huis verlaten en hij of zij is meer geporteerd voor het begeleiden van jonge medewerkers en (af en toe in de baas zijn tijd) golfen. Elke fase heeft zijn eigen vragen en onzekerheden.

Gebeurtenissen die het werk beïnvloeden

Het leven staat bol van de verrassingen en veranderingen, die alle een effect hebben op het werk. De dood van de partner leidt tot een ander wereldbeeld en de rol van de baan. Dat geldt ook voor een echtscheiding, een auto-ongeluk met een bijna-doodervaring, invaliditeit, chronische ziekten, verslavingen, psychiatrische stoornissen, et cetera. Na deze en andere, minder dramatische, gebeurtenissen zoeken mensen meestal een nieuwe balans tussen werk en leven.

Gebeurtenissen op het werk

Ook de uren die u op uw werk doorbrengt, kunnen heftige veranderingen te zien geven: reorganisaties en fusies, oude technologie die wordt vervangen door geheel nieuwe, wettelijke regelingen die het werk een ander aanzien geven, de verhuizing van het bedrijf. Slechte beoordelingen kunnen eveneens leiden tot herziene ideeën over de baan.

Loopbaanplanning

Serieus denken over de loopbaan komt vaak voor bij mensen die van hun baas horen 'vooral toch eens uit te kijken naar een nieuwe baan', zelf pijnlijk ervaren dat ze vastlopen in hun werk of het plezier verliezen. De twijfel slaat toe...

We zijn geneigd de organisatie, de directie of de werkgever als een ouder te zien. De baas waakt over ons en heeft het beste met ons voor. Dat komt ongetwijfeld nog voor, maar menige baas is vooral bezig met zijn *eigen* loopbaan.

Organisaties verwachten loyaliteit van hun mensen, maar ze doen er vaak veel aan om hun medewerkers 'mobiel' te maken. Dat is een slechte zaak, want met de verlaters loopt ook de kennis weg. We constateren een groot en groeiend personeelsverloop. In het beroemde Californische *Silicon Valley* zou dat zo'n 180% op jaarbasis zijn. Dus één seconde van onoplettendheid en de collega's hebben hun bureaus ontruimd. Het grote personeelsverloop biedt kansen en bedreigingen voor organisaties en medewerkers.

We leven in een turbulente en snel veranderende maatschappij met meeveranderende werkgevers. Als u een baan wilt behouden, verder uitbouwen of verkassen, moet u meeveranderen. Veel keuze heeft u niet. Maar u moet wel weten hoe. Durf tijdig onder ogen te zien dat het bestaansrecht van uw organisatie best eens zou kunnen verdwijnen, dat uw baan gevaar loopt. Kijk dan nog eens goed naar uzelf. Bent u een angsthaas, economisch afhankelijk van uw baas? Uw eigen *creativiteit* is *het* middel om ook in de toekomst geld te blijven verdienen. Zal dat lukken wanneer u niet tijdig de bakens verzet?

'Verlaters' zijn niet altijd de mensen die als laatste in dienst van de werkgever zijn getreden. Soms wordt een dienstverband na zo'n dertig jaar abrupt beëindigd. Nadat het slachtoffer zich over deze schok heen heeft gezet (en dat duurt soms lang), merkt hij dat er weinig banen op hem wachten. Laat het niet zover komen! En dat hoeft ook niet wanneer u zelf de volledige verantwoordelijkheid voor uw loopbaan neemt en de regie blijft voeren. Dat kost wat tijd en energie. Houd één, twee keer per jaar uw positie tegen het licht. Stel uzelf kritische vragen; u komt er in dit boek vele tegen.

Dit boek gaat ook over de manager of medewerker die nog geen baanprobleem heeft. Het is een kwestie van pure statistiek: u komt nog aan de beurt. U kunt erop wachten... Wat lijkt u beter: u niet verroeren, zo maar uitkijken naar een nieuwe baan of planmatig te werk te gaan?

Loopbaanplanning komt neer op het bereiken van gewenste en zelf gestelde doelen in het arbeidsleven, waarbij uw capaciteiten en ambities tot hun recht komen. Dat is niet eenvoudig, want het is moeilijk te bepalen wat je eigenlijk wilt, laat staan weten waar je goed in bent of in uitblinkt.

We helpen met het opstellen van een loopbaanplan – voor velen een meerjarenactie. Geleidelijk aan worden de bouwstenen aangereikt. We nodigen uit tot nadenken en ontraden overhaastige beslissingen. Wat de 'pakkans' op een interessante baan hangt van u af – en natuurlijk van de arbeidsmarkt van het ogenblik.

 De financieel directeur van een van de grootste bedrijven van Nederland zei eens 'Geld moet je lenen wanneer je het *niet* nodig hebt. Pas dan krijg je de beste condities van de bank.' Zoiets geldt ook voor de loopbaan. Doe er iets aan, in alle rust, *voordat* de vlam in de pan slaat. Peil tijdig de huidige situatie.

Help!

De noodkreet van Adrie den Oudenbrink:

- 'Ik ben 29 jaar.
- Ik ben bakker en heb drie bakkerswinkels.
- Ik heb een mbo-diploma.
- Ik heb vijftien man in dienst.
- Ik ben de alles-regelaar in mijn bedrijf.
- Ik heb er genoeg van en wil iets totaal anders gaan doen – maar wat?'

We geven het woord aan Chantal Raaymakers: 'Ik zit al een tijdje met deze vraag: ik heb een hbo-studie achter de rug, maar ik weet nog steeds niet wat voor werk ik moet zoeken. Ik heb een baan. Maar ik zoek een *leuke* baan. Ik weet alleen nog niet wat een baan leuk maakt...'

Frans Roomer laat weten dat hij bij een beroepskeuzebureau op bezoek is geweest. Hij heeft testjes afgelegd en is te weten gekomen dat zijn intelligentie op academisch niveau ligt, dat hij creatief is en leidinggevende capaciteiten bezit. Sport kwam als belangrijk interessegebied naar voren. Roomer: 'Ik heb nog steeds geen idee wat een passend beroep voor mij is...'

Mirjam Koornstra heeft drie jaar geleden haar hbo-studie facilitaire dienstverlening met een diploma afgesloten. Sindsdien heeft zij vier banen gehad. Bij twee werkgevers is zij vrijwillig vertrokken en twee hebben haar kortlopende contract niet verlengd. 'Ik kan veel – ik zit boordevol talent – ik ben erg gemotiveerd, heel spontaan, maar ik kom steeds in de verkeerde banen of bedrijven terecht. Hoe kan dat nou?'

Geraldine Booms schrijft ons het volgende: 'Ik ben nu een paar jaar werkzaam als secretaresse, maar ik heb gemerkt dat dit toch niet mijn job is. Ik wil dan ook graag een andere richting op, maar ik weet absoluut niet welke. Wat ik zoek in een baan is omgang met mensen, gebruik van mijn talenkennis. Ik ben een regeltante en doe graag organisatorisch werk. Kan ik erachter komen wat ik nu eigenlijk wil door een beroepskeuzetest af te leggen? Lost dat niet mijn probleem op?'

Keuzes zijn moeilijk, want er bestaan vier B's:

- Banen (die zeer snel inhoudelijk veranderen, verdwijnen en ontstaan).
- Beroepen (die een langere levensduur hebben, met hun eigen geschiedenis, opleidingseisen, certificaties, gedragscodes).

- Branches of industrieën (samenhangende organisaties binnen een product- of dienstengroep).
- Bedrijven of organisaties (weinig stabiele 'productie-eenheden').

We hebben dus allemaal onze twijfels. Of twijfelt u aan deze uitspraak? Het is inderdaad gemakkelijker een nieuwe auto uit te kiezen dan een passende baan of loopbaan.

Tien loopbaanmythen

'De maatschappij' kent nogal wat (soms prettige) ideeën en aannamen. Bijvoorbeeld dat onze hoge welvaart 'god-gegeven' is; het is nu eenmaal ons recht. Waarom dat dan zo is of zou moeten zijn, daar kan niemand antwoord op geven... Deze welvaart is dan ook eeuwigdurend, met misschien af en toe een dip – maar daar hebben slechts enkele mensen last van. (En zolang u dat niet bent, verandert uw wereldbeeld niet.)

Een andere aanname. 'Kinderen' zullen het economisch gezien beter hebben dan hun ouders. Een plezierig idee (voor de kinderen dan) maar ook deze aanname is gebaseerd op (nogal optimistisch) drijfzand: een altijd doorgroeiende economie. Sommige afgestudeerden hebben moeite met het vinden van een passende baan die ook nog eens goed betaalt. De aspiraties een eigen huis te bezitten (zoals de ouders) worden hierdoor bemoeilijkt. Een torenhoge huizenprijs helpt bepaald niet dit ideaal te verwezenlijken. De droom van het eigen huis zal misschien voor velen een droom blijven...

De wereld is niet meer wat zij was – en zal het ook nooit meer worden. En waar is dat duidelijker dan in de arbeidsmarkt? Studenten werden opgevoed met ideeën over hoe 'de' loopbaan eruit zou (moeten) zien. Ze blijken vals te zijn; het zijn eigenlijk mythen. We noemen de tien belangrijkste.

Mythe 1: Overheid en multinational zijn zekere werkgevers, je leven lang
Deze 'grote' werkgevers hadden een reputatie opgebouwd van loyaliteit-door-dik-en-dun (vaak ten koste van duur belastinggeld...). Ben je eenmaal 'binnen' bij zo'n organisatie, dan is je kostje gekocht en spendeer je de rest van je loopbaan – tegen een steeds vollere portefeuille en meer vakantiedagen (die je toch niet kunt 'opmaken') – bij deze eersteklas werkgever. Hard werken en trouw worden beloond in de vorm van baanzekerheid. (En soms via opties.)

Einde geloof. Want deze werkverschaffers hebben de afgelopen jaren de smaak van flexibiliteit (lees: overplaatsing en ontslag aanzeggen) te pakken gekregen. Zekerheid weg. En dus ook het ruime aantal vakantiedagen. De ongelukkigen genieten van een eindeloze vakantie...

Als uw netwerk door de eeuwige trouw geslonken is tot mensen die allemaal dezelfde bedrijfstaal spreken, met wie kunt u dan spreken, op wie wilt u dan een beroep doen als het bedrijfsschip de wal met een daverende knal keert en u op eigen kracht moet roeien?

Mythe 2: De werkgever zorgt voor mijn loopbaanplan
Veel bedrijven bezitten een afdeling Personeel & Organisatie en die heeft een 'carrièreplaatje' voor het hoger gekwalificeerde personeel in petto.

Ook dit is een onwaarheid geworden. De moderne werkgever probeert medewerkers in een organisationeel schema te passen – en niet andersom. (En bovendien vrezen de deskundigen dat op termijn de P&O-functie sterk uitgehold zal zijn, zodat deze functionarissen zelf slachtoffer worden.) U zult voor uzelf moeten zorgen.

Mythe 3: Mijn studie bepaalt mijn eerste baan
Fout! Het is een logische gedachte dat de eerste baan moet aansluiten op de gevolgde studie. Maar de werkelijkheid is weerbarstig. Tegenwoordig vinden meer en meer afgestudeerden werk waaraan zij nooit eerder hebben gedacht – en evenmin voor zijn opgeleid. Een arts als automatiseringsdeskundige. Een socioloog als politie-inspecteur. Een biochemicus als beleggingsanalist. Een natuurkundige als artsenbezoeker.

De kans dat iemands opleiding lijnrecht leidt naar de functie waarvoor hij is opgeleid, wordt met de minuut kleiner.

Mythe 4: Mijn loopbaan is een rechte lijn
Een loopbaan werd altijd gezien als een serie banen binnen een bepaalde beroepsgroep, vaak met een hiërarchische stijging. Ook dat idee is in de fabeltjeskrant uitvoerig beschreven. Meer en meer mensen breken een klassieke loopbaan (niet altijd noodgedwongen) ergens halverwege af om een geheel andere loopbaan te beginnen.

Mythe 5: 'Managen' moet
Je bent jong en je wilt wat: meteen al leidinggeven. Wanneer je niet in een leidinggevende functie terechtkomt, is je rol in dit leven uitgespeeld, finito en heb je geen aanzien meer. Je vrienden keren zich van je af. Je moet dus 'willen'.

29

Niet elke specialist, professional of stafmedewerker is per definitie geschikt leiding te geven of wenst dit te doen. Wat is er mis met de specialist? Zijn stafmedewerkers de nieuwe proletariërs? Of moet 'manager' een nieuwe erfelijke titel worden, waar iedereen recht op heeft?

Mythe 6: Trouw blijven aan beroep of branche

Je kunt beter in één keer de juiste studiekeuze maken en het juiste beroep kiezen, want 'fouten' kun je je niet permitteren.

Uit het vorige zal duidelijk zijn geworden dat *'switchgedrag'* eerder regel dan uitzondering is. Heeft u een verkeerde beslissing genomen? Zijn de interesses veranderd? Geen probleem. Bedenk dat mensen steeds vaker in hun leven van baan en beroep (willen en moeten!) veranderen. Het geleerde blijkt 'nooit weg' te zijn. Continu bijleren en bijblijven is dan ook de boodschap. Blijf flexibel en (zoals dat tegenwoordig heet) *'employable'*.

Mythe 7: Mijn baas zorgt voor mijn promotie(s). Ik hoef hem daar niet op attent te maken

De sleutel ligt in het zelf *initiatieven* ontplooien. Niemand 'wacht' op je. Je veilige plaats op deze planeet is niet gegarandeerd en je bent zelf je beste belangenbehartiger.

Mythe 8: Specialisme is een loopbaangarantie

Sommige specialisten bezitten maar één (zeer belangrijke) vaardigheid. In het algemeen zijn tegenwoordig *multivaardigheden* veel gevraagd en je bent hiermee beter toegerust voor de toekomst. Bijvoorbeeld de combinatie techniek en commercie of geneeskunde en management.

Mythe 9: Het bedrijf is één grote familie

Zoals gezegd, de banden zijn steeds losser geworden. Menige organisatie oogt tegenwoordig als een duiventil: er wordt heftig in- en uitgevlogen. Hooguit zal het team, waarvan meer en meer medewerkers deel uitmaken, kortere tijd als een gezin functioneren.

Mythe 10: Een stap terug is dodelijk

De loopbaan is niet meer een rechte klim naar boven. Soms is het beter gas terug te nemen of een zijstap te maken om later een hoger sportje op de carrière-ladder te bezetten.

Vergeet snel de mythen! Leef je eigen leven en bepaal je eigen ambities en grenzen. Wil je meer weten over hoe het werkelijk toegaat in het leven? Lees en praat. En vooral: luister naar anderen.

> **Om over na te denken:** In onze samenleving zijn banen zo belang-
> rijk, dat je 'je baan bent'. Er wordt aan kinderen gevraagd: 'Wat
> wil je later worden?' Het antwoord moet een beroep zijn. Maar als
> je eenmaal 'bent geworden', weet je niet altijd of je het wilt blijven...

Trouw tot in de dood?

Bedrijven verwachten loyaliteit van hun medewerkers. Terecht. Maar hoe diep moet deze trouw gaan? En hoe lang moet deze duren? Nu de liefde des werkgevers zijn grenzen heeft laten zien, zijn werknemers ook langzamerhand hun conclusies gaan trekken.

Vooral in de Verenigde Staten en Engeland zijn er bedrijfsdirecteuren geweest met een toch ietwat vreemde opvatting over de verhoudingen in het bedrijf. Massaal medewerkers ontslaan en tegelijkertijd jezelf een hoger (soms fabelachtig) salaris toekennen. De *'wijkers'* van dit beleid behoeven niet meer gewezen te worden op de verwachtte loyaliteit, maar hoe zit het dan met de *'blijvers'*. Zou het niet aardig zijn te onderzoeken wat er is omgegaan in de hoofden van deze (achter)blijvers. Zijn hun vertrekmotieven groter of juist kleiner geworden? Is er angst in hun hersenpan ontstaan? Afgunst op de bedongen vertrekpremie, op de goedverdienende toppers van de organisatie? Wat is er gebeurd met hun arbeidsmoraal? Het plezier in het werk zal wel niet toegenomen zijn...

In de 'goede oude tijd' werden medewerkers en bazen ontslagen als ze om wat voor reden dan ook niet voldeden. Het loon voor de rest van de week of de maand werd uitbetaald en dat-was-dat. De sterke rechtspositie van de werknemer en de vele pro-werknemerrechters hebben het erop doen lijken dat het voor met name hoger-geplaatsten de moeite waard is om slecht op het werk te functioneren (wat dat ook precies betekent) en op ontslag aan te sturen – tegen een vette vergoeding en soms behoud van allerlei 'extra's' die met de ex-baan samengaan. Alhoewel er juridisch weinig tegen deze afkoopregelingen is in te brengen, is het voor velen (met name in de organisatie waar zich dit afspeelt) toch slecht te verkroppen dat er *beloond* wordt (en hoe!) voor slechte prestaties. Een onbegrijpelijke paradox, behalve voor de gelukkigen...

Het verzekerde leven

U wordt midden in de nacht wakker met een klef en kleverig lijf. U schreeuwt het uit. De nachtmerrie is dagwerkelijkheid. 60% van uw inkomen is de inzet op het olympische nummer 'fiscuswerpen', van het restant gaat de helft elke maand naar de verzekeringsmaatschappijen in hun glimmende en glanzende gebouwen – en de rest is voor uzelf. 'Hoe heeft het ooit zover kunnen komen?', ijlt u. U denkt terug aan de boeiende avonden met uw verzekeringsadviseur.

Het begon met een pensioenverzekering. Dat was nog niet zo'n gek idee. De ziektekostenverzekering, ja natuurlijk. En toen volgden in een steeds hoger tempo de levensverzekering, de inboedelverzekering, de glasverzekering, de rechtsbijstandsverzekering, de ongevallenverzekering, de doorlopende reisverzekering en hoe ze ook allemaal heten. Misschien heeft u wel een tramverzekering, voor het geval u de tram een keer mist of een aangebakken-aardappelverzekering. Hoe heeft *u* het zover laten komen? Help! Laat mij eruit! Verlos mij uit de verzekeringskooi!

Is dit het ware (maar zwaarverzekerde) leven dat u wilt blijven leiden? Of spreekt de Australische leegte u meer aan? Of misschien de rustgevendheid van het Franse discountkasteeltje? Of bent u iemand die als een ongeleid projectiel op weg is naar de Grote Baan?

> **TIP:** Ook als u tevreden bent over en in uw job, kunt u misschien toch voldoende zaken beter, sneller, efficiënter, goedkoper (laten) doen. Beschouw uw baan niet als een pleisterplaats; steek er voortdurend voldoende energie in.

Oefening 1.1   Vastgeroest?

Staat u elke ochtend nog even fris, vrolijk en fluitend op, met uitzicht op weer zo'n fantastische werkdag? Of associeert u het ijselijke gegil van de wekker met het begin van het dagelijks lijden op het werk? Hoe 'werkfris' bent u? Beantwoord de volgende vragen eens (kruisjes zetten):

1. Ik verheug mij bijna elke ochtend op de komende werkdag. ❏
2. Ik ben zelden ziek. ❏
3. Ik verveel mij nooit op mijn werk. ❏
4. Ik werk minder dan vijf jaar in (nagenoeg) dezelfde functie. ❏
5. De mensen op mijn werk beschrijven mij als gemotiveerd. ❏
6. Mijn werk is nauwelijks routinematig. ❏
7. Het werk vermoeit mij niet bovenmatig. ❏
8. Het werk is bijna steeds uitdagend. ❏
9. Ik zoek geen andere baan. ❏
10. Mijn collega's zijn erg plezierig. ❏

Heeft u tien kruisjes gezet? Dat bent u een gemotiveerd en gelukkig mens. Hoe minder kruisjes u heeft, des te meer bent u vastgeroest in het werk.

> **TIP:** Blijf bouwen aan uw kennis- en vaardigheidsportefeuille: het product dat uw waarde en aantrekkelijkheid voor een werkgever bepaalt. Het 'product' werknemer is nooit volmaakt, 'af'.

De gouden kooi

Sommige werkgevers knuffelen uit liefde of behoudzucht hun werknemers bijna dood. Ze koesteren hen met een hoog salaris en zo veel plezierige arbeidsvoorwaarden en aantrekkelijkheden dat de medewerkers denken het paradijs op aarde bereikt te hebben. Geniet van deze jaren!

Maar er is een keerzijde. Hoe meer de werkgever doet en betekent voor de werknemer (zakelijk en privé) des te afhankelijker (financieel, maar ook emotioneel) wordt de werknemer. Bij economische tegenwind komt de bijl des te harder neer en is de verwarring en ontreddering compleet als het stof is opgetrokken. (Spreek eens met de ont/verslagenen van multinationals als Philips, Shell of IBM.)

> **TIP:** Heeft u geen visie, plan of inspiratie over uw toekomst? Verander van omgeving. Ga op vakantie, maak een lange boswandeling of een fietstocht, raak weer eens (de) aarde aan, verlaat tijdelijk de 'rat race'. De ideeën komen vanzelf wel...

Verantwoordelijkheid verschuift

In het leger zijn de 'hoge pieten' de ouders van de soldaat, de bedrijfsdirecteur is de wijze vader van zijn personeel, de kapitein is de (harde maar rechtvaardige) vader voor zijn bemanning. Velen zijn opgegroeid met het idee dat 'vader' het beste met je voor heeft, weet wat je behoeften zijn en altijd voor je belangen zal opkomen. Je bent immers zijn kind? De tijden veranderen en de kinderen vliegen uit, vooral wanneer de 'familie' trouw niet meer zo op prijs stelt en vrij snel het te dure (of te langzame) kind buiten zet. De werkgever is hoe langer hoe minder een zorgzame ouder. Je moet dus voor jezelf zorgen. Dat is niet per se slecht, zolang je dat maar beseft.

De verantwoordelijkheid voor het loopbaanwelzijn verschuift van de werkgever naar de werknemer. (De werkgever moet werk aanbieden, in welke vorm dan ook. Hij heet niet 'loopbaangever' of 'zekerheidsgever'.) Er ontstaat een evenwichtiger balans tussen de taken en plichten van werkgever en werknemer. Het volgende schema geeft aan wie welke taken heeft:

Werknemer	Werkgever
In topconditie blijven (*'job fitness'*)	Opleidingen aanbieden (tijd/budget)
Periodieke test: is mijn kennis nog bij? / *'checks and balances'*	Outplacementhulp (financieel/tijd)
Welke vaardigheden verbeteren?	Gelegenheid tot *'exposure'* bieden
Verdergaande specialisatie?	Recht op continue bedrijfsinformatie
Twee/drie deeltijdbanen?	Doorlopend informeren
Eerlijker naar organisatie	Eerlijker naar medewerker
Netwerken	De lerende organisatie
Financiële reserves opbouwen	Mobiliteitsbureau/loopbaanwinkel/loopbaancentrum
'Worst case scenario' (combi-jobs)	*'Job rotation'/'job enrichment'*

Om over na te denken: Hoe zal mijn toekomst eruitzien als ik hetzelfde werk blijf doen, zonder mij verder te verdiepen of te verbreden?

Het oude en nieuwe arbeidscontract

Mike Johnson zet enkele verschillen tussen het oude en het nieuwe arbeidscontract aardig naast elkaar:

Het oude arbeidscontract	Het nieuwe arbeidscontract
Dit zijn onze werktijden	Neem je hersenen mee naar je werk
Hier is het functieprofiel en dit zijn de huisregels	Kunt u de baan verbeteren?
Wij respecteren onze mensen	Wij controleren onze mensen
U moet dit doen	Wilt u dit doen?

Het oude arbeidscontract	Het nieuwe arbeidscontract
Dit is ons organogram	Dit zijn onze bedrijfsprocessen en onze teams
Dit is uw baas	Dit is uw teamleider
U werkt met deze mensen	Dit is uw team
Dit is waar u zult werken	Kent u uw klanten?
Uw baas zal vertellen hoe het moet	Uw leider zal het aan u verkopen
Fouten zullen worden bestraft, pas dus op	Fouten zijn kansen voor verbeteringen
Wees de organisatie trouw en blijf in het gareel lopen	We helpen u via training uw vaardigheden te verbreden en flexibel te blijven
Prettige dag! Maar niet in onze tijd	Hoe kunnen we voor een plezierige werkomgeving zorgen?
Wij bepalen uw toekomst	U bepaalt uw eigen toekomst – al dan niet in onze organisatie
U maakt automatisch promotie	Promoties zijn onzeker. Beloning van inzet
We bieden baanzekerheid	De enige zekerheid die we bieden is professionele ontwikkeling en een zekere marktwaarde
Loyaliteit wordt beloond	Trouw wordt niet beloond (eerder afgestraft...)
Tot slot: wilt u de baan of niet?	Tot slot: hoe kunnen we samenwerken?

U ziet, de sfeer van de beide contracten is totaal anders. Waar wilt u liever werken als u keus heeft? Welke zekerheid zoekt u?

De tijden veranderen – u ook?

Misschien bent u talloze excuses aan het verzinnen om niets aan carrièreplanning te doen. Laten we ze vast voorkauwen. Dat gaat sneller. Zullen we dan maar?

- *Mijn* baan is veilig.
- Ik werk al zo lang in deze organisatie...
- Ik ben altijd heel loyaal geweest.
- Zo'n vaart zal het wel niet lopen met al die veranderingen...

- Het zal mijn tijd wel duren...
- Het enige wat ik wil is gewoon een baan!
- Ik ben te oud/mis de capaciteiten om een nieuwe loopbaan te beginnen.
- Ik ga over vijftien jaar met pensioen.

Excuses zoeken is geen adequate reactie op veranderingen, een strategie uitzetten wel!

De planeet waarmee wij het moeten doen is nog nooit zo turbulent geweest als tegenwoordig. Veranderingen aan de lopende band, waardoor ook veroorzaakt, verbazen ons niet meer. Welke veranderingen ziet u om u heen gebeuren (op het werk, in de economie, in uw branche)? Hoe kunt u hierop inspelen? Kunt er een nieuwe of aangepaste baan aan overhouden? Zijn er parttime mogelijkheden – die misschien te zijner tijd tot een nieuwe 'uitdaging' leiden?

Ook beroepen zijn aan verandering onderhevig. Zij verdwijnen, hun inhoud verandert en er worden nieuwe gecreëerd. Heeft u zicht op de veranderingen van de afgelopen jaren in uw beroep? Bestaat uw beroep nog over vijf jaar – wat denkt u? En over tien jaar? Als u hierover negatief bent gestemd, is het goed tijdig maatregelen te nemen.

Waarop kan worden teruggevallen wanneer de 'gulheid' van de werkgever wegvalt? Te voet naar het bijstandsloket of staan nieuwe werkgevers al in de rij om te worden bediend? Een bekend patroon: een medewerker dreigt ontslagen te worden en hij biedt zijn eigen baan als freelancer aan. In het bedrijfsleven heet dat *'outsourcing'*. Dat kan een goed alternatief zijn voor een gedumpte job. Maar pas op! Ondanks dat deze externen meer verdienen dan voorheen, liggen de belastinginspecteurs op de loer en blijken er plots allerlei andere kosten te bestaan (accountant, kantoorbehoeften, et cetera).

> **Om over na te denken:** Als je zelf niet je eigen koers kunt uitzetten, je wensen en ideeën kunt realiseren, loop je voortdurend achter de feiten aan. En bepalen anderen jouw toekomst.

Baan of loopbaan?

In dit boek wordt gepleit voor het op- en uitbouwen van een loopbaan. We verstaan onder een loopbaan een patroon van opeenvolgende en veelal samenhangende betaalde functies. Een baan wordt wel omschreven als een betaalde positie of functie in een organisatie gedurende een bepaalde periode, bestaande uit een aantal omschreven taken en verantwoordelijkheden. Een baan draagt meestal een titel, die voor hetzelfde werk van organisatie tot organisatie anders kan luiden.

Banen kunnen snel verdwijnen, zoals bij massaontslag of fusie, maar kunnen ook geschapen worden, zoals in tijden van economische voorspoed. Komt het beroep overeen met de baan, dan kan het overal worden uitgeoefend. Het beroep van verkoper of arts wordt niet beperkt tot één enkele autodealer of één enkel ziekenhuis.

Los van deze definities zijn er gevoelsmatig nogal wat verschillen tussen baan en loopbaan. Deze zijn hier nogal aangezet – zo zwart-wit zijn ze in werkelijkheid niet.

Loopbaan	Baan
Het werk is nooit klaar... (weekendwerk, avonden...)	9-5 (en dan inpakken en wegwezen!)
De zorgen worden meegenomen naar huis	'Morgen bent u de eerste'
Veel plezier in het werk	Werken moet nu eenmaal
Zorgvuldig onderzocht en gekozen	Toevalstreffer
Opleiding belangrijk, voortdurende training	'On-the-job-training'
Status binnen en buiten de organisatie	Weinig status binnen en buiten de organisatie
De persoon is belangrijk	Het werk is belangrijk
Gericht op lange termijn	Gericht op korte termijn
Geconcentreerd op werk	Meerdere banen zijn verenigbaar
Moeilijk te veranderen	Gemakkelijk en vrij snel te veranderen
Weinig vrije tijd	Veel vrije tijd
Veel stress	Weinig stress
Leidinggeven	Leiding ontvangen
Grotere mate van zelfstandigheid	Geringe mate van zelfstandigheid
Betekenisvol werk verrichten	Routinematig werk verrichten
Betrekkelijke zekerheid	Betrekkelijke onzekerheid
Hoger inkomen	Lager inkomen

Misschien is het de hoogste tijd van uw baan een loopbaan te maken!

Een klassiek loopbaanmodel in vier fasen

Sommige loopbaanadviseurs hanteren een klassiek model waarin iemands carrière wordt beschreven als een stijgende curve – tot een bepaald ogenblik. Dan zet de stabilisatie in en daarna treedt zelfs een daling op. Het zal duidelijk zijn dat deze ontwikkeling van persoon tot persoon verschilt.

Zo rond het 45e jaar moet de functionaris het 'gemaakt' hebben. Daarna wordt het moeilijker. We spreken (altijd in relatieve termen) over inkomen, status en macht en vergeten gemakshalve iets als levensgeluk. Na deze middelbare periode zit er (volgens het model) weinig muziek meer in iemands loopbaan...

Na een decennium van handhaving van het huidige werkniveau volgen functies rond het begeleiden, coachen en instrueren van jongere medewerkers (opvolgers!) en in sommige organisaties het mentorschap: een periode van afbouw, met de pensioen- of (VUT-)haven in zicht. Dit toch wat starre beeld is of wordt voor velen werkelijkheid. Maar zo hoeft het natuurlijk niet te zijn.

De keuzes die u in het (werkzame) leven maakt, hangen sterk samen met de levensfasen. De oudere werknemer denkt eerder aan zijn naderend pensioen en hoe om te gaan met de vrijkomende tijd. De jongere werknemer, daarentegen, is mentaal (en ook qua tijd!) bezig met de groei van zijn nageslacht. Het is dan ook belangrijk u er bewust van te zijn in welke levensfase u verkeert of waar u op afkoerst. Het volgend overzicht[1] van een 'standaardloopbaan' komt u hierbij ongetwijfeld van pas. (De leeftijden zijn indicatief.)

Problemen en zorgen	Exploratie (18-28 jaar)	Groei (28-45 jaar)	Stabiliteit (45-55 jaar)	Afbouw/ terugtrekking (55-70 jaar)
Loopbaan	Welke carrière beginnen?	Successen willen boeken in de loopbaan	Vasthouden aan de behaalde successen, reputatie, et cetera	Loopbaan beëindigen
			Eventueel herbezinning en nieuwe route uitstippelen	

[1] Bewerkt naar Churchill, G.A., Ford, N.M. & Walker, O.C. (1993).

Problemen en zorgen	Exploratie (18-28 jaar)	Groei (28-45 jaar)	Stabiliteit (45-55 jaar)	Afbouw/ terugtrekking (55-70 jaar)
Ontwikkeling	Kennis, vaardigheden en inzicht verkrijgen	Deze gebruiken om resultaten te behalen, creatieve oplossingen bedenken	Verbreding van het werk, hoog prestatieniveau vasthouden	Ontwikkeling op andere gebieden (hobby's, mensen, besturen) Aanvaardbaar prestatie niveau vasthouden
Persoonlijk	Ideeën over het beroep bedenken	Promoveerbare prestaties leveren Evenwicht tussen gezins- en werkleven zien te vinden	Productief en gemotiveerd moeten blijven, ondanks teleurstellingen	Aanvaarding van voorbije prestaties Verwachtingspatronen bijstellen
Sociaal	Aanvaard willen worden door collega's	Gedreven worden door prestaties en concurrentiestrijd	Verminderde strijdlust Zoeken naar zekerheid Jongere collega's helpen	Geleidelijke terugtrekking uit organisatie(s)
Motivatie	Bescheiden verwachtingen Supervisie/ coaching/ mentoring zijn belangrijk	Sterke verwachtingen (over inkomen, promotie, erkenning)	Sterke verwachtingen over inkomen en erkenning Zwakke verwachtingen over promotie	Geen verwachtingen over veranderingen in inkomen en erkenning Verkregen erkenning motiveert niet meer

Kansen en problemen in de groeifase

Wat betekent dit allemaal voor de kansen en problemen waar je tegenaan kunt lopen? Allereerst zie je dat na de leerfase de groeifase eigenlijk een *'window of opportunity'* is. Je hebt een bepaalde periode om je loopbaan vaart te geven. Benut deze tijd verstandig en probeer te bepalen hoe dit deel van de loopbaan het best is in te richten. (Welke opeenvolgende banen kun je het best bekleden?)

In de groeifase hebben de meesten nog veel energie in het lijf en nastrevenswaardige idealen. Zo'n ideaal hoeft overigens niet van het 'red de wereld'-kaliber te zijn. Een eigen bedrijf opzetten, een toonaangevend specialist worden en een baanbrekend onderzoek verrichten horen hier ook thuis. Uw *'drive'* kan natuurlijk ook worden bepaald door, heel praktisch, het aantal 'te voeden monden' of de hoge hypotheeklasten.

In deze periode dient u dus alert te zijn en moet u een open oog (en oor) hebben voor mogelijkheden in het beroep of een sprong maken naar een andere beroepsgroep.

Het 'meester' worden in een beroep kost tien tot vijftien jaar. De fijne praktische knepen van het vak dienen te worden beheerst, maar ook moet men bekend raken met de achterliggende principes, de theorieën, de instrumenten en dergelijke, zodat de noodzakelijke competenties worden verworven en het zelfvertrouwen groot is.

Er zijn natuurlijk ook bedreigingen – maar daardoor blijf je alert. Zolang de arbeidsmarkt gunstig is gestemd, zijn er weinig belemmeringen. De ervaring leert echter dat perioden van krapte en overvloed elkaar aflossen en betrekkelijk onvoorspelbaar zijn. Wie kan voorspellen welke banen over tien jaar grote tekorten zullen vertonen? Wie weet welke soort medewerkers in vijftien jaar in grote aantallen aan de kant worden geschoven?

 Tijdelijk stoppen bij het 56e jaar zal meestal van definitieve aard blijken te zijn. Het is een kritische periode, zoals de tabel toont.

Om over na te denken: Gelooft u dat het leven bij de 40 begint? Dat is bedacht door iemand die 39 rotjaren achter de rug had...

Issues

U komt verspreid in dit boek belangrijke onderwerpen tegen:

Persoonlijke diagnostiek
De ideale baan staat op het kruispunt van wat iemand wil en kan. Zo 'simpel' is dat. Maar daarvoor moeten wel eerst onder andere de capaciteiten en innerlijke drijfveren worden vastgesteld.

De (toekomstige) arbeidsmarkt
De arbeidsmarkt is de andere kant van de medaille. Er moet een koppeling tot stand worden gebracht tussen beroepswensen en capaciteiten aan de ene kant en de ontplooiingsmogelijkheden aan de andere kant. Als er geen passende baan is, kan die misschien zelf worden geschapen. Zó worden nieuwe bedrijven geboren.

Persoonlijke doelen stellen
Doelstellingen vormen het richtsnoer. Weet u niet wat u wilt, dan is er geen bestemming. En dat geeft een onbestemd gevoel.

Het leven is ook een kwestie van bijstellen. Ambities, doelen, salarissen, et cetera worden bijgesteld. U zult uzelf telkens moeten aanpassen aan nieuwe situaties. Soms omdat u zelf verandert, soms omdat u bepaalde tekorten bij uzelf constateert (die zijn weg te werken met een opleiding), soms omdat de omgeving verandert: waar eens uw baan was, is nu niets meer...

Ervaringen
Op de werkplek worden altijd ervaringen op gedaan. Datzelfde geldt natuurlijk ook voor school en universiteit, sportclub en huisonderhoud. Sterker: er bestaan geen situaties waarin u geen ervaring opdoet. (Maar niet alle ervaringen zijn even belangrijk of verheffend.) Het is aan te raden een inventarisatie te maken van verkoopbare ervaringen.

Leren
Loopbaanontwikkeling en leren gaan hand in hand. Het is een goede zaak om bedrijfsspecifieke cursussen en trainingen te volgen. Maar daarnaast zijn er opleidingen die altijd van pas komen, universeel toepasbaar zijn en in elke levensfase en op elk niveau gevolgd kunnen worden: sociale en communicatieve vaardigheden, veelgebruikte computerprogramma's, analytische vaardigheden, creativiteit, kritisch denken.

Beslissen

Welke baan te nemen als er keuze is? Op grond van welke criteria een besluit te nemen? Wat zijn de gevolgen op korte en op lange termijn?

Verandering en groei

Het zal inmiddels duidelijk zijn geworden dat 'het uitzitten van de rit' steeds minder voorkomt. Zelfs als u niet meer wilt veranderen, trekt de werkomgeving zich daar niet veel van aan. U moet meeveranderen, want anders... Meer positief: u neemt de toekomst in eigen hand en gaat actief 'aan uzelf werken'.

> **Om over na te denken:** Steeds vaker verloopt een carrière via horizontale lijnen. Ook dat kan bevredigend zijn.

 Wacht niet aan de zijlijn. Denk grondig na over uw loopbaan, voordat anderen dat voor u gaan doen! Beslis over uw eigen leven.

En wat levert het allemaal op?

Wat heeft u eigenlijk aan al dat denkwerk over de eigen carrière? Enkele voorbeelden van waar het toe kan leiden:

- Een interne promotie op uw werk, doorgroeien naar een andere (gewenste) functie.
- De loopbaan wordt elders voortgezet.
- In plaats van het oorspronkelijke plan (vertrekken) blijft u de huidige werkgever trouw (soms toch het beste alternatief).
- U kiest voor een totaal andere loopbaan; zo'n switch komt betrekkelijk weinig voor'.
- Het besluit een eigen bedrijf op te zetten of een zelfstandige vestiging.

> **Om over na te denken:** U heeft vrijheid van denken en handelen. U bent toch geen genetisch gemanipuleerde medewerker?

Drie gevaren bedreigen uw positie:

- Uzelf: misschien heeft u te weinig opleiding genoten of is deze inmiddels weggezakt, uw leeftijd kan u parten gaan spelen.
- Uw werkgever: denk aan zaken als vervetting of *cashflow*-problemen.
- De maatschappij: bijvoorbeeld milieuproblemen, veranderingen in de branche, nieuwe wetgeving, et cetera.

'Zet mijn kist maar neer, ik ben uitgeleerd'

Heeft u dat gevoel ook wel eens? U weet alles al. Alles is al ontdekt. Er is niets nieuws onder de zon. Het leven was een roulette, maar is verworden tot een routine. De kist wacht al smachtend op zijn knekel. Dat wil zeggen, uw ontzielde lijf. Deze tijd heeft geen tijd voor stilstaan. Er is nog zo veel te doen, te lezen, te leren, te helpen.

Het klinkt nogal cryptisch: ongebruik leidt tot sterfte. Onderzoek heeft aangetoond dat cellen sterven van mensen die hun lichaam niet meer gebruiken. En dat geldt ook voor hersencellen die niet meer worden geprikkeld. De eerste kunnen regeneren, de tweede niet. Blijf dan ook mentaal fit en scherp, is de boodschap, ook als dat in een bepaalde rustige periode niet 'hoeft'.

*** Zie ook *Alles over solliciteren op Internet* ***

Wat betekent dit alles voor ú?

1. Houd rekening met grote veranderingen op de werkvloer. We leven in een turbulente tijd. Als u wilt bijblijven, moet u blijven leren.

2. Er bestaan vele loopbaanmythen. Vergeet ze snel. Gebruik uw eigen kompas.

3. Een standaardloopbaan kent vier fasen, die corresponderen met de levensfase waarin iemand verkeert. Uw leeftijd beïnvloedt de keuze.

4. Het oude arbeidscontract heeft plaatsgemaakt voor het nieuwe. Houd rekening met de andere sfeer die wordt opgesnoven.

5. Loopbaanplanning betekent een lange-termijnvisie ontwikkelen en uzelf in kaart brengen: wat zijn uw wensen, vaardigheden, capaciteiten, bijzondere kwaliteiten? Wat kunt u allemaal? Wat kent u ? (Soms heel belangrijk: wie kent u?)

De toekomst

Het was een mooie zomer in het jaar 2045; daar was de hele afdeling het over eens. Maar Bill Caroti herinnerde zich alleen de donkere wolken die samenklonterden boven zijn hoofd. Of erin? Zijn baas, met wie hij dacht zo'n goede relatie te hebben, had hem die bewuste dag poeslief verzocht eens rustig uit te kijken naar een andere baan, buiten United Intergalactic Enterprises. Dat was een dreun, want ieder kind wist dat deze gigawerkgever nagenoeg alle andere bedrijven op aarde en enkele dichtbij gelegen planeten had opgeslokt. Veel keuze was er dus niet. Zijn beste vriend JJ, geschrokken van het slechte nieuws, raadde hem een lichte robochirurgische ingreep aan. Hiermee zouden enkele delen van zijn hersenen worden geactiveerd, zodat hij zijn potentieel zou kunnen vergroten. Bill besloot twee dingen te doen op het paragnet: informatie verzamelen over banen met toekomst en nagaan waar hij een korting zou kunnen krijgen op zijn operatie.

Zo gemakkelijk komt u er niet af... U zult moeten weten wat er in en om u heen gebeurt. Misschien moet u gaan nadenken over uw toekomst, dankzij 'de tucht van de markt', zoals dat tegenwoordig zo mooi heet. U moet bijblijven in deze steeds hardere, individualistischer en kapitalistischer maatschappij. Het alternatief is vroeg of laat bij het grofvuil te worden gezet.

We schetsen een aantal trends, waarbij wordt uitgegaan van twee redelijke aannamen:

1. Niemand kan in de toekomst kijken (en zij die hard schreeuwen dat wél te kunnen, zijn ongeloofwaardig of erger: gestoord).
2. Toekomstvorsers zijn afgestudeerde papegaaiologen; ze spreken elkaar voor 99% na en stoten hoogst zelden een originele gedachte uit.

De toekomst is lastig te voorspellen. Zij laat zich niet ringeloren. Zal de stad ooit worden afgezet voor het Europese kampioenschap pizzakoerierrijden? Of discotheekdeurschieten? Voor het bunjispringen voor tachtigplussers? Zal er behoefte ontstaan aan filelogen met een visie, om het verkeer in goede banen te leiden? We zien een toenemende intensiteit en onvoorspelbaarheid van veranderingen op economisch, technologisch en maatschappelijk gebied.

We bieden geen compleet toekomstbeeld met allerlei nieuwe beroepen die ontstaan. Maar misschien brengen we u wel op bepaalde ideeën, stoken we het creatieve vuur op. We doen een aantal voorspellingen, richten de blik vooral op de 'factor arbeid' en geven aan wat de *implicaties* hiervan kunnen zijn voor u. We zullen niet verklappen dat er méér is tussen hemel en aarde. (Niet veel meer, overigens). Het aardige van het lezen van andermans toekomstvisie is dat je het ermee *oneens* kunt zijn. Dat geeft niet, want het zet aan tot denken, reflectie, bezinning.

Veel tekenen wijzen erop dat het hierna te schetsten beeld in rap tempo werkelijkheid wordt, of we dat leuk vinden of niet. Bedenk hierbij dat trends door elkaar heen lopen en dat ontwikkelingen niet van de ene dag op de andere zullen plaatsvinden. Maar de zaadjes van de toekomst zijn al ontkiemd...

Ook als het economisch tij gunstig is, betekent dit niet dat het altijd zo zal blijven. De economie kent goede tijden en slechte tijden en die wisselen elkaar altijd af. (Behalve voor de mensen waarvan het leven of alleen maar pieken, of uitsluitend dalen kent.)

We hopen dat u aan het eind van dit hoofdstuk in grote lijnen kunt ontdekken welke eigenschappen moderne werkgevers in medewerkers waarderen en hoe u zich deze eigen kunt maken. In het grote toneelstuk voor het decor op de planeet aarde spelen we allemaal een bijrol. Bepaal zelf welke rol u daarin wilt blijven spelen.

Onzekerheid

Vroeger was ons deel van de wereld een vrij zekere plaats. Je wist waar je aan toe was. Dat was soms gunstig, soms nogal ongunstig. Echtscheidingen kwamen zelden voor. Je had een baan-voor-het-leven, of geen. Verhuizen deed je zelden. Je bezat één horloge (een huwelijksgeschenk) en het trouwpak van de kersverse echtgenoot bleef voor altijd het beste kostuum. Veranderingen gingen langzaam en de voorspelbaarheid van het leven was groot. Hoe anders is het nu!

Tegenwoordig kampt elk mens en elke organisatie met onzekerheid. U bent dus niet de enige... Vraag eens aan de hoogste baas van Shell, of die van Ford, IBM of welke gigant ook, hoe de wereld er over tien jaar uit zal zien. U krijgt een lege blik. En zelfs als u vraagt hoe deze planeet er over vijf jaar bij zal liggen, is een staar in de ruimte het antwoord – ondanks hun lijvige staven van toekomstvorsers. Waarom zou u dan wél een betrouwbare toekomstvisie hebben? We zullen moeten leren leven met onzekerheid. Maar dat heeft de mensheid natuurlijk met enige mate van succes gedaan sinds Adam zich vergreep aan Eva.

Enkele politieke veranderingen in vogelvlucht

'De politiek' – dat zijn we eigenlijk allemaal – is tot de conclusie gekomen dat de goed opgeleide en moderne burger kan nadenken en oordelen. De vertaling luidt: de overheid geeft de burgers veel verantwoordelijkheid en dus hun vrijheid terug. Denk bijvoorbeeld aan de veranderde winkelsluitingswet: winkeliers krijgen goeddeels de vrijheid zelf hun openingstijden vast te stellen (de etmaal-open winkel komt eraan): klanten krijgen de vrijheid te winkelen wanneer hén dat het beste uitkomt.

En wat 'ontdekt' de overheid? Dat hun uitgaven hierdoor kunnen teruglopen (dat is plezierig) en de economische motor nieuwe impulsen krijgt (dat is nog plezieriger, want dat zorgt voor nieuwe werkgelegenheid en hogere belastinginkomsten).

Europa, de Europese Unie, Euroland groeit in allerlei opzichten. Dat gebeurt nog steeds met vallen en opstaan en met een stap voorwaarts en een stapje terug, gelijk een kind dat zijn weg zoekt in de grote wereld. De invloed van 'Europa' op onze samenleving is groot en zal steeds belangrijker worden. Te denken valt aan nieuwe wetgeving, nieuwe producten en diensten en nieuwe concurrenten. Wie had ooit kunnen bedenken dat buitenlandse telefoonmaatschappijen hun diensten in Nederland en België zouden aanbieden? Eén Europese munt, misschien zo sterk als de dollar, is ook pas een recente werkelijkheid.

De overheid trekt zich meer een meer terug. Er ontstaat meer marktwerking, meer nadruk op financiële prikkels en eigen verantwoordelijkheid. Succes en falen in de maatschappij en iemands positie en status worden steeds meer als resultaat van het eigen functioneren gezien. De nieuwe scheidslijn die ontstaat, is niet meer langs sociale klassen, maar gebaseerd op vaardigheden en talenten. Het is ook te verwachten dat dankzij teruglopende subsidies instellingen (not-for-profit organisaties) noodzakelijke kostenbesparingen moeten doorvoeren en meer en meer als bedrijven gerund zullen worden. Het geld moet tenslotte ergens vandaan komen...

 Kennis is bederfelijke waar. Ververs haar regelmatig, anders verhuist uw kennis naar het archeologisch museum.

Implicaties

Uw baan zal blootgesteld worden aan wettelijke en andere veranderingen die zijn opgedrongen door 'Europa'. Voorheen trokken overheden en bedrijven muren op langs de landsgrenzen om hun markten te beschermen. Nu trekken de (vaak rijke) concurrenten met velen de grens over. Dat zorgt voor baanverlies wanneer uw bedrijf de strijd uitgeput moet verlaten. Maar het bezorgt ook groei in de werkgelegenheid. Tenslotte hebben buitenlandse bedrijven lokale medewerkers nodig en de geïmporteerde bazen zullen ergens moeten wonen. Een lokkend perspectief voor gespecialiseerde makelaars.

Globalisering

Onder de vage kreet 'globalisering' wordt verstaan dat de wereld één groot dorp wordt. Vliegreizen kosten steeds minder. Een lang weekend Thailand ligt in het verschiet. We kunnen steeds meer tv-stations ontvangen, via kabel, internet en satelliet – hopelijk hangt ons geluk hier niet van af... In enkele minuten worden we op de hoogte gebracht van elk 'man-bijt-hond-persbericht' waarvandaan ook. Of dat nuttige informatie is, betwijfelen we.

Internationalisatie levert kansen en bedreigingen op. De scherpe concurrentie dwingt bedrijven om meer nadruk te leggen op flexibiliteit, kwaliteit, de hoogte van de loonkosten en het sneller inspringen op veranderingen. De hele planeet kan de marktplaats worden. Internet kent geen grenzen. Zullen typische Nederlandse en Belgische bedrijven blijven bestaan? En zo niet: is dat erg?

Unieke culturen zullen verdwijnen. Dat betekent dat het lastig wordt exclusieve cadeaus uit het buitenland te halen. De verschraling, standaardisering en *'McDonaldisering'* van de wereld. Is dat goed of slecht? Dat hangt ervan af aan wie je het vraagt. Volgens mijnheer McDonald is het goed. U heeft misschien een ander idee...

Implicaties

De reisindustrie, zakelijk en vakantie, zal voorlopig goede zaken blijven doen, ondanks de traditionele lage marges. Dat geldt ook voor de communicatiebranche, waarbij internet- en telecombedrijven een hoofdrol kunnen spelen. Internationale franchiseformules zullen sneller lokaal worden geaccepteerd. Het blijft hierbij een gok of uw internet-*'start-up'* in luttele jaren uitgroeit tot een wereldspeler of een rode-inktbedrijf, met opties die alleen handig zijn om de zolder, die toch niemand bezoekt, mee te behangen.

Grote bedrijven worden steeds groter

Elke dag kopt de krant dat er weer een mega- of gigafusie of een vriendelijke of onvriendelijke overneming in de maak is. Niet alleen tussen twee (soms meerdere) nationale spelers, maar binnen Europa of transatlantisch. Daarnaast stofzuigen grote ondernemingen de bedrijvenbodem af op zoek naar inlijfbare 'kleintjes'. Ze stoppen pas wanneer er maar één internationaal werkend accountantskantoor over is dat alle denkbare financiële diensten aanbiedt. En dat dan overigens alle aanpalende gebieden als notariaat, advocatuur, werving en selectie, marketing, reclame, training, opleiding, et cetera ook onder zijn dak heeft; misschien gaan daar ook nog eens banken toe behoren. Zal er wereldwijd maar één internationale boekenuitgever overblijven? Wanneer zijn de walvissen verzadigd?

Een tegengestelde beweging is de afslanking: bedrijven keren terug tot de kerncompetenties: de dingen doen waarin men goed is en de perifere activiteiten worden afgestoten, verkocht. Zo verandert de organisatie voortdurend. (Totdat de pendule terugslaat.)

Implicaties
De kans wordt erg groot dat u bij zo'n megaspeler in dienst treedt. (Want veel concurrenten zijn er niet meer...) Daarnaast zullen de grote jongens ook kruimels laten liggen. En kruimels kunnen kansen zijn. Misschien voor u als aanstaande ondernemer of om bij zo'n 'start-up'-onderneming te gaan werken.

Het kan ook betekenen dat de weg naar bepaalde functies wordt versperd. Bijvoorbeeld omdat uw personeelsdossier van dochterbedrijf A (waar u minder goed ligt of moet vertrekken) opgevraagd wordt door dochter B.

> **Om over na te denken:** Wat nu de beste baan is voor u, is dat misschien binnenkort niet meer. Misschien bestáát die baan binnen enkele jaren niet meer...

Omgekeerde kolonisatie

In het verleden zond het moederland nogal wat van zijn onderdanen naar de kolonies. Konden ze daar orde op zaken stellen. In Europa zie je de omgekeerde weg: Surinamers en Antillianen naar Nederland, Congolezen en Ruwandezen naar België, West-Indiërs en talloze Afrikanen naar

Engeland en Noord-Afrikanen naar Frankrijk. De kansen liggen nu in het moederland, waar de inwoners van de inmiddels onafhankelijk geworden kolonies de honing en melk menen te zien. (Soms als fata morgana.) De multiculturele samenleving is hier min of meer het resultaat van. Al zul je dit in Bergen-op-Dijk minder merken dan in Amsterdam.

Er is een politiek debat gaande op twee hoofdlijnen:

- Het land is vol en nieuwe immigratie moet worden bemoeilijkt. De tegenstanders menen dat er ruimte is voor een verdubbeling van de bevolking.
- De grote hoeveelheid mensen maakt de economie kwetsbaar en leidt tot werkloosheid. Tegenstanders wijzen op de vergrijzing van de maatschappij. De toevloed van jongeren (waar dan ook vandaan) is noodzakelijk om de toekomstige tekorten op de arbeidsmarkt (schadelijk voor de economie!) op te vangen.

We zullen geen van beide partijen gelijk geven; de werkelijkheid is altijd weerbarstiger en ingewikkelder dan elk toekomstscenario. Het geeft in elk geval stof tot nadenken – en tot borrelpraat.

Op de werkplaats kom je meer mensen tegen met buitenlandse wortels. Dat betekent soms andere normen en waarden – en soms taalproblemen. Communicatie op het werk kan hierdoor moeilijker verlopen, maar er kan ook een verrijking ontstaan door de invloed van nieuwe ideeën. Zo zijn bijvoorbeeld het sinterklaasfeest en 'onze' rijsttafel geïmporteerd – zoals talloze voedingsproducten (tomaat, kruidnagel, peper) en genotsmiddelen (tabak, marihuana).

Implicaties
U zult met mensen uit meerdere culturele achtergronden moeten leren omgaan. Dat kan soms moeilijker communiceren zijn, los van taalproblemen. Want uw idee over 'hoe het hoort' is misschien niet hetzelfde voor iemand afkomstig uit Afrika, Azië of Zuid-Amerika. Minder zaken zullen vanzelfsprekend zijn. Mensen moeten alerter worden in hun job.

Een verbreding van de samenleving brengt extra werk, meer 'business': van de verkoop van etnisch voedsel tot reizen naar de 'moedercultuur'.

Er ontstaan mogelijkheden voor specialisten om de communicatie op het werk (schriftelijk en mondeling) beter te laten verlopen. En natuurlijk zal de taalbarrière, die zal moeten worden beslecht, banen opleveren aan taal- en cultuurdocenten en instructeurs. De nieuwe multiculturele samenleving zal ook behoefte krijgen aan multiculturele reclame(bureaus) en deskundigen gericht op één cultuur. Mediators, professionele onderhandelaars tussen partijen die elkaar 'niet begrijpen', zullen mogelijk een rol kunnen spelen. (Veelal goedkoper dan advocaten.)

De arbeidsproductiviteit moet omhoog

Welvaart moet worden verdiend, het is geen god-gegeven recht. De armen moeten uit de mouwen worden gestoken, zodat er weinig armen overblijven. Dat geldt voor een land, maar ook voor een persoon.

Vroeger konden de mensen in het Verre Oosten zulke aardige plastic speelgoedautootjes fabriceren, zulke leuke rieten manden vlechten en zulke schattige kralenkettingen rijgen. Tegenwoordig beconcurreren deze landen ons hevig op kwaliteit en prijs en nog wel op onze eigen sterke gebieden, zoals de elektronica. Hoe durven ze! Het gevolg is dat een ondernemende geest gaat waaien in organisaties.

In ons deel van de wereld moeten de kosten dus heel scherp in de gaten worden gehouden. Daarnaast dient er meer geproduceerd te worden, veelal door minder mensen, om de stukprijs (ook van diensten) omlaag te brengen. Kortom, de arbeidsproductiviteit moet stijgen. De Engelse managementdenker Handy drukt dat in een formule uit (maar hij heeft het ook weer van een ander): $1/2 \times 2 \times 3$. Ofwel: de helft van de mensen in het bedrijf zal $2\times$ zo veel betaald krijgen om $3\times$ zo veel te produceren. (Misschien dat we een nieuwe maat voor productiviteit ontwikkelen: de vergaderingen per uur ratio.)

Implicaties

U zult harder moeten gaan werken. De concurrentiestrijd binnen en buiten de organisatie zal heviger worden. Presteren en productiviteit zijn de woorden waarmee u meer en meer rekening moet houden. Vrije dagen gaan misschien tot de categorie luxeartikelen behoren. Het is ook denkbaar dat het gewoonte wordt het bed maar vast op de zaak te installeren, omdat thuis slapen niet meer de moeite loont... Een geliefkoosd gespreksonderwerp op het werk is vakantie. Misschien wordt dat een groot taboe.

Een andere implicatie is dat stress meelift: en harder werken, en minder vrij. Ergens zal de geest gaan scheuren, bij de een wat sneller dan de ander. In Japan komen aan werk gerelateerde zelfmoorden steeds vaker voor... Het leven is weliswaar een doorgangshuis, maar die periode hoef je niet zo nodig zelf dramatisch in te korten. Misschien dat ook u op een gegeven ogenblik wilt of moet afhaken en gaat speuren naar een functie die op een meer menselijke leest is geschoeid. De zon schijnt ook in een minder *stressy* baan. Dat is dan weer goed nieuws voor allerlei (psycho)therapeuten, loopbaanadviseurs en werkers in de relaxatie-industrie.

Noodzakelijke arbeidsflexibiliteit

Logge bureaucratieën, met hun vele kleine koninkrijkjes en vazallen, ontstaan meestal vanzelf. Personeelsgroei vraagt om toenemende controle, want de grote baas kent niet meer persoonlijk al zijn mensen – en vertrouwt hen ook niet altijd even zeer. Gelijk sommige bacteriën raken bureaucratieën resistent tegen veranderingen. Zij knokken te vuur en te zwaard om in leven te blijven. Bedrijven en instellingen kunnen niet zonder deugdelijke controlemechanismen en een effectieve interne organisatie. Maar vragen die steeds weer opkomen bij de leiding (vooral bij economische tegenwind of de eerste signalen hiervan), zijn: 'In hoeverre is ons leger van 'achtervangers' nodig?' en 'Kunnen zij niet beter andere werkzaamheden verrichten, binnen of buiten ons bedrijf?' De toenemende internationale concurrentie laat hen overigens weinig keuze. De organisatie die denkt het eeuwige leven te bezitten (of de beperkte variant: 'Ik zing het nog wel uit'), komt snel bedrogen uit. Logge tankers lopen vast op een zandbank.

De ideeën over hoe organisaties 'gerund' moeten worden, zijn oud. Ze stammen af van de militaire en kerkelijke organisaties. Duizenden jaren hierover nadenken levert goede commandostructuren op. Maar werken die nog wel in een 'nieuwe', zo snel veranderende wereld? Bedrijven hebben ontdekt dat ze sneller werken met minder management- en bestuurslagen.

Misschien dat de werkgever-nieuwe-stijl losser omgaat met de lengte van de werkdag. Een achturige werkdag en een veertigurige werkweek zijn geen goddelijke gegevens meer. Allerlei combinaties zijn mogelijk. Misschien wil de ene werknemer 36 uur per week werken, maar wél in drie dagen van elk twaalf uur. Als hij de noodzakelijke energie en concentratie kan opbrengen, waarom dan niet? Een ander denkt mogelijk aan vijf ochtenden – en wenst om 7.30 uur te beginnen. Kan de werkgever *deze* flexibiliteit aan?

De afgelopen jaren zijn de nodige publicaties verschenen en congressen georganiseerd onder prikkelende titels als '*De vaste baan gaat eraan*'. Dat blijkt onzin te zijn. Natuurlijk sterven banen (uit), maar dat is een gezonde ontwikkeling. Dat is de dynamiek van de samenleving en het bedrijfsleven. Organisaties zullen de behoefte blijven voelen om kernfuncties (van de visie, de missie, de creativiteit – op welk gebied dan ook –, de contacten, de bewaking) bemand te laten zijn door vaste en trouwe medewerkers, in plaats van flexwerkers die snel weer met alle opgebouwde kennis en kunde het bedrijf de rug toekeren. Een effectieve organisatie heeft een ziel.

Aan de andere kant hanteren sommige bedrijven de nieuwe stelregel dat medewerkers niet langer dan enkele jaren een bepaalde functie mogen bekleden. Om hen en de organisatie als totaal lenig en fit te houden moet er worden gerouleerd. Wat biologen weten, weten managers nu ook: een bewegende organisatie is beter dan een 'brak' bedrijf, want dat gaat vroeg of laat richting 'wrak'.

Implicaties
Gaat de vaste baan eraan, de verworvenheid van de industriële revolutie? Wordt uw verwachte *'lifetime employment'* een onmogelijke droom? (Alhoewel het voor anderen juist een nachtmerrie is.) Er ontstaat meer flexibiliteit, arbeidscontracten zullen niet meer zo vanzelfsprekend voor onbepaalde duur worden uitgeschreven. Een vaste maar tijdelijke periode zal de regel worden – die best een langere periode kan beslaan: drie, vier of vijf jaar.

Ook een vastomlijnd takenpakket zal de weg van het vliegenlastje, de voorloper van de koelkast, volgen. Waaruit uw werkzaamheden precies bestaan, kan de werkgever niet nader aangeven. Grote uitdagingen liggen op de loer!
Flexibiliteit vraagt om multi-inzetbaarheid van medewerkers. Hoe flexibel bent u? Bent u gemakkelijk verhuisbaar?

De flexibiliteit biedt organisaties de mogelijkheid van verandering van functies, waardoor uw baan op allerlei manieren kan worden gekneed. Hierdoor verwerft u meer vaardigheden en doet u meer ervaringen op, waardoor u beter *'employable'* voor de arbeidsmarkt zult zijn.

Nieuwe arbeidswetgeving

Vroeg of laat zal de arbeidswetgeving zich aan moeten passen aan de nieuwe werkelijkheid. Wanneer werkgevers gemakkelijker afscheid van medewerkers kunnen nemen, zal de instroom ook versnellen. De zo goed beschermde medewerkers zullen tot het verleden gaan behoren en tegen de vele kostbare arbeidscontractontbindingen zal eveneens adios worden gezegd. De vraag is: wanneer vindt de laatste zachte landing met de Gouden Parachute plaats...

Zullen de CAO's, de collectieve arbeidsovereenkomsten, nog lang stand-houden? Is het (grondwettelijk) juist dat veelal een minderheid van vak-bondsleden een meerderheid haar wil oplegt? Er zal een moment komen dat deze muur wordt geslecht. We zullen waarschijnlijk het Anglo-Amerikaanse model van flexibiliteit volgen, omdat dat beide partijen de meeste vrijheid (en onzekerheid) biedt.

Vakbonden zullen moeten omschakelen van collectieve belangenbeharti-ging naar individuele dienstverlening, waaronder hulp-op-afstand, als het gaat om ondersteuning van bijvoorbeeld de samenstelling van het salaris-pakket van de werknemer (volgens het cafetariamodel).

Implicaties

Een contract zal minder waard worden en de afloop zal nog maar zelden wijzen op een goedgevulde beurs, onder dankzegging aan de rechtbank of advocatensamenspraak. Daar staat tegenover dat vroegtijdige ontbinding door de werkgever (bijvoorbeeld wanneer een overeenkomst met een looptijd van drie jaar na twee jaar wordt verbroken) geen stopzetting van het salaris in het derde jaar inhoudt. In het contract kan daarnaast nog eens een boetebepaling worden opgenomen om de werkgever toch voor-al op het hart te drukken het contract uit te dienen. Andersom kan de medewerker natuurlijk ook gehouden worden aan zijn contract, of anders maar betalen...

Als CAO's verdwijnen zult u meer vrijheid krijgen zelf uw salaris via een onderhandelingsspel te bepalen. Bazen zullen zich niet meer achter onzichtbare CAO-afspraken verschuilen.

Sociaal verzekeringsstelsel

Het kostbare sociale verzekeringsstelsel is een mooi goed, maar het behandelt alle werknemers als onmondig (en soms als complete idioten). De 21^e-eeuwer wil graag zelfstandig uitmaken hoe hij zijn inkomen wenst te verdelen over zijn kostenposten. Tenslotte heeft de tijdgenoot van het derde millennium meer en beter onderwijs genoten dan alle generaties voor hem. We komen terecht bij het *cafetariasysteem*. Hierbij kan elk per-soneelslid aangeven hoe zijn eigen salaris moet worden verdeeld. (Buiten de somma geld die de fiscus opstrijkt. Maar ook daar zit enige rek in.) De een zal meer vrije dagen wensen van zijn baas, de ander juist een hoog bruto-inkomen (gunstig voor zijn hypotheekaftrek). Een derde zal grote belangstelling hebben voor een goedgevulde pensioenpot, in verband met zijn relatieve achterstand. Zo veel mensen, zo veel wensen.

Het is prettig te zijner tijd een pensioen van de staat te ontvangen. U heeft er hard voor gewerkt. Maar zal het staatspensioen, de AOW, zonder kleerscheuren door de 21e eeuw komen? Zal de staat de oudedagsuitkering veilig weten te stellen? Twee tegengestelde tendenties zetten deze verzekering onder druk. Aan de ene kant vergrijst de bevolking: steeds meer 'oudjes' moeten uit de ruif eten. Aan de andere kant zullen er te weinig jongeren zijn die maandelijks met een royaal gebaar de staat van voldoende AOW-euro's willen voorzien. De grote politieke vraag: hoe is dit systeem betaalbaar te houden?

Dat de overheid een erg slechte belegger is van pensioengelden, is bekend. Bereken maar eens wat het rendement is van de AOW ten opzichte van particuliere pensioenverzekeringen. De professionele pensioenbeheerder zou voor zo'n schamel beleggingsresultaat allang de laan zijn uitgestuurd... Uzelf zou waarschijnlijk ook een hoger rendement kunnen behalen. Waarom mag u onder bepaalde voorwaarden niet zelf proberen met een deel van dit vermogen het resultaat op te krikken? Zal de algemene ouderdomswet standhouden of vanwege de vergrijzing van de maatschappij onder zijn eigen succes bezwijken? Dat is niet noodzakelijk, maar evenmin onmogelijk...

Implicaties
U zult een beloning kunnen krijgen die meer is afgestemd op de persoonlijke behoefte. Dat is plezierig, maar het legt u de verplichting op om na te denken over *wat* u dan wilt. Daarnaast is het verstandig er rekening mee te houden dat het staatspensioen misschien tegen de tijd dat u van de oude dag wilt genieten via de Grote Tovertruc is verdwenen. U zult tijdig uw eigen pensioenfonds moeten opzetten.

Meer en meer burgers zullen zo hun scepsis hebben over het eindresultaat van hun staatsverzorgde ouderdomskas. Zelf sparen en beleggen creëert vele banen voor professionele adviseurs. '*Personal finance and estate planning*' zal opgeld gaan doen.

Toenemend thuiswerken/telewerken

Drie simpele gegevens: kantoorruimte en onroerend goed worden steeds duurder, het (woon-werk)verkeer slurpt jaarlijks meer kostbare tijd op en de kantoor- en communicatieautomatisering schrijdt snel voort. 'Heeft u voor mij een Gouden Tip om twee vliegen in één klap te slaan?', vroeg de directeur aan de managementconsultant. Het telewerken, wat professioneler klinkt dan thuiswerken, was geboren. Dat is geen nieuw idee, want vóór de industriële revolutie werkten de meeste mensen thuis of op de boerderij en was het gezin een productie-eenheid. Geen ellendige files meer, nooit meer te laat komen op je werk. Elke minuut werken, productief zijn, in plaats van te observeren hoe de immobiele automobilist naast u zijn reukinrichting reinigt.

De informatietechnologie ('IT', roepen ingewijden) biedt zowel de techniek als het werk om hieruit inkomen te peuteren voor de nieuwe kennisarbeider. Internet is niet meer weg te denken en schept vele virtuele werkplekken. Het ontwerpen en onderhouden van '*web designs*' kan thuis worden verricht. Internet leent zich voor allerlei vormen van onderzoek, vanaf de keukentafel.

Implicaties

Er zullen steeds meer thuisbanen (voltijd en deeltijd) bij komen. Als u dat wenst, kunt u uw voordeel hiermee doen. Werknemers worden steeds meer éénpersoonsbedrijven. Er is een tendens van *werk*nemer naar *onder*nemer.

U moet kantoor aan huis houden en dit inrichten. Heeft u hiervoor een passende plek? Is het thuiswerken af te stemmen op de verlangens van de gezinsleden?

Op het 'echte' kantoor zult u maar weinig uw gezicht laten zien. Uw productiviteit zal toenemen. Dat is fijn voor de files (die kent u dan alleen nog maar van de radio...). Maar het is onplezierig voor de sociale contacten. U 'ziet niemand meer'. De nieuwste roddels bereiken u niet. Het eigen netwerk gaat langzaam naar de knoppen.

Managers zullen hun houding moeten veranderen. Kort gezegd: van controle naar vertrouwen. Zal uw baas u vertrouwen, ook als u thuiswerkt in Zandvoort en de mussen vallen van het dak?

De toekomst bij 'externen'?

Een trend die al enige jaren aan de gang is: de toeneming van het aantal 'externen'. We verstaan hieronder alle toeleveranciers die de organisatie in huis haalt, al naar gelang de behoefte. Dit kunnen adviseurs zijn van bureaus waar de organisatie geen enkele binding mee heeft. Een tweede categorie bestaat uit ex-medewerkers die nu hetzelfde werk mogen verrichten (soms op contractbasis), maar niet meer op de loonlijst staan. Voor de organisatie is dat voordelig, want er wordt alleen betaald voor de gewerkte uren. Ziektes, vakantie, nutteloze vergaderingen, 'leegloopuren', koffie-met-gebak: het behoort tot het verleden. Althans, het komt nu uit de zak van de toeleverancier, in plaats van de organisatie.

Implicaties

Naarmate organisaties vaker bedenken dat er eigenlijk steeds minder kernfunctionarissen nodig zijn (zonder wie het bedrijf absoluut niet kan voortbestaan), zal de groep der 'externen' groeien. Helaas zal niet iedereen uit deze categorie altijd met een volle agenda werken. Er zullen slachtoffers vallen – en nieuwe gouddelvers opstaan. Hoe onmisbaar bent u?

24-uurs economie

In het algemeen hebben kosten niet de neiging te dalen. Koppel dit aan de toenemende internationale concurrentie – die vaak op prijs wordt uitgevochten, soms ook op kwaliteit óf innovatie – en het is duidelijk waarom kosten gedrukt moeten worden en omzet vergroot. Er zijn geen rekenwonders nodig om te becijferen dat het gemiddelde kantoor 67% van de tijd ongebruikt is, terwijl er wel voor 100% wordt betaald. Dit zal niet het einde van het kantoor inluiden. Maar misschien wel minder kantoorruimte per medewerker betekenen.

De wereld, hebben we ontdekt, houdt niet meer op bij de landsgrenzen, die trouwens al goeddeels zijn verdwenen. De wereldeconomie draait continu door. We zullen er niet aan ontkomen mee te draaien. Daarnaast zijn consumenten veeleisend – en wat ze willen, willen ze nu! Desnoods om drie uur 's nachts.

Implicaties

Het vervullen van consumentenwensen zal veel deeltijdwerk scheppen. Uw werk wordt misschien 'vloeiend'. Dat wil zeggen dat uw dagelijkse 'achtuurtje' niet meer per se tussen 9 en 5 plaats zal vinden, maar ook op andere perioden van het etmaal genoten kan worden. Daarmee verandert ook de soms strikte scheiding tussen werk en privé, trouwens een vrij recente uitvinding.

Verplatting van organisaties

De klassieke organisaties waren nogal hiërarchisch ingesteld. Geen wonder, want het waren getrouwe kopieën van het militaire apparaat, met al zijn bazen en baasjes, rangen en standen en strepen en sterren. Maar dat werkt niet meer, zoals bijvoorbeeld klanten merken wanneer ze zich door bureaucratische stroop moeten worstelen om een verzoek of een klacht in te dienen. De moderne mondige en goed opgeleide medewerker heeft minder behoefte aan toezicht en kan vaak beslissingen zelf nemen. Automatisering en snelle communicatie dragen ook hun steentje bij. De bijdrage van de baas wordt beperkt. De 'middle manager' wordt het slachtoffer – als hij niet al is weggesaneerd (soms met een goedgevulde buidel, soms platzak). Er ontstaan steeds meer ad-hocgroepen en zelfsturende teams – en daar bedoelen we geen clubje buschauffeurs mee.

> **Om over na te denken:** Het einde van de vaste baan, zoals dat hier en daar wordt gepredikt, betekent ook het einde van de loonslavernij. Wat is daar mis aan?

Implicaties

Als uw werkgever nog niet plat (genoeg) is, het slechts een kwestie van tijd.... Het betekent dat er in de toekomst meer laterale loopbaanbewegingen zullen zijn (op hetzelfde niveau) dan dat er langdurig en veel gestegen kan worden.

Waarschijnlijk zal een goede toekomst zijn weggelegd voor kleine en slagvaardige bedrijven. Dat geldt ook voor internet-'*start-ups*'. Maar pas op voor een hoog gebakken-luchtgehalte!

Technologie: harde en zachte waren

Apparatuur en programmatuur worden steeds uitgebreider en complexer. Het einde van de ontwikkeling is nog lang niet in zicht. De integratie van computer, telefoon, televisie en radio zal de vraag doen rijzen: wat is een computer?

Misschien zitten we pas aan het begin van de informatie-technologische revolutie. Wie zal het zeggen? Dat blijkt pas achteraf. Tijdens de 'verlichting' zeiden de mensen ook niet tegen elkaar: 'Wat fijn toch, dat we in de 'verlichting' leven...' De technologie dendert voort als een TGV. De geschiedenis heeft ons altijd geleerd dat zich voor, tijdens en na een oorlog grote doorbraken voordoen. Dat patroon is nu doorbroken. We blijven ons verder technologiseren.

Ook voor managementfuncties is *computeralfabetisme* noodzaak. De toekomstige manager zonder computer zal als een dinosaurus wegzakken in het moeras. Als u denkt dat het uw tijd wel zal duren, zult u een illusie armer worden en een uitkering rijker.

De moderne media zoals internet en intranet en allerhande automaten vernietigen banen – denken de pessimisten terecht. (Want daarvoor zijn ze pessimist.) Optimisten zien hierin juist banengroei en nieuwe kansen.

Zij noemen functies die in de jaren negentig zijn ontstaan, zoals *web-designer*, *webmaster*, *WAP-developer*, *campus recruiter*, *EDP-auditor*, fusieadviseur, *on-line-editor*, *interactive multimedia designer*. (Gek toch, al die Engelse benamingen.)

Deze vormen van communicatie zullen ook het *afstandleren* populair maken. Waarom in een duf klaslokaal zitten wanneer je ook in je eigen bad of bed kunt communiceren met je leraar en medestudenten?

Is het efficiënt een leraar telkens min of meer hetzelfde verhaal voor de klas te laten afsteken? Vindt die leraar dat aantrekkelijk? Kennelijk niet, gelet op het hoge ziekteverzuim in deze groep en veelvoorkomende vervroegde pensionering. Het inblikken op video, DVD of cd-rom van een piekprestatie van een docent is voordeliger. Hierdoor kan deze kennis-overdrager zijn tijd beter besteden, bijvoorbeeld aan het ontwikkelen van zijn creatieve vermogens, wat kan leiden tot beter lesmateriaal.

De technologie zorgt voor mobiele medewerkers. Het 'nieuwe kantoor' zit in de draagbare telefooncomputer of computertelefoon. Het kantoor wordt virtueel. U kunt zich hierdoor veel vrijer gaan bewegen en meer in minder tijd doen.

Implicaties
Informatie en technologie zijn de sleutelwoorden voor elke toekomstige job. Als u niet 'bijblijft', raakt u achterop. En die afstand kan vrij snel groter worden, totdat die onoverbrugbaar is. Zonder goede (vervolg)opleiding eindig je erg laag op de voedselketen. Het is niet alleen kennis die op peil moet worden gehouden. Ook de verschillende vaardig-heden, zoals het lezen en begrijpen van technische handleidingen en financiële verslagen, het schrijven van rapporten, et cetera, mogen niet worden vergeten. Dat vraagt dus om praktische trainingen.

Voor de nieuwe tijden, die al aangebroken zijn, moet u natuurlijk een goede opleiding hebben genoten. En wat even belangrijk is: moed en wendbaarheid bezitten. Moed om te willen veranderen, wendbaarheid om te kunnen veranderen. Als u vastroest in uw bestaande werk, hoeft u niet lang te wachten voordat de problemen u met een bezoek vereren...

 De wereld is complex en zit vol tegenstrijdige trends. Voorspellen is dus moeilijk, vooral als je er middenin staat. Probeer dan ook afstand te nemen (soms letterlijk!) om meer (be)grip te krijgen.

Naar een kenniseconomie

Producten en diensten bestaan steeds meer uit de daarin opgeslagen kennis. Handwerk verdwijnt ten gunste van denkwerk. En dat is goed, want het betekent dat mensen steeds meer gaan doen waar zij altijd al goed in waren: denken. Kortom, de eeuw van de *brainpower* is aangebroken.

De kenniseconomie breidt zich nog steeds uit. In steeds meer beroepen en functies zal met kennis en informatie worden gewerkt, ook waar dat misschien minder voor de hand ligt. Zo zullen bijvoorbeeld agrariërs en bouwvakkers minder sjouwen en meer achter de knoppen zitten. Natuurlijk, koeien zullen gemolken moeten worden en stenen gemetseld – maar niet noodzakelijkerwijze door mensen. Al dan niet mensachtige robots kunnen dit werk ook verrichten en zonder te klagen over het weer.

Kennis heet tegenwoordig intellectueel kapitaal en is evenveel waard (of meer) als geld of machines. Het bekende voorbeeld is Microsoft, dat alleen maar knappe koppen in huis heeft – en daarmee 'echt kapitaal' heeft verworven.

Hoe meer kennis een organisatie in huis heeft of hoe meer kennis er in een product of dienst zit, des te hoger de te behalen marges. Kennisverrijking is lonend. De fabricage van kennisarme producten laten we dan ook graag over aan derdewereldlanden.

Implicaties

Aangezien werken zonder 'kennis' niet meer mogelijk is, zult u ook in een kennisintensief bedrijf werken. Kennis veroudert en vermeerdert razendsnel; u zult dit tempo moeten bijhouden en vooral uzelf in de 'bijleerstand' moeten zetten.

Uw eigen verzekeringspolis zal uw leerbereidheid en het opzuigen van nieuwe kennis en vaardigheden zijn. Als u 'uitgeleerd' denkt te zijn, wordt u woest tegen de klippen geworpen.

Volgens deskundigen zoeken werkgevers in de kenniseconomie naar employees die over de volgende kennis en vaardigheden beschikken: omgaan met mensen, in teams werken die steeds van samenstelling veranderen, omgaan met steeds ingewikkelder systemen, snel problemen oplossen en beslissingen durven te nemen bij een grote mate van onzekerheid, overtuigend optreden en resultaten bieden.

Heeft u een beroep of functie waarin weinig moet worden nagedacht, geanalyseerd, bedacht? Werkt u nogal routineus? Als u uw werk niet kunt verrijken met onderzoek, analyse en creativiteit, zult u neergesabeld worden door de dichtstbijzijnde computer. Wat is uw *toegevoegde waarde* ten opzichte van de kille nullen en enen? We komen er nog op terug. Waar u ook op moet letten: hoe kennisintensiever uw (toekomstige) bedrijf is, des te hoger kan het salaris uitvallen.

Oefening 2.1   Op de hoogte blijven

Wat doet u allemaal om op de hoogte te blijven van de ontwikkelingen in uw vakgebied? Hoe blijft u professioneel bij? Kruis één of meer vakjes aan:

- het lezen van vakbladen ☐
- het lezen van boeken op mijn vakgebied ☐
- het zelf schrijven van vakbladartikelen ☐
- het zelf schrijven van een professioneel boek ☐
- congressen en conferenties bijwonen
  (in de buurt of het buitenland) ☐
- congressen en conferenties organiseren en/of daar als
  spreker optreden ☐
- via internet (fora, nieuwsgroepen, websites) ☐
- intern overleg ☐
- deelnemen aan gerichte trainingen en seminars ☐
- deelnemen aan een management- of MBA-opleiding ☐
- dissertatie schrijven ☐

1. Bent u tevreden over dit resultaat?
2. Heeft u alle kennis en vaardigheden in huis die uw (toekomstige) werkgever wenselijk of noodzakelijk acht?

Vergrijzing

De bevolking vergrijst (verkaalt?) Er komen steeds meer ouderen, die waarschijnlijk langer zullen werken dan nu het geval is. Daar zijn twee oorzaken voor aan te wijzen. De eerste is dat de 'pensioengerechtigde leeftijd' zijn ware betekenis terugkrijgt: het recht om gebruik van te maken en niet de plicht afscheid te nemen van de werkplek. De plicht om op het (eens vanuit sociale overwegingen gekozen, omdat de meesten dit ijkpunt toch niet zouden halen) 65^e levensjaar te *moeten vertrekken* is leeftijdsdiscriminatie. Het is aannemelijk dat dit met succes zal worden aangevochten. Want met discriminatie heeft de grondwet nu eenmaal moeite. De woeste 'geboortegolf' die zich roerde in de jaren zestig zal dat ook de komende periode doen. Grijs of niet. Want er zijn weer doelen om voor te vechten. De Bengaalse tijger is bijna uitgestorven, de grijze tijger is in aantocht.

Mensen zullen de mogelijkheid aangeboden krijgen om ergens tussen het 55^e en 75^e jaar, naar keuze, van de oude dag te genieten. Ook hier weer: vrijheid. De bordjes 'het voeren van de bejaarden is ten strengste verboden' zult u niet tegenkomen. Zij zullen over geld beschikken. De rustenden gaan van een prettig pensioen genieten. De tweede oorzaak hangt nauw samen met de economie. De conjunctuur kan eisen dat ouderen *moeten* doorwerken, vanwege de vraag naar arbeidskrachten, maar spuugt ze even gemakkelijk uit, omdat ze duur en eigenwijs zijn en niet over de meest actuele vaardigheden beschikken.

Is er wat tegen de vergrijzing te doen, behalve het gratis verstrekken van kleurspoelingsflacons? Kan de maatschappij zich een leegloop van oudere werknemers veroorloven? Dat is moeilijk te zeggen. Aan de ene kant levert verregaande automatisering vrije tijd op, aan de andere kant moeten minder jonge handen het blijvende werk verrichten.

Implicaties

Er zullen grote en specifieke deelmarkten voor ouderen ontstaan. Denk aan uiteenlopende sectoren als gezonde voeding, genees- en 'comfort'middelen, vakanties. De zorgsector, zowel van staatswege als particulier, zal sterk groeien en vele nieuwe banen opleveren, van hoog tot laag niveau.

> **TIP:** We leven in het informatietijdperk. Zorg er dan ook voor over de juiste informatie, kennis en opleiding te beschikken. De kunst is om te blijven (bij)leren. Nieuw opgedane kennis en vaardigheden zijn gemakkelijk te verkopen, zowel binnen als buiten de eigen organisatie. Zorg voor een hoge 'transferwaarde': een uitstekende beveiliging tegen 'overcompleetheid'.

De eeuw van de vrouw?

Steeds meer meisjes bevolken de universiteiten en hogescholen. Bij veel studierichtingen is het zwaartepunt allang verschoven naar de vrouw. Dat is goed nieuws voor vrouwen. Maar is het dat ook voor de maatschappij? Ja, want we kunnen het ons niet veroorloven om talent te verspillen.

Minder gunstig is dat vrouwen geneigd zijn in deeltijd te werken. Tekorten op arbeidsterreinen – waar zij 'heer en meester' zijn – zijn in aantocht. Een kwestie van helaas, maar de toekomst laat zich niet harnassen.

Implicaties

Het is goed mogelijk dat in de nieuwe vrouwelijke beroepen de status van het vakgebied achteruitgaat. Wilt u (als man of als vrouw) in zo'n gebied werken?

De vrouwelijke manier van werken en leidinggeven is anders dan die van mannen. Vrouwen zullen meer emotie en gevoel in het werk leggen. Daarnaast wordt ontspanning (op en na het werk) belangrijker.

De vrouw zal niet meer blindelings de carrièreslaaf van de echtgenoot zijn. Op de mededeling 'over twee maanden vertrekken we naar Bahrein' zal zij misschien reageren met 'We?' en haar eigen loopbaan bewaken. De man zal steeds vaker wat voorheen typisch vrouwelijke taken waren, moeten opknappen (huishouding voeren, kinderen verzorgen en opvoeden, aandacht besteden aan de wederzijdse ouders). Mannen worden vrouwelijker en vrouwen mannelijker. En dat zal uiteindelijk effecten sorteren op de manier van omgang op de werkvloer.

Arbeidsmarkten met toekomst

Voorspellen is moeilijk, dat zal inmiddels wel duidelijk zijn – als het dat al niet eerder was. De vraag naar banen met toekomst is dan ook niet eenvoudig te beantwoorden. Als we ons beperken tot Nederland, kunnen we gebruikmaken van de gegevens (inschattingen) van de diverse instituten die zich met de arbeidsmarkt bezighouden, zoals het Maastrichtse ROA. Zij voorspellen de volgende kansrijke sectoren voor de nabije toekomst:

Zakelijke dienstverlening
- *hbo-niveau*: economie, informatica, accountancy, bedrijfseconomie, recht en bestuur, bibliotheek/documentatiefuncties;
- *wo-niveau*: informatica, economie, econometrie, bedrijfskunde, accountancy, belastingen.

Banken en verzekering
- *hbo-niveau*: informatica, accountancy, bedrijfseconomie;
- *wo-niveau*: economie, econometrie.

Overheid

- *hbo-niveau*: leraren basisonderwijs, informatica, accountancy, bedrijfseconomie, recht en bestuur, bibliotheek/documentatiefuncties;
- *wo-niveau*: economie, econometrie, accountancy, belastingen.

Gezondheidszorg

- *mbo-niveau*: verpleging.

Onderwijs

- *hbo-niveau*: leraren basisonderwijs, economie;
- *wo-niveau*: economie, econometrie.

Daarnaast worden ook andere gebieden als kansrijk aangemerkt. We noemen:

- beveiliging (zowel de technische als de menselijke kant);
- spiritualiteit, ontspanning, televisie (inhoud);
- internet (*web designs*, *portal manager/boss*, et cetera) en telefonie;
- reizen;
- medicijnen (ontwikkeling van kunstorganen).

Hoe de banenmarkt van de toekomst er ook uit zal gaan zien, één ding is zeker: hoe hoger opgeleid, des te beter de vooruitzichten op de gewenste baan.

Als uw favoriete beroep niet bij deze (nogal eenzijdige) lijst staat, betekent dat niet dat het spel voor u over en uit is. Het wil alleen zeggen dat de vraag naar andere beroepen minder groot zal zijn dan de voorgaande.

Voorspellen blijft een lastige aangelegenheid. Vraag het maar aan de Amerikaanse managementdeskundige en Harvard-hoogleraar Kotter, die halverwege de jaren zeventig besloot de loopbanen te volgen van ruim 100 afgestudeerden van de beroemde Harvard Business School. Hij bestookte ze elk jaar met vragenlijsten, interviewde ze en nam hen psychologische tests af. Hij concludeerde dat de huidige wereld (dat staat voor sommigen gelijk aan de USA) meer beroepsgevaren kent dan voorheen, maar daarnaast ook meer kansen biedt. Zijn 'proefkonijnen' wisten de klippen behendig te omzeilen en de geboden kansen te grijpen. (En dat hadden ze natuurlijk niet op de universiteit geleerd!) Kotter vatte zijn bevindingen samen met de boodschap dat zij *nooit* hadden kunnen voorspellen dat hun uiteindelijk gevolgde traject er zo uit zou zien. Zij waren ook erg tevreden met hun loopbaan, vertrouwden zij de onderzoeker toe, economisch en persoonlijk. Onvoorspelbaarheid troef.

Tot zover enkele algemene beschouwingen over de toekomst. Zullen we gelijk krijgen? U mag rustig de gesel halen over deze voorspellingen of andere. Het gaat er niet om wie gelijk krijgt, maar dat u zich bewust wordt van de komende veranderingen en nadenkt over wat die voor u gaan betekenen. Want dat uw (arbeids)leven gaat veranderen, staat vast!

Oefening 2.2   Zelf voorspellen

Agressie op straat, op school, op het werk. Wie kun je nog vertrouwen? Zal het allemaal erger worden of juist beter? Er is één persoon waar je altijd van op aan kunt. Jezelf.

In deze oefening kunt u zelf proberen meer greep op de toekomst te krijgen. Naast algemene maatschappelijke zaken gaat het hierbij vooral om wat de voorspellingen voor uzelf kunnen betekenen. En welke acties eventueel ondernomen moeten worden om gevaar af te wenden of kansen beter te kunnen pakken.

A. Probeer zelf te voorspellen welke vaardigheden u de komende drie jaar nodig denkt te hebben voor dezelfde functie, dankzij veranderingen 'in de markt':

1. ....
2. ....
3. ....

B. Welke veranderingen verwacht u de komende drie jaar in de aankoop van goederen en diensten?

1. ....
2. ....
3. ....

C Hoe zal de samenleving de komende drie jaar veranderen?

1. ....
2. ....
3. ....

D. Hoe anders zullen de komende drie jaar managers met hun medewerkers gaan communiceren?

1. ....
2. ....
3. ....

E. Hoe zal uw werkplek de komende drie jaar veranderen?

1. ....
2. ....
3. ....

F. Welke veranderingen verwacht u de komende drie jaar bij de manier
waarop werkgevers met sollicitanten in contact willen treden?

1. ....
2. ....
3. ....

Oefening 2.3   PESTLE

Het kan handig zijn bij voorspellingen gebruik te maken van PESTLE.
Dat is een acroniem uit de managementwereld en staat voor de uiteenlopende invloeden van de omgeving op het bedrijf. Houd uw bedrijf,
beroep of branche eens tegen het licht van de volgende factoren:

Politieke veranderingen:

....
....

Economische veranderingen:

....
....

Sociale veranderingen:

....
....

Technologische veranderingen:

....

....

Legale (wettelijke) veranderingen:

....

....

Omgevingsveranderingen ('*environment*'):

....

....

Levert dit informatie op om meer greep te krijgen op de toekomst, uw toekomst?

De baan beveiligen

Is het mogelijk alle voorzorgsmaatregelen te treffen zodat de baan behouden blijft (als dat althans de wens is)? Het antwoord is 'nee'. Maar er zijn zaken waar rekening mee moet worden gehouden om de kans op baanbehoud te vergroten:

- Specialisatie: waardoor u niet of niet gemakkelijk door collega's (of door machines!) kunt worden vervangen.
- Toegevoegde waarde: lever diensten die *essentieel* bijdragen aan de organisatie.
- Werk in een gebied waar universele menselijke behoeften bestaan: mensen moeten altijd eten, drinken, wonen en reizen en hebben medische verzorging nodig, maar ook ontspanning en geld (banken!). Veel banen in deze sectoren zullen recessiebestendig blijken.
- Blijf werkzaam op het gebied waar uw sterke eigenschappen en hartstocht liggen. Ga niet zwalken.
- Blijf leren en bijleren.

Wat betekent dit alles voor ú?

1. Alle veranderingen wijzen op onzekerheid. Dat maakt het gemakkelijker een 'zekere' baan tijdig te verlaten. We kunnen de loop van de toekomst niet beïnvloeden, maar hooguit proberen er rekening mee te houden bij de inrichting van ons leven.

2. Wees u bewust van de trends in de directe omgeving (de organisatie) en de wijde wereld. Deze zullen u vroeg of laat beïnvloeden.

3. U moet niet wachten op 'de politiek'. Probeer zelf een beeld te verkrijgen van de toekomst, bouw een scenario hierop en handel daarnaar.

4. Bezie veranderingen als uitdagingen en kansen in plaats van als bedreigingen. Blijf optimistisch!

5. Of u het leuk vindt of niet: we leven in het informatietijdperk. Werk zonder kennis is niet meer mogelijk. Blijf dan ook de informatievoorziening de baas.

HOOFDSTUK 3

Wanneer valt voor u het doek?

Peter de Jong dacht: 'Dat kan mij niet overkomen.' De gemaakte pro-moties, de juiste mensen kennen in het bedrijf, de veeljarige avondstudie, de weekends en avonden buitenshuis doorgebracht voor de zaak. Triest voor de collega's die werden wegbezuinigd... 'En ook raar eigenlijk, want ons bedrijf maakt toch nog steeds winst', was een tweede gedachte die in hem opkwam. 'Nee, ik zit goed, ik ben onmisbaar voor de zaak. Met mijn kennis en contacten.' Hij sloeg de lakens over zijn armen en viel vredig in slaap.

Toen hij de volgende morgen op zijn werk verscheen, vroeg de afdelings-secretaresse of hij meteen naar zijn baas wilde gaan. De beginzin hoorde hij nog: 'Ik ben bang dat ik vervelend nieuws voor je heb....' De rest van de woorden losten op in de snel neerdalende mist in zijn hersenen. De verdoving volgde. Maar de boodschap dreunde nog tijden door. De Jong kon de gedachte niet van zich afschudden dat de efficiencyverbetering van het bedrijf leidde tot een persoonlijke crisis bij hem. Hij vroeg zich af wat het rendement geweest was van al zijn herseninspanningen...

Het is beroerd. De toekomst houdt zich zelden aan zijn afspraken. Menig werknemer ontdekt dat trouw aan de werkgever niet altijd even lonend is. Na vele jaren word je afgedankt, bij het grof vuil buitengezet. Je bent overcompleet geworden. Je merkt dat je een baan bezet die de werkgever bezit... Als we sommige futurologen mogen geloven, zullen de meeste banen dramatisch veranderen. De computer en internet zullen genadeloos toeslaan. Zult u uw baan – in welke vorm ook – kunnen behouden? Kunt u meeveranderen of valt u uit de race? Blijft uw bedrijf overeind of wordt het permanent wegens verbouwing gesloten? U zult dan weliswaar geen lid van de 'droog-brood-band' worden, maar aangenaam is uw uitstap misschien niet. Uw zelfbeeld wankelt. Zodra u zich realiseert dat uw (loop)baan een dood paard is, heeft het weinig zin de zweep er nog eens overheen te halen.

Bij de onthechting van de baan stort voor de meesten hun wereld in. (Want werken werkt verslavend!) Geestelijke en lichamelijke problemen gaan door elkaar heen lopen. Allerlei emotionele verschijnselen voeren de boventoon: hoofdpijn, maagpijn, concentratiestoornissen. De omgeving wordt afgesnauwd – alsof dát het probleem oplost. Hierna volgt vaak een periode van bezinning en reflectie en men wordt op zichzelf teruggeworpen. We verklappen nu al dat het voor de meesten wel weer goed komt! Ze komen met de schrik vrij en vinden een baan. Soms een betere, soms een die meer een tijdelijk karakter heeft. Ontslag betekent zonder baan komen te zitten. Misschien is het wel de langverwachte kans om eindelijk vrij te worden. Een gouden handdruk biedt sommigen kansen. Ontslag kan ertoe leiden dat dezelfde werkzaamheden nu als freelancer worden verricht. Misschien om het leven in te richten op de manier die u wenst, om directeur van uw eigen leven te worden.

Het verhaal gaat dat tijdens de Koude Oorlog partijleider Chroetsjew een lange tirade in het Russisch afstak tegen zijn gastheer, president Kennedy. De Russische heerser betoogde uitgebreid (zoals later bleek) dat de Sovjeteconomie de Amerikaanse economie binnen enkele jaren onder de voet zou lopen. Toen de Rus uitgesproken was, vroeg Kennedy de Sovjettolk om de vertaling. 'De voorzitter zei: "Het gaat goed met hem"', was zijn wel erg krappe samenvatting. Wilt u de eigen situatie en het gevoel ook zo beknopt samenvatten of durft u een moeilijke toestand onder ogen te zien?

Heeft u uzelf altijd voldoende geprofileerd in de organisatie? Heeft u uw 'waren' wel op de juiste plaatsen en gelegenheden geëtaleerd? Of heeft u veel zelferbarmen wanneer u in de spiegel kijkt? Laat u uw eigen toekomst wel eens aan uw geestesoog voorbijtrekken? Of is uw lijfspreuk, analoog aan Descartes: 'Ik denk niet, dus ik besta niet'? (Een doordenker.)

Dit hoofdstuk gaat over ontslag en de directe bedreigingen waaraan de baan bloot kan staan.

> **Om over na te denken:** Ontslag of problemen op het werk bieden een belangrijk voordeel: eindelijk eens de kans goed na te denken over wat je nu *echt* wilt in dit leven en met je loopbaan.

'We zetten het raam open en schoppen de medewerkers eruit!'

Ontsnappen deze kreten uit directievertrekken? Waarschijnlijk niet. Trouwens, verreweg de meeste managers hebben er grote persoonlijke moeite mee om medewerkers ontslag aan te zeggen, vooral wanneer ze elkaar al jaren kennen. Slechts een enkele baas denkt, gelijk een middeleeuwse despoot die weer eens mag martelen: *'Ha, wie zal ik vandaag eens ontslaan?'* en wrijft zich verheugd in de handen.

Het woord 'ontslag' rolt dan ook maar weinig over de tong. Terminatie klinkt meteen al een stuk aardiger, behalve wanneer de spreekbuis de plaatselijke onderwereld is. Ontslagen worden is geen prettige ervaring. Daarom is er ook een schat aan eufemismen ontstaan en zinswendingen die soms zo fraai klinken, dat de naïeve werknemer bijna van geluk in tranen uitbarst. Verzachtende woorden die werkgevers zoal gebruiken zijn:

Transitie (transitie-management)	Talenten laten vaststellen
Outsourcing	Potentieeltest afleggen
Terminatie	Reorganisatie
Herstructurering	'Downsizing'
Fusie	Fusie
Overcompleet worden	Outplacement
Ontwikkeling elders voortzetten	Mobiliteitscentrum (inschrijving)
Aan een beroepskeuzeonderzoek deelnemen	Uitplaatsing

Hoe dan ook, de deur sluit achter u. Voorgoed. Laat u niet verrassen. Blijf alert en neem voorzorgsmaatregelen!

TIP: Mocht u toch onverwacht op de kasseien dreigen te komen, neem dan geen overhaaste en emotionele beslissingen. Ook niet wanneer de werkgever u sterk onder druk zet. Vertrek wanneer het *uw* tijd is.

De illusie van succes en zekerheid

Het is heel prettig succes te hebben op het werk. Het betekent geld, macht, status, prestige en gebruik mogen maken van het directietoilet – en zelfvoldoening en zelfgenoegzaamheid. Soms lijkt het alsof er geen eind komt aan een voorspoedige periode.

Het leven op deze planeet biedt helaas geen zekerheid, alhoewel we vooral in dit deel van de wereld doen alsof. Er worden verzekeringen aangeboden alsof dat alle kwaad afweert. Zodra u beseft dat zekerheid niet bestaat, en baanzekerheid helemaal niet, zult u rustiger slapen en meer vertrouwen op uzelf dan op anderen. Ach, wat heeft u aan een zeker verleden, terwijl de toekomst (en daar gaat het om) zo turbulent dreigt te worden?

Er zijn allerlei bedreigingen. Sommige liggen buiten uzelf: reorganisaties, 'transformaties', voortdurende kasstroomproblemen. Komen er eenmaal nieuwe bezems in de organisatie, dan vegen die mooi schoon. Bedrijfsfusies hebben nogal eens een kostenbesparing tot doel. Er ontstaan doublures en de 'gezichten die niet bevallen' worden pijnloos (althans voor het bedrijf) afgevoerd. En faillissementen komen ook voor. Degelijk ogende banen verdampen dan als sneeuw voor de zon. We hebben vaak genoeg gesproken met de onverwachte slachtoffers. Economische getijden (recessies), de alsmaar harder en intensiever wordende concurrentie, nationaal en internationaal, nieuwe wetgeving, milieuproblemen, veranderingen in de branche (concentraties), et cetera kunnen ook roet in het eten gooien. We houden het erop dat de tijden van rust en zekerheid voorbij zijn. Voorgoed.

Als u baangevaren ziet naderen, kunt u natuurlijk altijd nog bidden en hopen. Misschien drijft de bui over. Beter is een analyse te maken van komende pijnpunten en de handen uit de mouwen steken...

Waarom de zon voor hen niet meer (zo helder) schijnt

Zij hadden nooit verwacht het veld te moeten ruimen bij hun werkgever:

- Van der Giessen was vijftien jaar in dienst van Philips, tot zijn grote tevredenheid en die van zijn baas. Werken voor de gloeilampenfabriek betekende vroeger een gespreid bedje. Helaas werd zijn onderdeel gereorganiseerd. Er werd veel vlees weggesneden, waaronder het zijne...
- Pretzell was van huis uit socioloog en werkte voor een technische universiteit. Al heel lang. Zijn nieuwe baas, een ingenieur, wist een halfjaar na zijn aantreden nog steeds niet welke bijdrage een sociaalwetenschapper aan zijn afdeling leverde. Vooral één die zeer introvert was. Ja, eigenlijk wat mensenschuw. Pretzell kreeg een keuze: of metgeld-mee de universiteit verlaten, of een degradatie naar een andere afdeling en een job die hij zelf beschreef als langzaam doodgaan.
- Mevrouw Rooskens was als jurist bijna 25 jaar in dienst van de gemeente Den Haag. Naar eigen zeggen werd zij geheel onverwachts weggewerkt door haar bazin, omdat zij niet op haar romantische avances in wilde gaan. 'Jammer', moet de cheffin in eerste instantie hebben gedacht. En vervolgens: 'Dan herstructureren we je toch uit de organisatie!' Het verzet van mevrouw Rooskens bleef zonder resultaat. Te oud voor een volgende baan – maar niet gebroken – zette zij vanuit huis de juridische strijd voort. Uiteindelijk leidde dat tot een financieel succes, maar de verbittering bleef.

72

- Wie blijft er tegenwoordig nog dertig jaar voor dezelfde baas werken? Samuels. Als laaggeschoolde 'jongste bediende' begonnen en door niet-aflatende ijver en allerlei praktijkdiploma's was hij opgeklommen in de voortdurend groeiende serviceonderneming. In de maand dat de kranten de recordwinst van het bedrijf meldden, verantwoordde P&O zijn ontslag op een wel zeer zakelijke toon: het bedrijf had behoefte aan jonge koppen. De handdruk was met goud omrand, maar de uitdaging van een betaalde baan zou nooit meer komen. Vissen en golfen, dát was zijn nieuwe toekomst...
- Dr. Steenkamp was tijdens onze eerste ontmoeting in een uiterst negatieve, misschien wel depressieve stemming. Na een lange opleiding was hij inmiddels tien jaar chirurg in een academisch ziekenhuis. Dat snijden zijn lust en zijn leven was, is misschien wat te sterk aangezet. Maar het was wel zijn roeping. Elk jaar tekende hij een nieuw jaarcontract. Totdat de nieuwe baas (een hoogleraar) hem op een koude ochtend meedeelde het contract niet te willen verlengen. Steenkamp besloot in geagiteerde toestand nooit meer iets met artsen te maken te willen hebben. Tenslotte waren de meeste van zijn vrienden jurist of econoom. Na een halfjaar mokken veranderde hij toch van mening. Inmiddels snijdt hij weer, maar in een kleiner ziekenhuis.

Het leven is niet eerlijk. Vraag dat maar aan een kind dat zich op de vuilnisbelt van Manilla in leven tracht te houden.

Er is een wetmatigheid in arbeidsland: hoe langer iemand bij dezelfde werkgever in dienst is, en hoe ouder hij is, des te zwaarder wordt het ontslag ervaren. Financieel valt het voor velen mee (vooral op de korte termijn), maar de eerste emotionele schade is vaak enorm, een mokerslag op de persoonlijkheid. Het betekent ook een ontkenning van de over de jaren heen geleverde prestaties. En als dan nog blijkt dat 'de arbeidsmarkt' moeite heeft met de inmiddels gestegen leeftijd, breken er voor de tweede keer emotioneel sombere tijden aan.

> **TIP:** Bij ontslag word je teruggeworpen op jezelf. Probeer in zo'n moeilijke fase relaties niet te ontlopen, maar juist hun steun te krijgen.

 Als uw baanzekerheid niet meer kan worden gegarandeerd en u wordt teruggeworpen tot het bestaan van huursoldaat, moet u financieel voorzichtig en flexibel worden. Een hypotheek op uw toekomst zal gevaarlijke kanten kennen.

Passiviteit

De meeste werkenden zijn behoorlijk passief in hun loopbaan. Ze wachten af wat op hen afkomt. Ze vermijden verantwoordelijkheid. 'Het bedrijf moet maar mijn loopbaanplan ontwikkelen.' 'Ze zullen mij wel een andere baan aanbieden.' Of: 'Ik reageer wel op een aantrekkelijke personeelsadvertentie...' Ze zijn hun eigen vijand. Velen zijn gevangene van hun eigen immobiliteit: het eigen huis waarvan geen afstand kan worden gedaan of de werkende partner die niet peinst over verhuizen. Ook kunnen de volgende zaken een rol spelen: de klimmende leeftijd, te weinig of een verstilde opleiding, niet meer gemotiveerd te zijn voor de baan, een uitgebluste indruk maken en negativiteit uitstralen. Ook topacteurs zetten wel eens in een moment van onbedachtzaamheid hun masker af. Als laatste 'beschermingsconstructie' noemen we faalangst. 'Stel je voor dat ik in een nieuwe baan meteen wordt ontslagen...' Er zijn vele manieren om je kwetsbaar te maken: passiviteit is daar één van. Het is des duivels oorkussen.

Soms kun je de klap zien aankomen. Wanneer je bijvoorbeeld al erg lang op dezelfde stoel zit (vaak letterlijk) – en zelfs al tot het meubilair wordt gerekend... Maar wat is lang? In sommige bedrijven is dat drie tot vijf jaar, in andere tien. Voor de meesten komt 'het ogenblik' altijd op het verkeerde tijdstip. Zorg er dan ook voor dat uw carrière veerkracht verkrijgt, zodat u kunt ontsnappen aan de baan op het moment dat het ú goed uitkomt.

TIP: Sommige zaken bespreek je liever niet met je chef of het eigen loopbaancentrum.... Het gaat niet iedereen even gemakkelijk af om met zijn baas en/of een personeelsmanager te spreken over zijn carrièrestappen. Er zijn dan ook loopbaanadviesbureaus die periodieke contactmomenten aanbieden. Iets voor u? (Misschien ook aardig voor een salarisonderhandelingsgesprek?)

TIP: Als u snel uit de malaise kunt raken door een 'zozo' baan te aanvaarden, terwijl de droombaan zich nog niet aandient, waar moet u dan voor kiezen? Probeer de lange termijn voor ogen te houden. Want vele korte-termijnbanen misstaan op uw cv. Ze zullen een zee van vragen oproepen bij sollicitatiegesprekken. Bovendien blijft deze ketting van tussenbanen u uw hele arbeidzame leven achtervolgen.

De emotionele klap

Komt ei een scheiding tussen organisatie en medewerker, dan zal die zelden in het midden vallen... Nadat de eerste klap is uitgedeeld, gebeurt er meestal weinig bij het slachtoffer. Ongeloof en ontkenning: 'Er moet wel sprake zijn van een misverstand.' En dan slaat de werkelijkheid ontnuchterend toe. De onthechting. De baas op wie je altijd kon bouwen en vertrouwen, blijkt een verraderlijke slang. De vaste dagvulling verandert, de bekende structuur in het leven stort in, evenwicht en ritme vallen weg. Dag zelfrespect. Dag eigenwaarde. De gedachte dat de werkellende misschien wel is veroorzaakt door het eigen falen. Sommigen bedenken dat het vallende doek ook financiële gevolgen zal hebben op kortere of langere termijn. En ouderen worden zich misschien bewust dat er sprake is van (ongrondwettelijke!) leeftijdsdiscriminatie op de arbeidsmarkt.

Er ontstaan allerlei problemen: geestelijke en lichamelijke (psychosomatische) klachten: sterke stemmingswisselingen, slapeloosheid (of een teveel aan slaap), hoofdpijn, maagpijn, depressiviteit ofwel 'mentaalmoeheid', huiduitslag, instabiliteit en misschien een lagere weerstand tegen griep en andere kwalen en kwaaltjes. Het wordt winter bij degene die 'misschien een minder prettig bericht' verneemt.

Financiële perikelen: de hypotheek moet worden betaald. Wat te doen met de geplande dure, exotische vakantie? Wanneer zal het vette spaarvarkentje uitgemergeld raken? Hoe kunnen de extra pensioenverplichtingen worden nagekomen? De *levensstijl* valt nogal eens om: de auto-van-de-zaak vliegt eruit, de dure hotels (partner ging soms mee), de gecombineerde zakenreis-vakantie, 'interessante' internationale congressen worden minder interessant. Wanneer een hypotheek of lening gebonden is aan de werkgever, wordt plotseling duidelijk dat sommige banden knellen.
Enkele financiële kanten van de zaak komen in hoofdstuk 11 aan de orde. Toch zijn dit voor velen niet de meest prangende punten. Baanverlies leidt nogal eens tot het spekken van de portemonnee. (Hoe hoger de functie, hoe 'prettiger' het vertrek soms is.)

Sociale problemen: hoe moet ik omgaan met mijn (bijna) ex-collega's? Wie zijn op mijn werk de '*good guys*'? Hoe zeg ik het mijn partner, mijn kinderen? De buren? De vrienden op de sportclub? Op de standaardvraag 'Wat doet u voor werk?' volgt een moeizaam antwoord. De status gaat eraan. Het slachtoffer maakt het vaak erger door de partner in het ongewisse te laten over de troebelen. Hierdoor ontbreekt de nodige steun van het thuisfront.

Tijdproblemen: wat moet ik in hemelsnaam doen met alle vrije tijd? Een vaak gehoorde klacht: hoe meer vrije tijd, hoe minder productief. De tijd glipt langzaam door de vingers... Dat (vrijwilligers)project waarvoor nu alle tijd van de wereld bestaat, komt niet van de grond.

Onzekerheid en faalangst: ben ik door mijn verregaande specialisatie nog steeds een aantrekkelijke kandidaat op de arbeidsmarkt of kan ik juist hierdoor nergens anders terecht dan bij mijn (bijna toekomstige) ex-werkgever?

Het zou jammer zijn indien problemen leiden tot risicomijdend gedrag, want daarmee doet u uzelf tekort.

Woede en zelfmedelijden: kwaad op de baas, de schuld afschuiven op een ander, een gevoel van waardeloosheid, het 'wegrationaliseren' van het probleem, maar ook vreselijk veel medelijden met jezelf hebben ('Waarom overkomt het mij?') zijn veelvuldige bespeurde reacties in ontslagsituaties. Zelfverwijt kan ook voorkomen: 'Had ik maar geluisterd naar...', 'Had ik dat project maar geweigerd...', 'Had ik die andere baan maar aangenomen...'

Energie: hoe krijg ik mijn oude energieniveau weer terug? Krijg ik het *ooit* terug? Word ik weer dynamisch? (Ja! Als u uitvinder wordt van uw eigen 'inzetpil', na lezing van de volgende hoofdstukken.)

Het werkloosheidsstigma: het bezit van een baan is nog steeds de norm in de maatschappij. Als je er (tijdelijk) uit bent gerangeerd, zouden 'de anderen' wel eens kunnen denken dat er een vlekje aan je zit... Tot die 'anderen' kunnen ook werkgevers worden gerekend die misschien zullen vragen: 'Als u zo goed bent als u beweert, hoe komt het dan dat u uw baan bent kwijtgeraakt en nu al een jaar werkloos bent'?

Beknopt scenario bij ontslag

Indien ontslag onafwendbaar is, wees je dan bewust van wat er in je omgaat. Laat je niet misleiden door emoties. Bij erkenning van de emotionele problemen bent u al halverwege de oplossing. Houd u aan deze vijf eenvoudige adviezen:

1. Raak niet in paniek. Nergens voor nodig. Mensen wordt aan de lopende band de wacht aangezegd. Je bent noch de eerste, noch de laatste die in zo'n situatie belandt.
2. Laat na 'bijltjesdag' een periode van bezinning en reflectie aanbreken. Je wordt op jezelf teruggeworpen – en het is misschien goed dat zoiets af

en toe gebeurt. Hoe verder zin geven aan het bestaan? Een geheel nieuwe loopbaan beginnen? Wat voor baan zoeken? Of juist nooit meer voor een baas werken!

3. Zit niet bij de pakken neer (behalve als het om *pakken* bankbiljetten gaat). Aanvaard het gebeurde en ga door met je leven. Ontspan, lach, heb plezier, maak gebruik van de vrije tijd (zo lang het nog kan...). Structureer de dag en blijf in balans. Praat met een vriend, een collega, wie dan ook. Iemand die je kunt vertrouwen en die je mentale ondersteuning biedt. De paradox is dat slachtoffers vaak tot niets komen. Een lage mist daalt over hen neer. De tijd zandlopert weg. Start met constructieve zaken, bijvoorbeeld een opleiding volgen om versterkt op banenjacht te gaan!

4. Neem geen overhaaste beslissingen, zoals meteen een nieuwe baan accepteren, zonder eerst een goede afweging te maken. Schud deze gemakzucht af. Bepaal wat u beroepshalve wilt en kunt en waar u graag zou willen werken. De winwens zal vanzelf weer terugkomen. Wees optimistisch. De kans is groot dat na korte of lange tijd een beter passende baan wordt gevonden. De phoenix herrijst uit zijn eigen as. Het is natuurlijk plezieriger als u de stormbal niet hoeft te hijsen, omdat u voldoende tijd heeft om een passende baan te zoeken.

5. Beschouw de voorgaande periode niet als een mislukking in uw leven, zelfs als de nieuwe baan niet de juiste blijkt te zijn. Ten eerste bestaan er eigenlijk geen mislukkingen. U heeft toch geleerd in deze periode? Ten tweede heeft vrijwel niemand een loopbaan die alleen maar steil stijgt. En als u die ene snelle stijger toevallig wel kent, moet u maar eens vragen of hij of zij gelukkig is met alle stress en tijd heeft voor ontspanning en geld verbrassen.

> **Om over na te denken:** 'Levensbedreigende' loopbaanperikelen blijken vaak achteraf juist 'levensreddend' te zijn. Gedwongen door de omstandigheden worden de juiste beslissingen genomen.

Uw vertrek is de werkgever wel wat waard

Met het verbreken van de arbeidsovereenkomst zijn soms grote kosten gemoeid, maar beide partijen behoeven niet als vijanden uit elkaar te gaan.

Sommige werkgevers zijn bereid te investeren in iemands vertrek, terwijl zij daar nauwelijks financieel wijzer van lijken te worden. Barmhartigheid? In het geheel niet. De redenering is dat wanneer de vertrekkende medewerker goed is opgeleid, zijn kansen op de arbeidsmarkt toenemen. Het afscheidsverdriet wordt hierdoor verzacht, maar belangrijker, dure outplacementprocedures en juridisch gekrakeel worden hiermee vermeden. Zo verdient een voor de werkgever op het oog nutteloze opleiding zich toch nog snel terug. Achter de wolken schijnt altijd de zon. Misschien zult u opgelucht zijn eindelijk niet meer hoeven te werken voor de firma Knekelhuis & Zn.

Het klinkt misschien vreemd, maar medewerkers die gedwongen afscheid van hun werkgever hebben moeten nemen, zijn daar vaak achteraf niet ongelukkig mee. Ze waren zelf te benauwd om die stap te zetten. 'Eigenlijk had ik veel eerder moeten vertrekken', is een veelgehoorde uitspraak.

De varkenscyclus. Niet alleen mest

Pas op voor de varkenscyclus. U weet wel, het verschijnsel dat als er goed geld te verdienen valt met varkens, boeren massaal deze moddermonsters gaan fokken. Deze veestapel wordt zo groot dat er een overschot ontstaat aan varkens (en mest) zodat de prijzen kelderen. Vele biggenboeren kiezen eieren voor hun geld en gaan ander fokgedrag vertonen. De roze vleesstapel loopt terug, waardoor langzaam de prijzen weer gaan stijgen.

Uiterst interessant, zult u misschien zeggen. Maar wat heb *ik* daarmee te maken? Alhoewel er enig verschil bestaat tussen varkens en mensen, lijden sommige beroepsgroepen ook af toe aan dit economische verschijnsel. In het niet al te antieke verleden was het beroep van chemicus gewild, dus kozen veel studenten voor deze studierichting. Er ontstond een overschot, wat leidde tot werkloosheid onder chemici. Geen zichzelf respecterende student schreef zich nog in voor deze studierichting. Na een aantal jaren werd een tekort aan deze specialisten merkbaar door een aantrekkende economie, omscholing van chemici en pensionering. Leraren en automatiseerders hebben ook 'ups and downs' gekend. Zal er emplooi blijven voor al die bedrijfskundigen? Of zullen er binnenkort meer bedrijfskundigen dan bedrijven zijn? Als 'iedereen weet dat...' is het misschien voor u tijd om een andere route te kiezen.

Profiteren van het 'terminatiegesprek'

Als u dan toch de pineut bent, probeer er dan nog iets uit te slaan. Bijvoorbeeld een goed gesprek met degene die u de wacht aanzegt. Hoe beoordeelt deze persoon uw sterke en – misschien vooral – uw zwakke eigenschappen? Hoe komt u over? Wat is uw image in de organisatie – en waarop zou dat zijn gebaseerd? Gooi ook eens een balletje op over een vervolg van uw loopbaan: waar zou u, in de ogen van de ander, goed aarden? Dus ook als u de sigaar bent, is de situatie niet hopeloos.

Oefening 3.1   Het exitinterview

Het is in grotere organisaties gebruik de medewerkers die 'de winkel' verlaten, naar hun vertrekmotieven te vragen. Daar kan P&O van leren.

Stel, u vertrekt bij de werkgever, in meerdere of mindere mate gedwongen. De denkbeeldige personeelsmanager meent dat uw ontslag voor een deel aan u verwijtbaar is en vraagt of u dit herkent. De vervolgvraag is of u dit probleem had kunnen vermijden.

Welke antwoorden zou u *nu* geven op deze twee vragen?

Enkele overlevingstechnieken

Op het eerste gezicht klinkt het prettig: er vallen ontslagen in verband met de reorganisatie, maar u hoort bij de gelukkigen. U mag blijven. Dat is het goede nieuws. Maar in het achterhoofd knaagt het idee dat u misschien over enige tijd slecht nieuws zult zijn: als er niet voldoende is gereorganiseerd, ligt uw hoofd misschien in de tweede ronde op het blok... Dat stemt niet tot gelukzaligheid. Een negatieve houding kan leiden tot opvallend negatief gedrag.

Laten we ervan uitgaan dat u een 'blijver' bent. Welke overlevingstechnieken kunt u toepassen?

1. Stel u positief en loyaal op. Toon uw betrokkenheid. Neem initiatieven. Tenslotte bieden reorganisaties ook kansen!
2. Bedenk dat stormen altijd gaan liggen, vroeg of laat. Zorg dat u voldoende dekking heeft in de organisatie totdat de luwte optreedt. (Denk aan de eigen pr!)
3. Als er 'achterstallig onderhoud' aan uzelf is, is nu misschien de juiste tijd aangebroken voor persoonlijke werkzaamheden, zoals het volgen van een bepaalde opleiding.
4. Ten slotte, kijk rustig rond in de grote buitenwereld. Het leven houdt niet op bij de bedrijfspoort van uw organisatie. (Want misschien is het heden gij, morgen ik...)

Wat betekent dit alles voor ú?

1. Succes in en zekerheid van de baan zijn tegenwoordig illusies. Wees daarom alert op de veranderingen om u heen. Sus uzelf niet in slaap met allerlei rationalisaties.

2. Wachten tot het doek valt is meestal niet slim. Soms wel, wanneer de gouden parachute bevestigd is aan vele knisperende tonnen. Zo'n zachte landing is voor weinigen weggelegd. Een actieve (eigenlijk: pro-actieve) houding is beter.

3. Ontslagen worden doet altijd pijn. Het leidt vaak tot geestelijke en lichamelijke klachten.

4. Probeer erachter te komen wat in de ogen van de baas en/of P&O zwakke plekken zijn die mogelijk tot het ontslag hebben geleid. Verbeter deze zwakheden dan.

5. Ga niet meteen op zoek naar een nieuwe baan. Houd de lange termijn voor ogen. Een volgende functie moet sporen met uw wensen en plannen.

HOOFDSTUK 4

Persoonlijke problemen

Diep in haar hart wist Wilma Dumatin dat ze in de problemen zat. Niemand had het haar verteld. Niemand hoefde het haar te vertellen. Ze voelde zich al weken 'niet lekker'. Ze sliep slecht, ze snauwde haar vriend voortdurend af – waarom wist ze niet. Ze merkte op dat haar handen trilden, de verleden jaar begonnen spannende job had zijn luister verloren. En toen, zo tussen neus en lippen door op de vrijdagmiddagborrel, vroeg Verlaat, de baas van haar baas, of zij het nog steeds naar haar zin had en hoe haar nieuwste project vorderde. Hij wilde ook weten of ze de, nogal krappe, deadline zou halen. Was het haar verbeelding of zag ze een duivelse glimlach in zijn gezicht toe hij meldde dat haar twee voorgangers aan den lijve hadden ondervonden wat het hier betekende een deadline niet te halen...

Ze wist dat ze behoorlijk achterliep op haar schema en dat het haar ondanks het vele overwerken waarschijnlijk niet zou lukken op tijd te leveren. Ze voelde dat haar gezichtskleur naar beter oorden vertrok. De kaak waaraan zij twee maanden geleden was geopereerd begon weer eens te 'kloppen'. Ze constateerde bij zichzelf angst; zou Verlaat dat bij haar opmerken? Ze moest maar snel aan andere dingen denken, dat was meestal een goede afleidingsmanoeuvre. Haar zuster, die juist haar nieuwste publicatie had voltooid, het 'Grote Pizza Oppiep Boek'. Nee, niet goed genoeg. Iets anders. Dat zij het pas 'gemaakt' zou hebben als haar achternaam in de kruiswoordpuzzel van de krant onder '5 horizontaal' vermeld zou staan en de lezers haar voornaam in de puzzel moesten invullen. 'Wil je nog wat drinken?', vroeg Verlaat.

We spreken in dit hoofdstuk over stress. De hedendaagse wereld zit vol haastige stressarbeiders. Stress en burnout zijn beide soms redenen om je leven en je loopbaan kritisch tegen het licht te houden en om het kalmer aan te gaan doen en uit de stressexpress te stappen.

Als u zich nog steeds als een kurk in een woelige oceaan voelt (voor hoe lang nog?) kunt u dit hoofdstuk ter zijde leggen. Bent u daarentegen geknakt, maar nog niet gebroken, lees dan verder. Want een crisis heeft ook voordelen: het zet noodgedwongen aan tot actie! Wellicht leidt het tot een nieuwe wending in uw loopbaan. Misschien kunt u de chaostheorie uit uw leven bannen.

Als u ontevreden bent met uw leven, of specifieker, met uw baan of de voortgang van uw carrière, zult u openstaan voor veranderingen. Bij de meeste mensen draagt het werk bij tot het welbevinden, het zelfrespect en soms de lichamelijke gezondheid. Velen ervaren dat pas als de baas meldt dat ze minder goed 'draaien' of wanneer ze daar zelf achter komen.

Bent u aangekomen bij een waterscheiding? Moet worden gekozen tussen noord en zuid? Oost en west? (Het noorden is altijd de richting van het succes, de naar boven gerichte pijl.) We moeten allemaal in dit leven keuzes maken. Soms omdat we dat willen (op zoek naar 'iets anders'), soms omdat we hiertoe worden aangezet, zoals bijvoorbeeld bij nakende overtolligheid bij een fusie. Steeds meer bedrijven en instellingen worden steeds vaker geherstructureerd. De kans op een permanente onrust op het werk groeit dus. Dat gevoel is niet altijd even prettig...

Dit hoofdstuk behandelt zaken die minder lekker bij u lopen, zoals een erkend loopbaanplateau, stress en burnout waardoor een functie lastig of onmogelijk wordt en persoonlijke blokkades.

Oefening 4.1   Heeft u het nog allemaal in huis?

Laat deze vragen eens op u inwerken en beantwoordt naar eer en geweten:

	Ja	Nee	Misschien
1. Streef ik naar maximale prestaties op mijn werk, ook als ik minder gemotiveerd ben?	❑	❑	❑
2. Kan ik te allen tijde mijn bazen bewijzen leveren van mijn geleverde prestaties?	❑	❑	❑
3. Houd ik mijn kennis voldoende op peil?	❑	❑	❑
4. Blijf ik mij breed ontwikkelen (door nieuwe vakken te leren)?	❑	❑	❑
5. Zijn mijn sociale vaardigheden sterk?	❑	❑	❑
6. Lever ik veel suggesties voor verbeteringen van diensten, producten en processen?	❑	❑	❑
7. Heb ik een gunstige reputatie in de organisatie?	❑	❑	❑
8. Beschik ik over een netwerk van 'achtervangers' als mijn baan gevaar loopt?	❑	❑	❑

	Ja	Nee	Misschien
9. Kan ik mentaal gemakkelijk afscheid nemen van mijn baan of 'ben' ik mijn baan?	☐	☐	☐
10. Ben ik bereid een stapje terug te doen (qua inkomen, status, inhoud van het werk)?	☐	☐	☐
11. Kan ik gemakkelijk en snel elders aan de slag?	☐	☐	☐

Ziet u potentiële gevaren?

We stressen wat af...

In deze tijd van 'druk, druk, druk' is het goed zo nu en dan stil te staan, te reflecteren, de balans op te maken:

- Ben ik nog wel goed bezig? (En waarmee dan wel?)
- Loopt mijn persoonlijke ontwikkeling gelijk op met mijn professionele? Of moet ik steeds vaker werkzaamheden verrichten die minder goed bij mij passen?
- Klaar ik soms klussen die mij tegen de borst stuiten of die bij mij enige weerzin wekken?

We zullen u niet vermoeien met allerlei arbeidsstatistieken. Er is eerder op gewezen: we moeten met steeds minder – maar hoog en goed geschoolde mensen – steeds meer produceren. En dat leidt onherroepelijk tot stress. Waar vroeger twee receptionistes de ganse dag blèrende telefoons moesten bedienen, doet nu één het werk – met een opkomende maagzweer die telkens met een Rennie wordt onderdrukt. (En dat is niet de naam van haar collega.) Het is maar een simpel voorbeeld.

De vertegenwoordiger die voorheen één rayon moest rooien, heeft er nu twee – en met meer en meer eisende klanten. Laten we de druk van het thuisfront niet vergeten. De partner werkt ook (bijna fulltime) en de kinderen van tien hebben al een *palmtop* op zak om dubbele afspraken te vermijden. Toenemende automatisering, op het werk en thuis, is maar een deel van de oplossing. Stressvermijding of -beperking komt meer in aanmerking. Hoe? Waarschijnlijk door elders ander werk te zoeken dat op een meer menselijke maat is geschoeid. Sommigen geven de pijp aan Maarten en beginnen een camping in Frankrijk. Het leven is maar een doorgangshuis. Hoe wilt u deze periode doorbrengen? Wilt u straks met een tedere glimlach terugblikken of met een geperforeerde maag?

Gewoon geen zin meer of burnout?

Burnout, de veelgebruikte Engelse term voor 'opgebrand zijn', is een milde vorm van depressiviteit. Neerslachtige medewerkers zijn als de vloeken in de kerk: voor langere tijd in de ziektewet belanden en de productiviteit vertrekt naar het zuiden.

Burnout leidt tot files in het hoofd. Daar moet *eerst* wat aan worden gedaan wanneer u goed op uw werk wilt functioneren of de 'banenmarkt' wilt betreden. Immers, dat de menselijke soort als geheel zo succesvol is, behoeft natuurlijk niet te betekenen dat *u* door het leven zeilt als een Caraïbische schoener.

Op de toppen van je kunnen lopen is voor velen een uitdaging. Maar niemand kan de top tot zijn permanente thuis verklaren. Trouwens, dan is er geen sprake meer van een topprestatie, want de piek is tot gemiddelde gedaald... Maar veel erger: het kan leiden tot een gevoel van afgebrand zijn, emotionele uitputting, je leeg voelen, teleurgesteld zijn in jezelf, in je baan, in je werkgever. De accu raakt op en het kost steeds meer tijd deze weer op te laden...

Burnout is niet alleen vervelend voor de lijders en hun bazen – het kan ook afbreuk doen aan het image van het gehele bedrijf. Het kan besmettelijk werken en leiden tot lage moraal, absenteïsme en personeelsverloop – van de zieken, maar ook van collega's die zichzelf in bescherming willen nemen. Vooral beroepsbeoefenaren die met mensen omgaan (en wie is dat tegenwoordig niet?), krijgen er last van. Tijdige onderkenning verdient dan ook de voorkeur. Bedenk dat productiviteit niet eindeloos kan worden opgevoerd. (Is de mens gebouwd om te werken onder zo veel

84

druk? Of meer om af en toe rustig te jagen?) Een te hoog productiviteits-streven pakt op den duur contraproductief uit.

Er bestaat ook zoiets als *'rustout'*: op je werk dóódgaan van verveling. (Het menselijk ras kent altijd een grote variëteit aan keuzes.) De aanhou-ding hiervan is ook een signaal dat het roer om moet, want een beetje spanning in de baan is nodig.

Hoe ontstaat burnout?

Na RSI (de 'muisarm') en lawaaidoofheid komt stress/burnout op de derde plaats van alle beroepsziekten volgens gegevens van de vakbond FNV (in 1998). Het is dan ook belangrijk de oorzaken van burnout te kennen, want preventie is het beste geneesmiddel.

Burnout ontstaat na een langdurige blootstelling aan situaties die emo-tioneel nogal wat van iemand vergen en te veel (negatieve) stress. Het is een subjectieve ervaring. (Want wat is stress? Wat is veel? Wat is *te* veel? Dat is bij iedereen verschillend.) Verwar burnout niet met stress: een gees-telijke en lichamelijke conditie ontstaan door een 'bedreiging' waartegen men (op dat ogenblik) niets kan uitrichten. Bijvoorbeeld drie telefoons die tegelijkertijd rinkelen en alledrie *nu* moeten worden beantwoord. Uur na uur. Dag na dag. Stress hoeft niet per se te leiden tot burnout. Velen kun-nen niet eens meer leven *zonder* werkdruk!

Er kunnen vier factoren worden onderscheiden die leiden tot burnout:

A. de persoon zelf;
B. het werk en de producten of diensten;
C. de 'baas';
D. de klanten, de relaties.

Ad A.   De persoon zelf

Burnout heeft te maken met iemands zelfbeeld en houding tegenover zich-zelf, de collega's, het werk, kansen of succes, de producten of diensten van het bedrijf, verwachtingen en misschien het leven zelf. Zijn die onre-alistisch hoog, dan is er een vergrote kans op burnout. Burnout duidt op het gevoel gefaald te hebben. Niet alleen op het werk, maar ook in het leven.

- Vooral mensen die zeer enthousiast aan hun baan beginnen en buiten-gewoon veel hart voor de zaak hebben, kunnen slachtoffer worden. Andere 'kandidaten' zijn de harde werkers die vervulling van hun leven door hun werk zien en weinig interesses daarbuiten hebben.
- Medewerkers die veel internationaal reizen, hebben misschien te wei-nig contact met hun familie, waardoor het gevoel ontbreekt een thuis-basis te hebben, met de noodzakelijke ogenblikken van ontspanning.

- De uitdaging is te groot. Of men heeft een (meer algemeen) probleem geen prioriteiten te kunnen aanbrengen in het werk.
- Burnout komt betrekkelijk veel voor bij (verkoop)functionarissen die voornamelijk door geld worden gemotiveerd.

Ad B. Het werk en de producten of diensten

- Toegenomen concurrentie (nationaal, internationaal) noopt tot hogere productiviteit, vaak gekoppeld aan noodzakelijke kostenbesparingen. Ofwel, 'meer doen met minder mensen'. En dat lukt! Maar tegen welke prijs? Het is een zekere weg naar burnout.
- Werk wordt ingewikkelder. Technologie maakt veel zaken mogelijk en makkelijk, maar soms ook complexer.
- Gelijk een acteur steeds voor een publiek te moeten optreden en presteren. Dat kan een publiekje van één klant zijn, maar ook een groep beslissers – en daarvoor moet je je telkens weer *opladen*.
- Ervaren geen baas over je eigen werktijden te zijn of de concrete invulling ervan.
- Rolconflicten hebben. Welke rollen speel je? Wiens belangen behartig je?

Ad C. De 'baas'

- De werkdagen zijn soms lang en het gevoel kan wortel schieten alleen te staan in de harde wereld, alleen de slag te moeten leveren door gebrek aan teamwork (de *back-office* werkt niet mee).
- Te hoge en onhaalbare doelstellingen, eventueel versterkt door matige kwaliteit van de leiding (die zich niet wenst te verdiepen in de problemen van hun staf) en onredelijke eisen van het bedrijf.

Ad D. De klanten, de relaties

- Afnemers en externe relaties zijn steeds beter onderlegd, opgeleid en kritischer. Ook zij voelen de hete adem van productiviteitsstijging (te hoge *workload*) in hun nek.

Burnoutsignalen: waarop letten?

De belangrijkste kenmerken zijn: zich uitgeput, 'uitgewrongen' voelen, geen goede relatie meer kunnen onderhouden met bazen en collega's (wél negatieve opmerkingen plaatsen) en een verlaagd zelfbeeld ('het maakt allemaal niets uit wat ik doe...'). Burnout is eigenlijk een *motivatieprobleem*. Het is een duidelijk signaal van ontevredenheid met het werk. De lijder is nergens meer voor te enthousiasmeren. Hij voelt zich machteloos en hulpeloos. Het eerste teken is vaak vermoeidheid. Diagnose stellen is moeilijk, omdat de signalen vaag zijn. Als stress een voedselvergiftiging is, is burnout te zien als een hartkwaal. De verschillende signalen zijn in de onderstaande tabel samengevat:

Fysiologisch; psychosomatisch	Persoonlijk; sociaal
's Ochtends opstaan en naar het werk gaan wordt moeilijk	Telefoontjes niet meer beantwoorden
Apathie/terugtrekking; laag energieniveau (gauw opgeven)	Veel klagen over het werk
Depressief	Relaties komen onder druk te staan
Chronische vermoeidheid	Angst
Overmatig gebruik (misbruik) van sterke drank, sigaretten, koffie en andere opwekkende middelen	Overdreven emotionele reacties
Concentratieverlies	Vijandige houding aannemen. Overdreven reageren en 'op de man spelen'
Rugpijn	Irritatie
Slaapproblemen	Afnemende creativiteit
Te veel eten – of juist te weinig	
Hoofdpijn	

Preventie van burnout

1. Er moeten heldere doelen gesteld worden. (Wat de baas een helder doel vindt, hoeft dat niet te zijn voor de medewerker!) Maak de *workload* hanteerbaar. We hebben eerder gemeld dat niemand op zijn tenen kan blijven lopen. Rem de *workaholic* in jezelf af. Neem je tegen jezelf in bescherming!
2. Onderhoud goede relaties met de collega's en de baas, zodat burnout bespreekbaar kan worden gemaakt. Dat is beter dan met spoken in het hoofd rond te lopen – en u ten slotte ziek te melden. Wederzijds vertrouwen is dan ook noodzakelijk. Als er 'angst voor de baas' is, moet die verdwijnen. Angst lijdt tot spanning en spanning tot burnout. Verbeter de interne communicatie.
3. Soms kunnen externe (management- of loopbaan)consultants van nut zijn. Zij hebben een neutrale visie en zien waarschijnlijk wél door de bomen het bos.[1]

---

[1] Misschien is er een vertrouwenspersoon in uw organisatie met wie u in alle openheid kunt spreken.

4. Vakantie – een belangrijk recht in Nederland – heeft zijn diensten bewezen als bestrijdingsmiddel van burnout. Dat geldt ook voor een 'sabbatical leave'[2]. Is het toeval dat in Nederland de productiviteit van wereldklasse is – en het aantal vakantiedagen ook?

5. Blijf fysiek in vorm; een partijtje tennis, hardlopen of fitness doet geen kwaad volgens de deskundigen. Andere tips die gegeven worden: ga vissen (in de natuur kom je tot rust) of breng een week in een kuuroord door: een oude en beproefde traditie in Duitsland (waar dit in elk werknemersziektekostenpakket is opgenomen) en Frankrijk. Misschien toch geen gekke gedachte. (In ieder geval plezierig nieuws voor de verkopers van het Valkenburgse kuuroord Thermae 2000.) Verbetering van leefgewoonten (op tijd naar bed!), gezond eten, regelmatig zorg besteden aan de lichaamswagen. De lease-auto krijgt toch ook minstens eens per jaar een grote onderhoudsbeurt?

6. Neem meer vrijheid om zelf uw werkschema (dagindeling) te bepalen. Beding het recht de mobiele telefoon af te zetten! Leer een juist evenwicht in uw leven te vinden tussen werk en vrije tijd.

7. Neem de gelegenheid tot persoonlijke ontwikkeling. Bezie nieuwe perspectieven op de baan. Houd de vaardigheden en kennis op peil. Maak tijd vrij voor 'soul-searching'; wat vindt u plezierig in de baan en wat stelt teleur of valt tegen?

Beef ik voor de 'BV ik'?

Misschien bent u al talloze excuses aan het verzinnen om niet uw mentaliteit te veranderen. We zullen er vast een paar voorkauwen, zodat u ze niet meer hoeft te bedenken. U bent dan sneller over de ontkenningsfase heen. (Als u ze niet wilt horen: slaap lekker.)

- *Mijn* baan is veilig.
- *Ik* werk al zo lang voor mijn baas...
- *Ik* ben altijd heel loyaal geweest.
- Zo'n vaart zal het wel niet lopen met al die veranderingen.
- Het zal mijn tijd wel duren.
- Het enige wat ik wil, is gewoon een baan.
- Ik ben toch te oud om nog iets nieuws te leren.
- Ik mis de opleiding en de capaciteiten om mijn loopbaan een andere wending te geven.
- Er is niets nieuws onder de zon.
- Het is maar tijdelijk...

---

[2] Alhoewel verre van goedkoop wegen de voordelen op tegen de kosten. Daarnaast kunnen medewerkers zelf sparen voor een sabbatical year.

- Het loopt lekker op het werk.
- Vroeg of laat wordt het weer als vroeger!
- Ik werk hier nu al zo lang....
- Mijn bedrijf maakt nog steeds goede winst.
- Wij zijn marktleider, dus ik heb niets te vrezen.
- De branche kent mij, ik ben een autoriteit, dus wat kan *mij* gebeuren?
- Zolang je de juiste mensen kent, houd je je baan.
- Zó snel gaan die veranderingen nu ook weer niet...
- De kranten overdrijven altijd...
- Zelfs als ik zou willen, kan ik nog niet veranderen.

En zo zijn er nog vele rationalisaties in omloop.

> **Om over na te denken:** Wat zijn uw principes? Blijven die altijd fier overeind? Ook bij straffe tegenwind en bij stress, tegenwerking en crisis? Of bent u flexibel?

> **TIP:** Probeer uw functieomschrijving te herformuleren in een '*business plan*'. Wat biedt de 'BV ik' aan voor diensten en aan wie? Hoe kan deze BV zijn overleving veilig stellen of meer 'verkopen'?

> **TIP:** Neem nu en dan in het leven een gecalculeerd risico. Zelfgenoegzaam op je plek blijven zitten is gevaarlijker; je verliest er je baan mee.

Dertig redenen om geen (nieuwe) baan te zoeken...

Bent u iemand die buitjes signaleert bij nog onbewolkte hemel? Zit het u vaak tegen in het leven? Kent u de juiste mensen niet? Geeft u betrekkelijk snel op? Sommige (aanstaande) sollicitanten hebben een rijk reservoir van excuses en gemakkelijke uitvluchten om niet (langer) naar een baan te zoeken. Misschien herkent u bij uzelf een of meer van deze redenen...

1. Ik ben al zo vaak afgewezen...
2. Je weet wel wat je hebt en niet wat je krijgt....
3. De arbeidsmarkt (in mijn vakgebied) is nu slecht. Ik wacht tot de donkere wolken voorbij zijn getrokken.
4. Er zijn al zo veel van mijn collega werkloos. Een passende baan vinden is onbegonnen werk.

5. Het volgende sollicitatiegesprek zal toch wel weer mislukken...

6. Ik heb altijd pech!

7. Eerst ga ik stoppen met roken – dat is al moeilijk genoeg.

8. Pas na mijn vakantie (over vier maanden) ga ik maar weer eens sollicitatiebrieven schrijven.

9. Ik kom zo weinig echt aantrekkelijke vacatures tegen.

10. Pas als ik mij helemaal fit voel, ga ik weer eens uitkijken naar aardige functies.

11. Wat je als starter kunt verdienen valt tegen. Ik heb geen haast...

12. Laat ik eerst nog maar eens een nieuwe cursus gaan volgen.

13. Veel personeelsadvertenties zijn doorgestoken kaart, want er is uit eigen kring al iemand benoemd.

14. Het Arbeidsbureau doet toch niets voor je!

15. Wat kan ik nou van wervings- en selectiebureaus verwachten?

16. Ik heb niet voldoende tijd om serieus te solliciteren.

17. Als ik word uitgenodigd voor een sollicitatiegesprek, heb ik een probleem, ik heb namelijk niet de juiste kleding.

18. Ik ben eigenlijk te jong/te oud voor deze functies.

19. Ik weet nog niet wat ik precies wil...

20. Mijn studie/diploma is niets waard. (Ik heb alleen maar een mavo-diploma.) Daar ben ik nu pas achter gekomen.

21. Ik heb de verkeerde studie gekozen. En nu is het te laat!

22. Ik háát mijn baan! Maar wat moet ik?

23. Mijn beoordelingen op het werk zijn niet zo goed... Ergens anders krijg ik misschien dezelfde problemen...

24. Ik verdien genoeg – en leuker wordt het toch niet.

25. De meeste van mijn vrienden hebben ook (nog) geen baan.

26. Ik bezit een eigen huis en dus kan ik moeilijk verhuizen.

27. Mijn partner heeft een vaste fulltime baan en daarom kan ik hooguit een deeltijdbaan zoeken.

28. Mijn prioriteiten liggen 'anders' (bij de kinderen, bij mijn hobby's, bij de buurt, bij mijn ouders, et cetera).

29. Vandaag heb je een baan en morgen kegelt je baas je eruit.

30. Het 'hoeft' van mij niet zo nodig. Het is mooi zoals het is...

Al deze excuses (en andere) zijn voer voor pessimisten. Er is geen speld tussen te krijgen: u heeft gelijk, ongeacht de uitvlucht die u aanvoert. Maar waar brengt u dat? Waarom bent u een procrastinator? Waar bent u bang voor? Of bent u gefrustreerd? Verlegen, soms? Overwin uzelf en zend het pessimisme naar het strafbankje.

Persoonlijke blokkades

Er kunnen vele redenen zijn waarom uw loopbaan stokt: uw baas wil maar niet deugen, de producten van uw bedrijf lopen steeds slechter, de fusie dwingt tot personeelsinkrimping, de concurrentie is moordend, de subsidie wordt jaarlijks teruggebracht. En zo kunnen we doorgaan.

Het is natuurlijk niet onmogelijk dat er ook bij uzelf enige problemen zitten. Waarom wordt bij de fusie persoon A gehandhaafd en persoon B geadviseerd binnen drie maanden elders een baan te zoeken? Sommigen zijn zelf hun ergste vijand, zonder zich dat te realiseren. (En de echte vijand lacht zich rot.)

Oefening 4.2   Persoonlijke blokkades en het opruimen ervan

Welke barrières en hindernissen ervaart ú om een passende functie te vinden? En belangrijker: wat denkt u te gaan doen om deze af te breken?

Barrière	Hoe af te breken?
Te jong (of te oud)	....
Weinig of geen werkervaring	
'Verkeerde' werkervaring (bijvoorbeeld ambtenaar die naar bedrijfsleven wil overstappen)	....
Zeer veel banen gehad ('jobhopper')	....
U bekleedt zeer lang de huidige functie	....
Eén of meerdere perioden van werkloosheid	....
Ontslagen of op non-actief gesteld door huidige werkgever	....
Volgende baan betekent salarisverlaging en/of verlies van emolumenten	....
Spreken in dialect	....
Te lange woon-werkreistijden	....
Geringe luistervaardigheid	....
Baan van partner	....

Barrière	Hoe af te breken?
Verkeerde opleiding (sluit niet aan)	....
Te hoge opleiding (overgekwalificeerd)	....
Te lage, te weinig opleiding	....
Anders (zelf invullen)	....
Anders (zelf invullen)	....
Anders (zelf invullen)	....
Anders (zelf invullen)	....

Het baanplateau

In hoofdstuk 1 is het beeld van een gemiddelde loopbaan geschetst. Na de groeifase breekt een periode van stabiliteit aan, die loopt van rond het 45e levensjaar tot het 55e. Het kennelijk logische plateau is bereikt. Maar ook in de fasen daarvoor of daarna kan er sprake zijn van plateaus. Er zit geen muziek meer in de baan. Stilstand is voor velen achteruitgang. Moet u zich dit aantrekken als u op zo'n vlak stuk loopbaanland terechtkomt? Wanneer u gelukkig bent met het bereikte en u streeft geen andere en hogere doelen na, is er niets aan de hand. Is de vlakte een frustratie voor u, dan staan er drie opties open:

1. Onderzoek hoe u uw baan kunt herstructureren.
2. Zoek een nieuwe functie, op een hoger niveau, in uw huidige organisatie.
3. Verlaat de werkgever en trek de wijde wereld in.

Verborgen angsten?

Waar bent u bang voor? Ontslag? Een te snel succes? Problemen in de relatiesfeer? Of blunders op de effectenbeurs?

Veel angsten zijn irreëel. Er zijn verschillende manieren om met angst om te gaan. Het gemakkelijkst is ontkenning. Vermijding is ook een mogelijkheid (er is dan sprake van fobisch gedrag).

Ga eens na hoe dat bij u ligt. En bedenk ook eens wat het *ergste* is dat u kan overkomen bij een angst. Spreek er met anderen over. Misschien hebben zij soortgelijke ervaringen. Tenslotte is gedeelde smart halve smart. Misschien valt het dan toch nog allemaal mee... Als angst uw beste vriend is geworden, raden we dringend aan op zoek te gaan naar een nieuwe vriendenkring.

Reorganisatieonzekerheid

Vlak voor, tijdens en na reorganisaties slaat de onzekerheid toe bij de medewerkers, zo blijkt uit onderzoek. We hebben het niet over de mensen die al zijn ingestort toen zij hoorden dat het 'nieuwe' bedrijf het wel verder zonder hen zou kunnen stellen. De 'wijkers' zijn jaloers op de 'blijvers', die onbezorgd hun toekomst kunnen voortzetten. Onbezorgd? Opkomende en knagende twijfels!

- Wat zijn mijn nieuwe taken en verantwoordelijkheden?
- Welke hulp krijg ik om mijn werk goed te doen nu alle assistenten zijn 'wegbezuinigd'?
- Hoe kunnen mijn prestaties eerlijk worden beoordeeld nu ze mij laten 'zwemmen'?
- Welke consequenties heeft een en ander voor mijn (directe en indirecte) inkomen?
- Zijn er nieuwe 'spelregels'? Zijn die verborgen of worden die op de een of andere manier bekendgemaakt?

Het is dan ook niet vreemd dat de 'betere blijvers' nogal eens vrijwillig ontslag nemen tijdens de reorganisatiestorm. Daar hebben ze dan enkele goede redenen voor:

- Ze krijgen hun handen niet op elkaar voor de veranderingen in hun functie of ze zijn erdoor gefrustreerd geraakt.
- Ze moeten taken van anderen overnemen, waardoor de *'workload'* zwaar of te zwaar wordt.
- Omdat er ook in de budgetten gesneden is, 'kunnen' een aantal, meestal plezierige, bijkomstigheden niet meer (zoals bijvoorbeeld bedrijfsfeesten of de kantinebediening is weggesaneerd en vervangen door een schitterende, aërodynamische automaat).
- De verwachtingen en eisen worden te hoog opgeschroefd; minder mensen moeten meer presteren dan voorheen.
- De vrienden hebben de bijl in hun nek al gevoeld; het wordt eenzaam zonder hen.
- Schuldgevoelens steken de kop op; waarom zij wel en ik niet?
- En andere emoties komen naar boven. Woede: 'Ik heb al eerder gezegd dat er sprake is van mismanagement.' Angst: 'Wanneer word ik bij de directie geroepen?' Wantrouwen: 'Er was beloofd dat er geen ontslagen zouden vallen en nu dit. De directie is niet meer te vertrouwen.' Vervreemding: 'Dit is niet meer mijn bedrijf.'

Als sommigen nog kunnen voortleven met een (wilde) reorganisatie, een tweede willen de meesten liever niet meemaken...

Wat is úw toegevoegde waarde?

Wat draagt ú *extra* bij aan de output van de organisatie, méér dan een plaatsvervanger (snelheid, kwaliteit, hoger te declareren uurtarief, et cetera)? Heeft u sowieso een idee wat u voor de organisatie betekent?

Neem de consultant. Wanneer de opdrachtgever zelf het werk kan verrichten, is deze adviseur brodeloos. Hij moet dan ook creatievere ideeën leveren, sneller werken of anderszins kosten besparen voor zijn opdrachtgever. Bewijs daarom – om mee te beginnen aan uzelf – dat u zo'n grote 'asset' voor de werkgever bent. Het sleutelwoord is *kwantificeren*: probeer al uw (potentiële) prestaties in termen van tijd en/of geld uit te drukken. De volgende vragen helpen u op weg.

Vraag: Wat is de grootste bijdrage die ik tot dusverre heb geleverd aan mijn organisatie?
Weet u dat niet? Heeft u erg veel tijd nodig om een antwoord te vinden? Dat pleit niet voor u... Laten we het nog eens proberen.

Vraag: Maken mijn inspanningen, mijn aanwezigheid, mijn ideeën, kortom mijn werk een verschil?
Wat is dat (positieve) verschil dan waarvoor u verantwoordelijk bent? Kunt u dat in een paar woorden omschrijven? Of kost dat ook de nodige moeite? Dan staat u met 2-0 achter.

Misschien komt iemand in uw organisatie (uw baas?) er binnenkort achter wat u zojuist heeft ontdekt; u levert geen toegevoegde waarde. En waarom zou men u dan maandelijks betalen?

Vraag: Wat lever ik de organisatie nu echt op?
Misschien moet u eerst geïnteresseerd zijn in het antwoord op een andere vraag: 'Hoeveel verdien(d)en ze eigenlijk aan mij?'

Probeer dat te meten! Bij sommige (commerciële) functies gaat dat betrekkelijk gemakkelijk, voor andere functies moet u dieper nadenken. Enkele voorbeelden:

- Heeft mijn idee geleid tot het aantrekken van meer bezoekers aan ons museum? (Hoeveel meer?)
- Heeft mijn geaccepteerde plan inderdaad gezorgd voor een vermindering van het formulierengebruik op de afdeling? (Te becijferen op een besparing van zo veel gulden per jaar.)

- Zijn door mijn softwarekennis kosten bespaard een externe adviseur aan te trekken? (Om hoeveel geld gaat dat dan bij benadering?)

Vraag: Wat gebeurt er met mijn functie als ik enkele dagen ziek ben?
Hopelijk niets! Als u na enkele afwezigheidsdagen al geschiedenis bent, is het zaak u snel uit de voeten te maken. Andere vragen die inzichtvolle antwoorden opleveren zijn:

- Welke kosten zijn gemoeid met het inschakelen van een collega?
- En voor een externe deskundige?
- Wat zijn de *'opportunity costs'* (bijvoorbeeld *geen* lucratieve bezoeken kunnen afleggen aan belangrijke relaties).

Vraag: Wat als ik twee, drie of zes maanden afwezig ben?
Vervalt de functie dan 'automatisch' of is er een plaatsvervanger beschikbaar? Of zijn er *twee* collega's nodig die mijn functie overnemen! Daarvan zijn de extra kosten nauwkeurig te becijferen.

Vraag: Wat verliest de werkgever bij mijn definitieve afscheid?
Het beeld wordt scherper na het stellen van deze aanvullende vragen:

- Welke activiteiten kunnen niet meer (ten behoeve van wie?) worden uitgevoerd?
- Wat voor schadepost zal dat zijn?
- Van mijn mannelijke klanten hoor ik: 'Het gaat om de vent, niet om de tent.' Als ik de helft van mijn klantenbestand 'meeneem' naar mijn volgende werkgever, becijfer ik het verlies op zus-en-zoveel voor mijn huidige baas.
- Wordt het voor mijn werkgever nu bijna onmogelijk subsidies binnen te halen doordat ik hiervoor gebruikmaak van mijn persoonlijk netwerk?
- Mijn jarenlange contacten met scholen zorgen voor een constante instroom van stagiairs. Zal die instroom met mij vertrekken?
- Mijn *'track record'* van het voorspellen van (mode)trends is erg hoog. Kunnen collega's dat 'gevoel' ook ontwikkelen?
- Tot welke imageverbetering van onze organisatie hebben mijn publicaties in de vakpers geleid? (Moeilijk vast te stellen!)

En aan de creditkant van de boekhouding: wat *kost* mijn baan de werkgever? Denk hierbij ook aan de fiscale kosten en sociale lasten, vakantiegeld, de eventuele lease-auto, pensioenpremie, verzuimdagen en een stukje *'overhead'* (huur kantoor, het bureau waaraan u werkt, telefoongebruik, et cetera). Indien uw rekensom gunstig uitpakt voor de organisatie, zit u

goed. Zo goed misschien, dat u met een gerust hart aan de volgende sala-
risbespreking kunt beginnen. Heeft u (tegenwoordig) tijd onder het genot
van een kop dampende koffie de ochtendkrant op uw werk te spellen?
Dan heeft u een goede reden voor een pips gezicht.

Oefening 4.3   Toegevoegde waarde bepalen

Schrijf op wat uw toegevoegde waarde is (geweest) in de afgelopen drie
tot zes maanden voor uw organisatie of de teams waarmee u heeft gewerkt.

....

....

....

....

*Als u naar eigen inzicht te weinig activiteiten met toegevoegde waarde
heeft genoteerd, is dat een teken aan de wand. Uw baas kan namelijk
dezelfde ontdekking doen – eerder dan u lief is...*

Waar is de ladder gebleven?

We hebben eerder gezien dat organisaties platter worden. Het moderne
bedrijf neemt afscheid van het hiërarchische legermodel waarop het oor-
spronkelijk was gebaseerd. Het aantal majoors, kapiteins en luitenants
neemt af. Hun toegevoegde waarde wordt niet meer (h)erkend. 'Leger-
achtige' bedrijven zijn bureaucratieën waar het soms vervelend toeven is.
Maar er zijn ook voordelen: de vele rangen die je (al dan niet via een cursus of training of door gewoon de organisatie trouw te blijven...) kunt
stijgen.

In de moderne organisatie wordt het alsmaar moeilijker te klimmen.
Iemand heeft de ladder weggehaald... U zult er dus rekening mee moeten
houden dat vroeg of laat het plafond wordt bereikt en dat de mooie jaarlijkse promoties uitblijven, want posities zijn 'weggeorganiseerd'.

Uit het dal kruipen

De ervaring leert dat het voor de meesten geen goede zaak is vanuit huis te
solliciteren naar een nieuwe baan. Een van de redenen is dat er negatieve
emoties aan zijn gekoppeld. Een gevoel van nutteloosheid, bijvoorbeeld. Of
twijfel over de kansen op de arbeidsmarkt. Of misschien kost het moeite,
elke dag weer, om vrolijk en opgewekt op te staan. Waarvoor zou je?

Wat te doen als je al geruime tijd 'thuiszit' en er emotioneel minder goed aan toe bent? Hoe kruip je uit dat dal? Hoe word je weer jobfit?

1. Zoek de zon op. Dit kan letterlijk worden opgevat, maar ook figuurlijk. Zonlicht heeft op veel mensen een positieve uitwerking. (Sommigen lijden 's winters aan een tekort aan licht, wat leidt tot depressiviteit. Als het kan: reis af naar de zuidelijke zon, tussen de (sollicitatie)bedrijven door. Via internet kunt u rustig uw oriëntaties en sollicitaties voortzetten.
2. Blijf intellectueel scherp. Lees vakliteratuur (van het oude vak en/of de nieuwe vakgebieden waarin u mogelijk terechtkomt). Of beter nog: schrijf. (Lezen is passief, schrijven is actief.) Voor een vakblad, voor jezelf, voor wie dan ook. Schrijven betekent nadenken en dat is altijd een goede zaak.
3. Activeer en onderhoud het netwerk. (Zie hoofdstuk 11.)
4. Bezoek congressen en andere vakgerichte evenementen om op de hoogte te blijven van de ontwikkelingen (en ook om bestaande contacten te onderhouden en nieuwe op te doen).
5. Nog beter: wordt actief (actiever) in de beroepsvereniging. Meld u aan voor de organisatie van congressen, seminars en dergelijke.

Om over na te denken: *Elk* nadeel kan in een voordeel worden omgezet. De wat onhandige Amerikaanse pianist Victor Borge struikelde tijdens een voorstelling over zijn eigen benen. Hij ontdekte zijn komische talent, dat tot handelsmerk werd verheven. Producten-met-problemen leveren slimme marketeers ideeën op voor nieuwe artikelen, die vaak door nieuwe bedrijven op de markt worden gebracht. Een aanrijdinkje op de snelweg is misschien goed voor het opdoen van nieuwe relaties...

Het is in het algemeen lastig terug te keren op de arbeidsmarkt als u met pensioen bent gegaan, vroegtijdig bent uitgetreden of anderszins lange tijd afwezig was op de arbeidsmarkt. Uw vaardigheden en inzichten blijven achter en de mentaliteit en inzet zijn misschien wat roestig geworden. Een aantrekkelijke aanbieding bij ontslag kan dan ook een definitief vertrek uit de wereld van het werk betekenen.

Blijven of vertrekken? Wat is wijsheid?

Het dilemma waar elke werkende vroeg of laat mee te maken krijgt: moet ik aan mijn huidige werkgever verbonden blijven, en een mogelijk ontslag aanvechten, of naar een baan elders uitkijken? (Vroeger wist je precies waar je tot aan je pensioen aan toe was.) Waarom is dit vaak een moeilijke keuze?

Aan beide zijn voordelen en nadelen verbonden en er kleven risico's aan. Vooral als de verschillen tussen de huidige dienstbetrekking en een nieuwe niet zo groot zijn, of juist *erg* groot, slaat de twijfel toe.

Vertrekken biedt kansen; denk aan de nieuwe, 'grote uitdaging', meer verantwoordelijkheden, misschien een hoger salaris, meer status, et cetera. Vertrekken brengt ook zo zijn onzekerheden met zich mee, vooral wanneer '*anciënniteit*' is opgebouwd door een jarenlang dienstverband. Misschien is het denken over een nieuwe loopbaan, of een voortzetting elders, een onmogelijke breinbreker voor u. Verlaat uw zwemvestmentaliteit, blijf niet voortdobberen zolang er prettige vooruitzichten gecreëerd kunnen worden.

Vertrekmotieven

Uit diverse onderzoeken blijkt dat medewerkers die vrijwillig hun baan vaarwel zeggen, dat niet uit ontevredenheid doen. Het belangrijkste motief is dat ze in een andere baan (intern of elders) méér tevredenheid met het werk denken te verkrijgen. Vertrek is dan voor beide partijen een zegen. Immers, een medewerker die het idee heeft aan zijn baan te zijn vastgeklonken, zal weinig geïnspireerd en gemotiveerd zijn.

Wat geeft nogal eens aanleiding tot het blazen van de afscheidstrompet als van baan wordt gewisseld op grond van negatieve overwegingen?

Het werk op zich

Er heerst onvrede over de baan, omdat het werk saai is geworden, routinematig, de uitdaging en spanning zijn verdwenen. Het werk geeft geen bevrediging meer (wat dat vage gevoel ook precies mag inhouden). Het is te zwaar geworden: te veel taken in te weinig tijd, te veel reizen (de productiviteit moet omhoog!). Misschien ook is de baan inhoudelijk veranderd. Denk aan de toenemende 'informatisering' van werkzaamheden, terwijl de voorkeur van sommigen ligt bij de oude handmatige manier. Bij anderen daarentegen is de vermindering van het aantal taken en zaken dienstreizen grond uit te kijken naar wat andere werkgevers kunnen betekenen. En ten slotte, het bedrijf gaat zich elders vestigen en er wordt veel druk uitgeoefend mee te verhuizen, terwijl de afstand tot de nieuwe werkplek buiten forensische proporties ligt.

De medewerker zelf

Het kan zijn dat iemands ambities te groot zijn (geworden) voor de huidige werkgever. Mogelijk zijn de deuren naar de top de eerste tien jaar volledig afgegrendeld. Het tegendeel kan natuurlijk ook: de aanvankelijke ambitie en gedrevenheid zijn gesleten. Het 'hoeft' allemaal niet meer zo nodig. (Leeftijd speelt hierin vaak een belangrijke rol.) De snelheid van werken, de vele personeelsveranderingen en de manier waarop men met klanten en collega's om moet gaan stroken niet met de eerdere ideeën. Men kan de nieuw verworven filosofie (over leidinggeven, over verkopen, over wat dan ook) niet kwijt bij de werkgever. De visies zijn onverenigbaar geworden.

Medewerker en collega's

Er zijn conflicten gerezen met de baas – en die zijn moeilijk oplosbaar. Of misschien is er een directiewisseling geweest, waardoor het interne netwerk verstoord is. Er kan een concurrentiestrijd zijn losgebarsten met de collega's, bijvoorbeeld over promotie naar vrijgekomen of nieuwe posities. Men wil de strijd niet meer aangaan. Misschien zijn er communicatieproblemen of is de 'sfeer' verslechterd. We willen hier nog het fusiegeweld aan toevoegen dat soms parten speelt. Denk aan zaken als: het bedrijf wordt overgenomen door een concurrent – en men wil daar beslist niets mee te maken hebben. Ook kan natuurlijk de positie op de tocht staan: bij fusies ontstaan dubbele functies.

De rek is eruit

De persoon kan aan zijn salarisplafond zitten. Het inkomen is aan de lage kant en kan niet bij de tegenwoordige werkgever worden opgekrikt. (Of minder vaak: de werkgever verlaagt het salaris, in 'vriendelijk overleg'.)

De jaarlijkse winsten waarin hij zo plezierig mocht meedelen, zijn tot het verleden gaan behoren. En de kans op winstherstel is de komende vijf jaar nihil. De medewerker kan zich niet meer verder bekwamen in zijn vakgebied – niets meer bijleren. Er zijn evenmin andere mogelijkheden om wat glans aan het werk te geven, zoals *job rotation*.

Buiten het werk

We doelen hier op factoren waar de medewerker nauwelijks greep op heeft, maar die toch nopen tot nadenken over vertrek:

- De partner heeft een andere baan aanvaard en stelt voor te verhuizen.
- Een echtscheiding maakt het eindelijk mogelijk elders (in het buiten-

land) een baan te aanvaarden...

- Het dichtslibbende verkeer, waardoor de reistijden te lang zijn geworden.
- Huwelijk en geboorte kunnen ook leiden tot de zoektocht naar ander (deeltijd)werk. Een verhuizing om dichter bij (de kinderen, de ouders, familieleden, vrienden, kennissen, golfbanen, et cetera) te wonen.

Blijven of vertrekken: dat is de vraag. Waarvoor u ook kiest: neem het besluit vanuit positieve uitgangspunten, weeg de voors en tegens zorgvuldig tegen elkaar af en vertrek wanneer het *uw* tijd is.

Elke overstap is voor werknemers en werkgevers een risico. Zekerheid bestaat niet. Er is waarschijnlijk geen land waar per hoofd van de bevolking meer wordt getest dan in Nederland, want we willen garanties!

Het is aan te raden, voordat u een stap zet, na te gaan of de volgende baan past bij uw doelen en acties, zoals die in hoofdstuk 9 nader worden besproken. Misschien zijn er ook nog andere mogelijkheden dan die ene baan...

Oefening 4.4   Ter overweging

Voor u uw vertrek aankondigt, is het goed af te vinken in welke mate uw organisatie aan de volgende belangrijke kenmerken voldoet.

	Ja	Nee
1. Er wordt ruimte geboden voor training en voortdurende ontwikkeling.	❏	❏
2. Er zijn mogelijkheden de taken en verantwoordelijkheden geleidelijk aan uit te breiden.	❏	❏
3. Er is geloof in de medewerkers, wat onder andere blijkt uit een grote mate van beslissingsverantwoordelijkheid.	❏	❏
4. De organisatie is 'fair' en heeft oog voor alle betrokkenen: medewerkers, aandeelhouders, cliënten, toeleveranciers, de gemeenschap.	❏	❏
5. Er is voldoende en open communicatie van boven naar beneden en andersom. Er wordt naar elkaar geluisterd.	❏	❏
6. De organisatie ontwikkelt voortdurend nieuwe producten, diensten, processen, plannen.	❏	❏
7. De medewerkers worden mede beloond op grond van hun prestaties.	❏	❏

	Ja	Nee
8. De organisatie is serieus geïnteresseerd in en betrokken bij de medewerkers.	☐	☐
9. De organisatie is eerder beter in vele opzichten dan slechter dan de belangrijkste concurrenten.	☐	☐
10. U kunt een loopbaan voor uzelf zien in de organisatie.	☐	☐

Is het hoog tijd uw vertrek aan te kondigen of is uw werkgever zo gek nog niet?

 Is er een concurrentiebeding opgenomen in uw arbeidsovereenkomst? Ga tijdig na welke belemmeringen dit oplevert bij het vervolg van de loopbaan elders.

Midlevencrisis: schrikbeeld of uitdaging?

Van een wat andere orde van grootte is de crisis die soms toeslaat rond het veertigste levensjaar. Sommigen gaan zich dan enkele diepzinnige (existentiële) vragen stellen:

- Waar doe ik het allemaal voor?
- Wat is de zin van het leven eigenlijk?
- Wat levert al dat (harde) werken nou helemaal op?
- Ik moet meer naar het spirituele toe...
- De prijs van succes is te hoog...
- Ik doe altijd de dingen die ik *moet* doen. Het wordt tijd de dingen te gaan doen die ik *wil* doen!
- Is dat alles wat er is?

We kennen de vragen, de antwoorden helaas niet!

Deze kwesties worden aangekaart in een bepaalde levensfase – vaak op de top van de carrière – en daarna is het voor de meesten weer '*business as usual*'. Maar voor anderen blijken er weinig uitwijkmogelijkheden te zijn en er ontstaat een crisis. Turbulentie in de organisatie (fusie, massaontslag, onzekerheid) kan een midlevencrisis versnellen of verlengen. Een typische midlevencrisis ontstaat heel geleidelijk en wordt vaak niet als zodanig herkend.

Iemand die zelf uit deze levensfasecrisis wil raken moet de vraag 'Wat heeft het leven (het werk) voor zin voor mij?' herformuleren. 'Welke zin wil ik aan mijn leven (mijn werk) geven?' Een praktische 'oplossing' waar vaak voor wordt gekozen, is extra hard werken, de vlucht in het werk ten koste van het privé-leven en op termijn een hoog ziekteverzuim (burnout).

De eerste reden voor het ontstaan van een midlevencrisis is van biologische aard. Enkele 'ouderdomsverschijnselen' dienen zich voor het eerst aan. Sportieve prestaties nemen af en langdurig achtereen buffelen gaat minder gemakkelijk. Bent u al zó oud, dat wanneer u wordt gevraagd 'Hoe gaat het ermee?' uw eerste reactie is: 'Over welk lichaamsdeel wil je dat weten...'? Interessanter zijn de psychische oorzaken. De periode van vroege volwassenheid wordt afgesloten en de loopbaan wordt geëvalueerd. Op de weegschaal komen de bereikte prestaties te liggen en de niet-vervulde wensen. In het verlengde hiervan wordt de vraag gesteld: Hoe moet mijn verdere loopbaan eruit gaan zien? De betekenis van het ouderschap wordt minder, want de aanwezige kinderen worden steeds zelfstandiger – en vinden hun ouders maar lastpakken. Het vastlopen op het werk of het verdwijnen van een groeiperspectief kunnen het negatieve gevoel versterken. Familieleden, vrienden en collega's die ernstig ziek worden of sterven, maken duidelijk dat het leven eindig is.

Tijdens deze crisis wordt de aandrang gevoeld het roer nu eens radicaal om te gooien. Een nieuw leven beginnen, de sleur van alledag verlaten. Maar tussen droom en daad staan wetten en praktische bezwaren. De frustraties worden misschien geaccepteerd, maar de oorzaken van de crisis niet weggenomen.

Als u uzelf in deze beschrijving herkent, is het hoog tijd eens uit te vinden wat uw wilt bereiken in dit leven, wat uw capaciteiten zijn en of dit in overeenstemming is (te brengen) met wie u bent. De hoofdstukken 6, 7 en 8 reiken hiervoor de instrumenten aan. Misschien gaat een langgekoesterde wens in vervulling: de camping in Zuid-Frankrijk opzetten, kunstschilder worden, een sleutelroman schrijven. Deze droombeelden blijken maar zelden verwezenlijkt te worden. De dagelijkse praktijk is een dikke muur.

Oefening 4.5 Onheilssignalen

Ga er eens rustig voor zitten en analyseer uw eigen plek in de wereld.

1. Bedenk voor welke toekomstige ontwikkelingen u binnen uw werk bang bent (inkrimpingen, fusie, overname, verdergaande automatisering, te hoog salaris).

....

....

....

2. En buiten het werk (in de grote boze wereld)? Wat vreest u?

....

....

....

3. Wat wilt u graag vermijden?

....

....

....

4. Waar bent u in de huidige baan het *meest kwetsbaar*? (Wat is uw zachte onderbuik? Waar is het pantser het zwakst?)

....

....

....

5. Hoe goed liggen uw kwaliteiten en vaardigheden nog in de markt? (Kunt u er méér mee doen binnen de organisatie? Of bij een collega-bedrijf? Zijn er mogelijkheden voor een geheel nieuwe carrière?)

....

....

....

De klok tikt door...

Soms speelt de tijd je in de kaart, soms is elke minuut je vijand. Wil je 'carrière maken', dan zul je dat vóór een bepaalde leeftijd gedaan moeten hebben, anders is het te laat. Enkele voorbeelden. Multinationale ondernemingen sturen graag managers de wereld in om kennis en ervaring op te doen in andere culturen. Blijven deze *'expats'* onder moeilijke omstandigheden overeind? Weten ze ondanks taalbarrières en culturele drempels marktaandelen te vergroten? Je dient er rekening mee te houden dat je voor je veertigste één of meer keren in het buitenland gewerkt moet hebben om daarna in het hoofdkantoor gebruik te mogen maken van de faciliteiten die bij de hoge functie horen. Als de grote carrière begint met een *management traineeship*, moet je dit meteen na het beëindigen van je studie doen. Tien jaar later is te laat. Golven in de branding hebben de eeuwigheid als thuisbasis, u niet.

De grote en internationale managementconsultancybureaus hanteren strakke leeftijdsgrenzen. Ben je te oud (bijvoorbeeld boven de 35 jaar), dan zul je naar minder toonaangevende adviesbureaus moeten uitkijken. (Leeftijdsdiscriminatie?) Ook vliegmaatschappijen zijn vrij strikt. Bejaarde vliegers bestaan niet. Een tweede carrière als piloot beginnen is uiterst lastig, zo niet vrijwel onmogelijk.

Vrouwen hebben er een probleem bij: de biologische klok. Kiezen voor een loopbaan betekent een uitgestelde kinderwens. Maar dit is een eindig uitstel, want op een gegeven moment gooit de biochemie roet in het eten. Het zal lastig worden jonge kinderen op te voeden, hen de benodigde aandacht te geven én zestig uur per week een hoogvliegende functie te bekleden. Alle ballen tegelijkertijd in de lucht houden is niet alleen uiterst vermoeiend, er klettert ook wel eens een bal op de grond...

Conclusie: als je niet tijdig prioriteiten stelt of heldere keuzes maakt, verlies je misschien op alle terreinen.

Wat betekent dit alles voor ú?

1.   Langdurige stress en burnout kunnen goede redenen zijn om de loopbaan te heroverwegen.
2.   Emotionele problemen kunnen niet worden wegbezuinigd. De misschien lang uitgestelde 'loopbaanonderhoudsbeurt' moet nu – soms onverwachts – worden gegeven.
3.   Vraag u ook af of en hoe uw functie kan worden '*geoutsourced*'. En onderneem vervolgens hierop actie... Houd voortdurend in de gaten wat uw toegevoegde waarde is.
4.   Iedereen wordt beïnvloed door een reorganisatie van zijn bedrijf, niet alleen de 'wijkers', maar ook de 'blijvers'. Wilt u de ene na de andere reorganisatie van uw werkgever meemaken?
5.   Verlaat de werkgever na zorgvuldige afweging. Wordt u gedwongen? Probeer dan te vertrekken wanneer het *u* het beste past.

Employability van werkenden schiet tekort

Veel lager geschoolde werkenden lopen het risico hun baan te verliezen omdat hun kennis en vaardigheden tekortschieten.

Door de snelle veranderingen in de technologie en in organisaties lopen lager opgeleiden de komende jaren het risico werkloos te worden. Dat meldt het rapport 'Werkgelegenheid en scholing 1999' van het Researchcentrum voor Onderwijs en Arbeidsmarkt (ROA).
Ondanks de huidige personeelstekorten kampt een aantal sectoren - zoals landbouw en visserij, voeding, de metaal en elektrotechniek en de overige industrie - volgens het ROA met een afnemende werkgelegenheid.
Vooral werknemers in de lagere en niet-specia-

listische beroepen (zoals administratieve hulpkrachten) en in lagere en middelbare agrarische en technische beroepen lopen het risico overbodig te worden omdat hun kennis niet meer up-to-date is.
Als die lager geschoolde werknemers inzetbaar willen blijven op de arbeidsmarkt, hebben ze volgens het ROA "substantiële om- en bijscholing" nodig. Zo moeten VMBO'ers minimaal een diploma op MBO-niveau halen. Naast scholing zouden werkgevers en werknemers echter ook kunnen denken aan jobrotatie. Als werknemers regelmatig andere taken zouden krijgen, ontwikkelen ze zich breder en kunnen ze als dat nodig is gemakkelijker aan de slag in een andere baan of een ander beroep.

Loopbaanadvies effectiever dan scholingsdagen

Vakbonden moeten bij CAO-onderhandelingen vaker een periodiek recht op loopbaanadvies afdwingen. Dat is veel beter voor de employability van werknemers dan het minutieus vastleggen van een bepaald aantal scholingsdagen. Dat stelt Jo Thijssen, hoofd research en development personeel bij Rabobank Nederland,

in het CAO-jaarboek van de FNV. "Het is niet handig om in een CAO precies vast te leggen hoeveel scholingsdagen personeelsleden moeten krijgen", zo zegt Thijssen. "In de praktijk zal de differentiatie in scholingsbehoeften tussen personeelsleden enorm uiteenlopen. Wat heeft een maatregel als vijf scholingsdagen voor ieder-

een dan eigenlijk voor effect? Als voorbeeld van hoe het wél moet, verwijst Thijssen naar de NS. Daar kunnen werknemers zich regelmatig laten doorlichten door een adviesbureau naar keuze. Dat bureau houdt de mensen een spiegel voor zodat ze zelf kunnen zien hoe het gesteld is met hun loopbaanperspectieven.

Bron: PW

106

HOOFDSTUK 5

Nieuwe kansen! Nieuwe uitdagingen!

Het was zomer in de stad, dus Guus Gelijk móest wel in de juiste stemming verkeren. Hij bekleedde dezelfde functie nu vierenhalf jaar en was erop uitgekeken. Hij had dit bij zijn chef, die hem niet kwijt wilde, kenbaar gemaakt. Ook Personeelszaken luisterde aandachtig naar zijn verlangens. Maar toen hij na twee maanden een aanbieding kreeg om naar een andere vestiging te verhuizen sprak hem dat weinig aan. Hij had er wel oren naar een nieuwe op te zetten, maar dat was voorlopig van de baan, werd hem van alle kanten verzekerd.

De zomer werd najaar, het najaar werd winter. Tijd voor de traditionele beurs, waar hij ook nu weer de stand zou bemannen. Met of zonder knagend gevoel van onbehagen.

Tijdens zijn wandelingetje naar het beursrestaurant liep hij een oud collega tegen het lijf. Na uitwisseling van een aantal koetjes en kalfjes en roddels, merkte Gerald Palermo (toevallig?) op dat hun nieuwe onderdirecteur binnen twee maanden op non-actief was gesteld. Er was een vacature ontstaan en de speurtocht had nog niets opgeleverd. Men zocht het liefst een ervaren rot uit de branche.

Op weg naar huis liet Guus zoals gewoonlijk de werkdag aan zijn geestesoog voorbijtrekken. Palermo verscheen in beeld. Zou hij een wenk hebben gegeven? Hij bezat Palermo's visitekaartje, gelukkig deelden ze hetzelfde ritueel. Moest hij hem bellen op zijn mobiel en een gesprek arrangeren?

Onze wereld wordt steeds turbulenter. De veranderingen volgen elkaar aan een steeds sneller lopende rollende band op. Ze slopen banen, maar creëren ook nieuwe. Daar liggen kansen – ook voor u. Welke veranderingen aanschouwt u met eigen ogen om u heen? Op het werk, in de branche, in de buurt, in het land, in Europa? Hoe kunt u daarop inspelen? Is er een nieuwe baan uit te slepen? Misschien bij uw eigen werkgever? Zijn er deeltijdmogelijkheden die misschien te zijner tijd tot een vaste baan kunnen leiden? De optimist grijpt de kansen. De pessimist ziet alleen de bedreigingen en klaagt over de pech die hem overkomt. Crisis, wat is crisis?

Voor die volgende baan kunt u uzelf best een stuk oprekken, waardoor de spanning die misschien al zo lang werd gemist, kan terugkomen. Het kan zijn dat u uzelf opnieuw moet 'uitvinden'. Maar ook dat houdt het leven spannend! Soms kun je helaas niet kieskeurig zijn en moet je stierestaartsoep accepteren als er geen os in de buurt is. Soms moet je werken voor de Zierikzeese zorgverzekeraar Zorg & Zekerheid omdat er geen alternatieven in de buurt zijn.

In dit hoofdstuk nemen we u voorzichtig mee naar een nieuwe aanpak en laten u alvast kennismaken met enkele mogelijkheden om uw loopbaan vlot te trekken. We gaan ook in op de complete 'carrièreswitch'.

Levensplanning

Dit boek gaat over loopbaanplanning. Sommigen vinden dat een nogal beperkt begrip, want volgens hun opvatting is levensplanning belangrijker. Ervoor zorgen dat je leven zich ontwikkelt op de manier die jij wenst en die je voor ogen staat. Dat je je doelen bereikt in een omgeving waar je waarden tot hun recht komen. Zover willen we hier niet gaan. Het opstellen van een loopbaanplan en de uitvoering hiervan zijn al lastig genoeg...

Positief denken

Kansen worden gezien door mensen die hun ogen openhouden. Kansen worden benut door optimisten met lef. Als voor u de zon te snel achter de wolken verdwijnt, helpt het uzelf enige woorden van moed in te spreken:

- 'Ik kan dat werk met gemak aan.'
- 'Mijn aanstaande collega's zullen mijn persoonlijke geschiedenis interessant vinden.'
- 'Ik ben daar intelligent genoeg voor.'
- 'Als die-en-die deze baan aankan, lukt het mij ook.'
- 'Mijn vrienden en kennissen zullen zo'n stap waarderen.'

U zult moeten toegeven: deze zinnen klinken toch beter dan:

- 'Het lukt mij nooit...'
- 'Als ik daar solliciteer, sta ik meteen voor gek.'

Wat heeft u te verliezen met positief denken?

Het mobiliteitscentrum

Outplacement bestaat nog steeds, maar dat heeft bij menig werknemer een wrange bijsmaak gekregen. Hoe goed de baas het ook voor heeft met zijn personeel, o=o, ofwel, outplacement is ontslag.

Het wekt dan ook geen verwondering dat naarstig is gezocht naar een nieuwe weg die frisheid en optimisme uitstraalt. Het mobiliteitscentrum zorgt dat medewerkers mobiel worden (of gemobiliseerd worden) en op banenjacht gaan – binnen of buiten de eigen organisatie. Wanneer u een uitnodiging ontvangt eens op het mobiliteitscentrum van uw bedrijf te komen spreken, zal dat niet altijd goed nieuws inhouden. Het kan ook uw initiatief zijn, een onderzoek naar een interne overplaatsing.

Een hogeschoolhoofd kreeg van haar bestuur een halfjaar om zo'n centrum op te zetten. Ze moest eerst haar directeurspositie verruilen voor het nieuwe mobiliteitscentrum. Vervolgens mocht ze zichzelf 'wegmobiliseren'. Het centrum had in ieder geval één succesje behaald.

Het woord 'mobiliteitscentrum' klinkt goed, dat moeten we toegeven. Vooral als je elke ochtend en avond in de file staat op 's lands (snel!)wegen. Het duidt op dynamiek en professionaliteit. Dat het voor sommigen het voorportaal van een (tijdelijke) hel is, is een andere zaak...

Mobiliteitscentra, ook wel loopbaancentra of loopbaanadviescentra genoemd, kunnen uiteenlopende doelen hebben. Naast eerdergenoemde uitplaatsing:

1. Alle medewerkers het belang schetsen (voor henzelf en dus voor de organisatie) van continu leren en op de hoogte blijven.
2. Goed geïnformeerde en getrainde medewerkers hun kansen laten vergroten om 'bij de baas' te mogen blijven. Ze zullen dan wel met een

zekere regelmaat aan een onderzoek worden onderworpen om de stand van zaken vast te stellen. Vaak via een assessmentcenteronderzoek of, zoals dat minder bedreigend wordt genoemd, een ontwikkelingsassessment.

3. Het verstrekken van ondersteunende diensten aan individuele personeelsleden, zoals coaching – wat daar ook precies onder mag worden verstaan. Medewerkers kunnen over een 'dood punt' worden getild. Ze kunnen weer worden geïnspireerd.

4. Medewerkers aankondigen welke functies waar en wanneer in de organisatie vrijkomen. In sommige bedrijven worden medewerkers sterk ontmoedigd om langer dan twee of drie jaar in dezelfde functie te blijven. Aan vastroesten heeft de directie kennelijk een broertje dood. Mobiliteitscentra kunnen op permanente basis medewerkers binnen de organisatie laten circuleren. De doorstroming wordt bevorderd.

5. Medewerkers die minder goed passen, komen hier misschien vroegtijdig achter en vertrekken met een positief gevoel.

6. Er kan hulp worden geboden bij het reïntegreren van zieke medewerkers.

7. Er is informatie beschikbaar over arbeidsmarkten en nadere verwijzingen naar banen via de interne vacaturebank en bevriende bedrijven.

8. Er kan hulp worden geboden bij de verwerking van rouwprocessen.

9. Men helpt er leren solliciteren.

10. *Waarschuwing! Lees voor gebruik eerst de bijsluiter!* Jammer genoeg hebben nieuwe banen geen bijsluiter die voor 'inname' gelezen dient te zijn. Je komt er dan ook te laat achter dat de nieuwe baas verantwoordelijk is voor jouw maagpijn, nekvlekken, verhoogde hartslag of spoken in het hoofd. Via het mobiliteitscentrum kan worden proefgedraaid bij een nieuwe baas of kan de weg der geleidelijkheid worden gevolgd.

De moderne (in)loopbaanwinkels van de grote bedrijven zijn frisse en laagdrempelige ruimten waar de koffie klaarstaat. (Als dat geen overtuigend argument is voor zo'n bezoek...)

TIP: Ook als uw werkgever een mobiliteitscentrum heeft, ontslaat u dat niet van uw eigen verantwoordelijkheid. Wacht niet af totdat het 'centrum' u belt, neem zelf het initiatief!

Om over na te denken: Hoe mobiel bent u eigenlijk? Hoe vast zit u geklonken aan het eigen huis, de loopbaan van de partner, de school van de kinderen of de faalangst in een nieuwe functie meteen te struikelen?

De complete carrièreswitch

Een carrière omvat een reeks van samenhangende banen, vaak met telkens een sportje hoger op de ladder. Je kunt er ook voor kiezen je loopbaan af te sluiten en een geheel nieuwe te beginnen. Sommigen doen dat nadat ze grote successen hebben behaald (er is niets meer te bereiken), anderen omdat ze de stress niet meer aankunnen en opgebrand zijn of omdat het vuur is gedoofd.

We kennen de gelukkige uitgever van een plaatselijke krant die zijn welvarende advocatenkantoor vaarwel zei omdat hij twintig jaar strijd voldoende vond. Hij liep toevallig tegen de krant aan die een makelende vriend ten verkoop bood. Toen hij bedacht dat advocatuur en kranten beide met schriftelijke communicatie te maken hebben, was de beslissing snel gemaakt.

De verzekeringsman volgde na 35 jaar zijn hart en ging sociaal werk verrichten. Hij wilde wat terugdoen voor de gemeenschap.

Na hoeveel jaar ben je uitgekeken op gebouwen schilderen en management? Deze vraag stelde De Jong eerst zichzelf en toen zijn compagnon. Ze besloten de zaak te verkopen en ieder hun eigen weg te volgen. De Jong heeft nu weer plezier in zijn werk. Hij is projectontwikkelaar geworden, dat wil zeggen hij koopt oude en afgeleefde woonhuizen, knapt deze op en verkoopt ze. Een soortgelijke route werd gevolgd door een bankdirecteur. Hij zei vaarwel tegen de bureaucratie en met een partner koopt hij tegenwoordig oude en verlaten fabriekspanden, restaureert deze en levert ze op als bedrijfsverzamelgebouw.

Eén belletje veranderde zijn leven. Een vage kennis wilde een bod uitbrengen op zijn keten van juwelierswinkels. Moe geworden van alle personeelsproblemen en inbraken bleek hij rijp te zijn voor het plan. Hij is nu een rustige huisbaas geworden die de huurpenningen telt. Een echte switch? Vuistman vindt van wel, want hij besteedt zes uur per dag aan zijn onroerendgoedportefeuille.

De ongelukkige boekenuitgever wist alles van zijn vak, maar niets van tijdschriften. Voor auto's – van klassiekers tot de nieuwste modellen – kon je hem midden in de nacht wakker maken. Hij reed menige rally. Hij is nu de gelukkige hoofdredacteur van een autotijdschrift.

De verpleegkundige die tv-producer werd, de leraress die overstapte naar het makelaarschap o.g., de reclameman die nu een museum leidt, de priester die psychotherapeut werd, de bedrijfstrainer die directeur werd in een groot adviesbureau, de accountant die zijn eigen succesvolle buitensportonderneming opzette, de autoverkoper die marketingdirecteur werd bij de concurrent (van onderknuppel naar bovenknuppel), de muziekleraar die softwareontwikkelaar werd.

Het zijn slechts enkele voorbeelden van mensen die de grote sprong hebben gewaagd. Het is mogelijk zo'n verregaande beslissing te nemen. In de Verenigde Staten is zo'n reuzenstap niet ongebruikelijk.

Sommige mensen worden gedwongen de belangrijke beslissingen des levens tegelijkertijd te nemen: de baan kwijt, de echtgenoot(ote) kwijt, het huis kwijt, de auto kwijt – kortom, het spoor kwijt. Het is lastig onder deze druk te floreren en de juiste afwegingen te maken. De ervaring leert dat het de voorkeur geniet om voor dit soort beslissingen enige tijd uit te trekken en ze één voor één te nemen.

Experimenteren

Kleine experimenten kunnen uitkomst bieden bij het beperken van het risico van een grote carrièrestap. U kunt misschien tijdens vakanties, weekends of de avonduren een nieuwe job 'uitproberen'. Via betaald werk, maar ook in de vorm van een stage (een ruim begrip) of als vrijwilliger. De stap naar de nieuwe uitdaging wordt dan een stuk kleiner. Enkele voorbeelden. De boekhouder bij een uitgeverij die zich voelt aangetrokken tot het ondernemerschap in de horeca. Ze kunnen daar altijd wel een paar extra handen gebruiken – vooral als de inkoopprijs gunstig is. Wat let deze boekhouder het ene weekend in de keuken mee te draaien, het volgende in de bediening en het derde achter de bar? De arts die liever professioneel musicus wordt, kan meedraaien met de lange dagen (en vooral nachten!) en beoordelen of de muziek inderdaad een wenkend perspectief is. Probeer eens enkele dagen mee te lopen met een verzekeringsagent als u dat werk als uw toekomst ziet. Rijd eens een paar dagen mee met een zonemanager van een auto-importeur als zo'n job u aantrekkelijk voorkomt. Loop eens stage in een uitgeverij als het boeken- of tijdschriftenvak u fantastisch lijkt.

Een 'schnabbel' is zo gek nog niet. Zo'n vaste of tijdelijke bijbaan levert extra inkomen op. Maar het is ook vaak een schuchtere manier om andere beroepsmogelijkheden te onderzoeken. Om alvast vertrouwd te raken met andersoortig werk, een andere omgeving, andere mensen. Je kunt dus met avond- en weekendbaantjes twee vliegen in één klap slaan. U zult ontdekken dat er velen zijn die op deze manier de kat uit de boom kijken.

Er zijn ook andere manieren om vertrouwd te raken met een baan of bedrijf: lees er over, schrijf erover, gebaseerd op wat u erover weet; is het eindresultaat logisch in uw ogen? Observeer de mensen die dit werk verrichten. (Kunt u door de façade heenkijken? Durft u in de keuken te blikken?)

Bij dit alles helpt het te weten hoe uw reputatie is in (en buiten) de organisatie. Hoe staat u aangeschreven? Kunt u een potje breken? Hoe weet u dat? Is men bereid te investeren in de door u noodzakelijk geachte training?

Om over na te denken: Als u nieuwe kansen ruikt, is het goed stil te staan bij deze twee wetmatigheden:

1. Hoe dichter de toekomstige baan bij de huidige, hoe groter de 'pakkans'. (Belangrijk te weten bij sollicitaties.)
2. Hoe dichter de toekomstige baan bij de huidige, hoe geringer de bevrediging. De uitdaging, de prikkel, de spanning zal beperkt zijn.

TIP: Werkt u van project tot project of overweegt u dat te gaan doen? Stel uzelf dan telkens de volgende vragen:

1. Voor aanvang: wat kan ik leren van dit project?
2. Na afloop: Wat heb ik er allemaal van opgestoken? En als vervolgvragen misstaan niet: welke gebieden moet ik (kennelijk) versterken? Wat moet ik bijleren? Aan welke toekomstige projecten kan ik best deelnemen?

Deeltijdwerk

In een aantal situaties kan deeltijdwerk uitkomst bieden als tussenstation. (Voor sommigen is dit het eindstation, ze willen nooit meer anders!) Denk eens aan de volgende voordelen:

- Het bekende en vertrouwde werk kan worden voortgezet.
- Het biedt vrijheid, maar geeft ook structuur aan de werkdag.
- Het geeft gelegenheid allerlei opties te onderzoeken: een andere baan, de juist besproken loopbaanswitch, het opzetten van een eigen onderneming.
- Het kan de springplank vormen voor een nieuwe voltijdse baan.
- Het kan een goede combinatiemogelijkheid zijn om kinderopvang te beperken als de partner ook een deeltijdbaan heeft.

Welke argumenten kunt u aanvoeren om de (aanstaande) werkgever te overtuigen? De redenering is verbluffend simpel. In de moderne competitieve maatschappij moeten organisaties steeds meer kwaliteit en service leveren. En dat is mensenwerk. Alleen *gemotiveerde* werknemers zullen zich met hart en ziel inzetten voor hun bedrijf en klanten. Het is moeilijk mensen aan te sturen die geen plezier in hun werk hebben. De beste motivatie komt nu eenmaal uit het hart en wordt niet van bovenaf opgelegd. (De directie houdt een toespraak en iedereen gaat vervolgens gemotiveerd aan de slag. Zo werkt het *niet*.)

Kortom, stel voor uzelf een lijst op met wat *u* allemaal motiveert. Ga daarna op zoek naar de werkomgeving die u inspireert. Vat dit vooral op twee manieren op! Werken kan dan werkelijk weer leuk worden. De keuze is aan u!

Vrijwilligerswerk

Al zoekend, aftastend en oriënterend levert vrijwilligerswerk misschien inspiratie op. U kunt ongetwijfeld terecht in de eigen organisatie: als OR-lid, feestcommissielid, bestuurslid of voorzitter van de 'afdeling Heineken'.

Maar ook via de sportclub, het Rode Kruis, Humanitas of welke vereniging ook komt u in contact met andere mensen en andere problemen. Zelfs als het niet leidt tot de gewenste resultaten, heeft u anderen – hoe kortstondig ook – gelukkig gemaakt en een maatschappelijke bijdrage geleverd.

Om over na te denken: U wilt later toch niet uw loopbaan beschrijven als het standaard Nederlandse winterlandschap: grijs, grauw, vlak en eentonig?

Vergelijkbare functies

Als u aan een baanverandering denkt, is het misschien handig om in ogenschouw te nemen dat u vergelijkbaar werk in een iets andere omgeving en hoedanigheid kunt verrichten: van adviserend naar uitvoerend, van ondergeschikt en specialistisch naar leidinggevend, van solowerk naar projectmatig (in teams) werk, van binnen (kantoorwerk; weinig mobiliteit) naar buiten (veel mobiliteit).

Veel 'nieuwe' werkgevers wensen zekerheid. Als aanstaande medewerker bent u vaak het meeste waard wanneer hetzelfde oude en vertrouwde werk wordt verricht bij de nieuwe baas. Dat is ook voor u veilig. Maar is dat wat u wilt? Misschien is het belangrijkste vertrekmotief juist ander werk, andere taken en meer verantwoordelijkheden in een andere werkomgeving. Accepteer niet klakkeloos een veilige baan die waarschijnlijk beter betaalt dan de huidige. Dat betekent wegzinken in de functie.

Oefening 5.1   De droomloopbaan

We hebben allemaal onze dromen, op allerlei gebieden. Laten we ons beperken tot de loopbaan. Wat is uw droomloopbaan? Hoe ziet die eruit? Laat uw gedachten daar eens over gaan en stuur allerlei belemmeringen de laan uit (ik ben te oud, ik heb te weinig opleiding genoten, het betaalt te weinig, et cetera). Maak eventueel gebruik van de volgende steekwoorden:

- dagindeling;
- werkomgeving;
- type collega's;
- eindresultaat van inspanningen;
- mijn of andermans gezag;
- stappen om op de eindbestemming te geraken.

Dit is mijn droomloopbaan:

....

....

....

....

....

....

....

Wat belet u de droomloopbaan gestalte te geven?

....

....

....

....

....

....

....

Oefening 5.2   Het ideale baanpakket

De ideale baan bestaat, dát is het goede nieuws. Maar hoe ziet deze er precies uit? Aan de 'perfecte' baan zitten twee kanten: het pakket van taken en verantwoordelijkheden die tezamen de baan vormen. Dat pakket moet aantrekkelijk zijn. Daarnaast moeten iemands (unieke) eigenschappen, vaardigheden en kennis er ook tot bloei komen. Een waarlijk in de hemel gesloten huwelijk.

Beschrijf hoe u de ideale baan ziet: het pakket van taken en verantwoordelijkheden. Geef ze aan in *volgorde van belangrijkheid.*

Taken	Verantwoordelijkheden
1.	1. ....
2.	2. ....
3.	3. ....
4.	4. ....
5.	5. ....
6.	6. ....
7.	7. ....

Vragen:
Zijn de taken en verantwoordelijkheden in de juiste volgorde gezet? Kijk hier nog eens kritisch naar – en breng eventueel veranderingen aan. Is een patroon achter de taken en/of verantwoordelijkheden bloot te leggen?

Vergelijk dit nu eens met uw *huidige baan* (als die er is). Gebruik hiervoor de volgende tabel:

Taken	Verantwoordelijkheden
1.	1. ....
2.	2. ....
3.	3. ....
4.	4. ....
5.	5. ....
6.	6. ....
7.	7. ....

Ziet u al wat u 'tekortkomt'? Wat kunt u allemaal doen om dat tekort op te heffen als u die ideale baan najaagt?

> **Om over na te denken:** Moet uw nieuwe baan een glorieuze victorie voor de mensheid betekenen? Of mag het doel meer bescheiden zijn?

Oefening 5.3   De jaloersmakende baan...

In de vrienden- en kennissenkring (maar familie en vrienden-van-vrienden mag natuurlijk ook) zijn vast wel mensen die u benijdt vanwege hun beroep of functie. Probeer er nu via deze oefening achter te komen waarom u afgunstig bent. (Wees eerlijk!)

Wie benijdt u? Is deze persoon een *rolmodel* voor u? Een idool?

Naam	Beroep/functie	Reden(en)
Voorbeeld: Philip de Groote	Account manager bij Proctor & Gamble	Veel reizen binnen Europa Zelfstandig werken Snel zelf beslissen
1.	....	....
2.	....	....
3.	....	....
4.	....	....
5.	....	....

Conclusie:
Op wie bent u jaloers? En belangrijker: waarom juist op hem/haar? Weet u nu wat zijn/haar beroep/functie zo aantrekkelijk voor u maakt? Dat zijn dan misschien elementen die een belangrijke rol moeten spelen in de jacht op de droombaan! Welke kenmerken heeft deze persoon, die u graag zou willen bezitten?

Kunt u nu zien waar u naar zult moeten streven? Welke banen u toelachen? Welke kwaliteiten u moet verwerven of aanscherpen? Zet de marsroute uit...

Naar de top?

Verlekkert u zich aan een zinderende, sprankelende loopbaan of mag het ook iets minder zijn? Als u wilt stijgen naar de top is het goed uw loopbaanplan (dat is een prognose; we komen er later nog op terug) van een *tijdpad* te voorzien. Wanneer wilt u waar terechtkomen, in de organisatie of daarbuiten? Let op de volgende punten:

1. Een stijging houdt ook een *attitudeverandering* in. U zult anders tegen de organisatie, de bazen en de collega's moeten aankijken. Zij veranderen niet, u wordt een 'ander mens'.
2. Uw plan is hiërarchisch: elke volgende functie moet hoger geplaatst zijn (en gewaardeerd worden) dan de laatste. Met zijdelingse bewegingen zult u weinig opschieten.
3. Waar zijn de groeimarkten? Waar zal uw organisatie de komende jaren waarschijnlijk in investeren? Welke aandachtsgebieden zijn hiervoor gekozen? Kunt u daar een functie verkrijgen?
4. U zult niet de enige stijger in de organisatie zijn. Vele mannen en vrouwen proberen de steeds steilere wanden van de piramide die de organisatie is, te beklimmen. *Per definitie* zullen de meesten ervan afvallen. De top is smal...

Oefening 5.4   De afgelopen drie maanden...

Door wie (allemaal) bent u de afgelopen drie maanden beïnvloed? Schrijf de namen hieronder op. Het mogen mensen zijn uit uw directe omgeving, maar ook zieners en profeten die u erg aanspreken.

Naam	Reden van beïnvloeding	Hieruit leer ik dat...
....	....	....
....	....	....
....	....	....

Vechten voor fitness

We hebben eerder een korte toekomstschets gegeven. Zal het inderdaad de beschreven richting uitgaan? Het is niet zo erg dat *wij* het niet weten. Het probleem is dat *u* het niet weet! Als u naar de toekomst kijkt, wat ziet u dan? Donkere wolken, stormen en hagelbuien, kortom guur weer? Of zonnige lentedagen met de belofte van zon in zich?

Het sleutelwoord voor het komende decennium heet aanstelbaarheid. Wat bedoelen we daarmee? Medewerkers zullen geen beroep meer kunnen doen op het recht op werk, dat voortvloeit uit het getekende arbeidscontract of de wettelijke bescherming. Hiervoor in de plaats zal het recht verworven moeten worden om continu te worden geïnformeerd, getraind en opgeleid zodat men betrekkelijk gemakkelijk waar dan ook kan worden aangesteld en de loopbaan kan voortzetten.

Jobfitness-indicatoren

Goede tijden, slechte tijden. Ze komen in ieders leven voor. Soms kun je 'de tijd' beïnvloeden, maar meestal overkomen zaken je; je hebt er geen greep op. Zoals de arbeidsmarkt. Die kun je niet veranderen. Bemoei je dan ook met een zaak waar je wél wat aan kunt doen: jezelf. Blijf in optimale vorm voor de (toekomstige) arbeidsmarkt, zodat je aantrekkelijk blijft voor nieuwe werkgevers en kansen kunt benutten. Hoe deze situatie te bereiken?

- Allereerst, bepaal welke sectoren waarschijnlijk gouden tijden tegemoet gaan. Dat kunnen zijn technologie, serviceverlening, milieu. (Zie ook hoofdstuk 2.)
- Draag verantwoordelijkheid voor de eigen carrière; loopbaanontwikkeling behoeft niet per se verticaal te verlopen.
- Ontwikkel een visie op de eigen loopbaan.
- Toets periodiek of u nog op stoom ligt, afgestemd op uw plannen en doelen. En daarnaast: heeft u nog steeds plezier in het werk? (Zo niet, dan zullen anderen dat snel genoeg aan u merken.) Heeft u nog voldoende gelegenheid bij te leren en door te groeien in de huidige organisatie?
- Ontwikkel een algemeen probleemoplossend vermogen (dat waardeert elke werkgever).
- Wees veranderingsbereid, maar ontwikkel ook het vermogen veranderingen te kunnen bewerkstelligen bij anderen.
- Bezit aanpassingsvermogen.
- Behoud opleidingszin (blijf gemotiveerd doorleren – en toon dit aan).
- Ontwikkel een ondernemersmentaliteit, neem ongevraagd initiatieven.
- Wees creatief; zoek steeds naar creatieve en innovatieve oplossingen.
- Blijf flexibel.
- Streef ernaar mobiel te blijven.
- Wees een realist en heb realistische verwachtingen.

- Onderhoud basisvaardigheden (zoals schrijven, rekenen, handvaardigheid).
- Heb en toon zelfvertrouwen.
- Verbeter de team- en interpersoonlijke vaardigheden.
- Scherp de conceptuele vaardigheden aan.
- Blijf bereid uzelf voortdurend te verbeteren.
- Blijf op de hoogte van de ontwikkelingen en de technologie van het vakgebied.
- Stel vast wat u drijft. Wat zorgt ervoor dat u elke dag uit bed komt? Is dat de verlokking van geld of speelt er meer? Bijvoorbeeld dat u het plezierig vindt met mensen te zijn en samen te werken. Of iets van of aan anderen willen leren. Misschien om anderen te beïnvloeden? Wat zijn de uitdagingen?
- Vraag uw werkgever regelmatig naar wat de (nieuwe) behoeften zijn van de organisatie.
- Durf toekomstgericht te zijn. En heb het lef de consequenties onder ogen te zien wanneer uw baan niet toekomstbestendig zal zijn.

TIP: Als u meer wilt weten over uw vakgebied of de toekomst daarvan, is het handig om te spreken met de gezichtsbepalers binnen het vak. Zoek ze op en lees hun schrifturen.

Om over na te denken: Hoe '*marketable*' zijn uw vaardigheden en kwaliteiten? Zijn deze nog geheel bij de tijd? Kunt u er méér mee binnen uw bedrijf? Of in een ander bedrijf of andere branche? Of is het verstandiger een totaal andere carrièreweg in te slaan?

TIP: Voelt u zich medeverantwoordelijk voor het wel en wee van de organisatie? Bent u 'betrokken'? Geef daar dan ook blijk van!

Is een specialisme gunstig?

Een oude discussie in beroepskeuzeland is de vraag of specialisten betere carrièrekansen hebben dan generalisten. We kunnen dit debat hier niet beëindigen. Het heeft voordelen, maar ook nadelen om een specialist te zijn, om steeds meer van minder te weten. (Of erger: steeds minder van minder.) Aan de ene kant maakt het de werkgever afhankelijk van de specialist, maar aan de andere kant verstilt het specialisme misschien of is er in het geheel geen vraag meer naar deze beroepsbeoefenaar. Generalisten treffen altijd wel brood op de plank. Er moet dus een zorgvuldige afweging worden gemaakt.

> **Pas afgestudeerden opgelet!**
> Starters worden vaak naar een specialistenrol gedirigeerd. Maar
> pas op! Bedenk dat er een moment kan of moet komen wanneer je
> voor de keuze staat: je verder ontwikkelen tot een superspecialist
> of je laten opleiden tot algemeen leidinggevende.

Het klimmen der jaren

Het is algemeen bekend dat oudere werknemers inflexibel worden, daardoor vastlopen in hun werk en ten slotte uit de arbeidsmarkt worden gebonjourd. Maar is dat wel zo? Uit onderzoek van Thijssen onder Rabobankiers bleek dat het probleem is dat ouderen te lang op dezelfde plek blijven zitten en *daardoor* inflexibel worden – en dus niet door de leeftijd op zich. Als de directie of de desbetreffende functionarissen van uw organisatie u maar laten aanmodderen, moet u zelf het (aanstaande!) probleem bij de horens vatten en andere werkzaamheden binnen of buiten het bedrijf zoeken. Thijssen adviseert ouderen vooral ook contact met jongeren te blijven houden, in plaats van zich te beperken tot leeftijdgenoten. Daarnaast is voortdurende scholing van groot belang. Ook ouderen moeten fit blijven voor de arbeidsmarkt!

> **TIP:** Tijdens je studie kun je al bewust en planmatig toewerken
> naar een aanstormende loopbaan. Wil je bijvoorbeeld het onder-
> wijs of het sociale werk in, begeleid dan huiswerkklasjes, geef eens
> les of vervang een zieke of zwangere docent, begeleid achtergestel-
> de of kansarme jongeren. Betaald of onbetaald. Er is zoveel te
> doen. Het levert praktijkervaring op en bevrediging. Het staat
> bovendien goed op een cv en wijst de weg naar allerlei onvoorziene
> kansen.

Doelstelling

Is het goed een opportunist te zijn? Soms. Waar het de loopbaan betreft, is een lange-termijnvisie slimmer. Een goed tegenwicht echter biedt de vermaarde Engelse econoom Keynes, die meldde dat we op de lange termijn allemaal dood zijn. (Hijzelf allang.)

Als je een doelstelling hebt, is het zoeken naar een passende baan gemakkelijker. Je kunt dan sneller kansen ruiken. Dat geldt ook voor het doorhakken van de uiteindelijk knoop. Voor aanvang van de speurtocht dien je te weten wat je wilt (bijvoorbeeld een functie als boekhouder), bij wat voor soort organisatie (bijvoorbeeld een instelling in de gezondheidszorg) en waarom je dat wilt (bijvoorbeeld omdat je je het meest aangetrokken voelt tot zo'n maatschappelijk belangrijke werkomgeving, waar men ook van de verkregen kennis en vaardigheden kan profiteren). Het is niet alleen goed voor jezelf te weten wat je wilt en waarom; in sollicitatiebrieven en -gesprekken moet een en ander worden uitgelegd.

Waar zijn de banen?

Soms is de arbeidsmarkt krap, soms overvloedig. Bedenk dat u maar één baan nodig heeft. Het is tegenwoordig gemakkelijker dan ooit om banen op te sporen. Internet is 24 uur per dag geopend 'voor zaken', vanuit elke plek op deze planeet. U kunt hier vacaturebanken opzoeken, zoals Monsterboard, Jobnews en Topcarrieres, om enkele bekende te noemen. Vergeet daarnaast niet dat ook dag-, week, maand- en vakbladen banen hebben te 'vergeven'. Er bestaan algemene en branchegerichte banenmarkten. Universiteiten beschikken over Loopbaan Advies Centra. Wervings- en selectiebureaus kunnen een helpende hand bieden, en zo kunnen we doorgaan.

> *** Zie ook *Alles over solliciteren op Internet* ***

Meer weten over banen?

Als bepaalde banen u aanspreken maar u heeft te weinig zicht op wat het werk precies behelst, is het niet onlogisch om aan de volgende methoden van informatieverwerving te denken:

- Spreek met een functionaris die het beroep al uitoefent. Dat levert meer kennis op dan 'boekenwijsheid'. Tien tegen één dat u via-via-via deze persoon vindt. Vuur vragen op hem of haar af: waarom heeft hij juist voor deze baan gekozen? En waarom voor deze organisatie? Is het werk overal min of meer gelijk? Zo niet, waardoor ontstaan de verschillen? Wat is het meest aantrekkelijke van de baan? Wat het minst? Wat voor mensen zouden deze baan het best kunnen vervullen? Heeft de baan toekomstmuziek? (Hoe? Waar?) U zult ervaren dat de meeste mensen graag spreken over hun werk en behulpzaam zijn.
- Observeer de beroepsbeoefenaars. Bij sommige functies is dat lastig, bij andere juist heel gemakkelijk. Om te weten wat een steward(ess) uitvoert, is een lange luchtrit voldoende. Stel daarnaast gerichte vragen.
- Lees over de functie in de desbetreffende vakbladen of publieksbladen. Soms verschijnt er een *special* over het beroep.

- Vraag anderen wat zij weten over de beoogde functie en stel dan een rapport op, gebaseerd op alle verzamelde feiten en feitjes.
- Raadpleeg een cd-rom of boek (bijvoorbeeld Elseviers jaarlijkse beroepenalmanak) en u leert in kort bestek wat de functie zoal inhoudt en welke opleidingen ertoe leiden.

⚠️ Als freelancer zult u meer kunnen verdienen dan in loondienst. Maar pas op! De belastinginspecteur zal verlekkerd loeren naar uw nieuwe inkomsten, de sociale verzekeringen eisen hun deel en plotseling doemen er allerlei kostenposten op: voor de boekhouding, het kantoor, de schoonmaker.

Waar kunt u op terugvallen als uw voormalige werkgever het contract met u als freelancer opzegt? Ligt Plan B op uw bureau? Of gaat u te voet naar het bijstandsloket?

De verwenbaan

Bedrijven doen tegenwoordig steeds meer om hun medewerkers te behouden. (Als er economische tegenwind komt, doen ze er weer alles aan om ze op straat te zetten. Maar dit terzijde.) Ze maken het hun personeel gemakkelijk. Enkele voorbeelden:

- De was- en strijkservice komt het vuile goed op het werk ophalen – en retourneert het op de werkplek, schoon en gesteven.
- Bij spierpijntjes komt de fysiotherapeut naar de plek van de arbeid en geeft een massage ten beste.
- De schoenen worden onder werktijd door een 'deskundige' gelapt, gereinigd en gepoetst.
- U kunt met uw collega's samen de sauna in. Heel gezellig – alleen verkies je misschien dat sommige collega's juist hun kleding aanhouden...

Zijn werkgevers plotseling zo menslievend geworden? Nou nee. De productiviteit moet omhoog en hoe meer tijd werknemers op hun werk kunnen doorbrengen (in plaats van kleine boodschappen te doen), des te harder werken zij voor de firma. Ze worden dan immers niet gehinderd door allerlei privé-akkevietjes en -besognes. Profiteer van deze bijzondere serviceverlening van de werkgever – maar bedenk dat deze ook wel weer eens kan worden ingetrokken...

Wat werkgevers vergeten, is dat de boog niet onbeperkt gespannen kan blijven. Zo'n bezoekje aan de stomerij is nodig om ook even je gedachten te verzetten, de batterij op te laden, je te laten beïnvloeden door een andere omgeving. Dat werkt soms heel verhelderend.

> **Om over na te denken:** Wilt u wel de prijs betalen voor een lastige of te hoog gegrepen baan? Wilt u de noodzakelijke offers brengen? Wilt u voortdurend op uw tenen lopen?

Wat betekent dit alles voor ú?

1. Benut de mogelijkheden van een mobiliteitscentrum of loopbaanwinkel.
2. Blijf positief denken; wees een optimist.
3. Complete carrièreswitches zijn mogelijk, maar verdiep u er eerst grondig in door bijvoorbeeld enkele nieuwe werkzaamheden tijdelijk te verrichten of via gesprekken met de beoefenaars.
4. Blijf fit voor de arbeidsmarkt. U heeft uw toekomst in eigen hand.
5. Verlies de eigen loopbaandoelstellingen niet uit het oog.

HOOFDSTUK 6

Wat wilt u (worden)?

Sacha ter Woort behoorde tot die mensen bij wie het leven 'zijn gangetje' was gegaan. Er was niets, maar dan ook niets bijzonders aan hem. Hij was niet sterk en hij was niet zwak. Niet buitengewoon slim, maar ook niet dom. Door hard te werken en allerlei opleidingen te volgen was hij voortdurend doorgegroeid in zijn bedrijf. Hij was als het ware van de ene functie in de andere gerold in de organisatie die hij nu al zo veel jaren trouw diende. Hij verdiende niet echt veel, maar ook niet weinig. Hij blonk nergens in uit en was nooit eens uit de band gesprongen. Zelfs in zijn jeugd kon hij zijn ouders geen reden tot klagen geven. Alles aan hem was gemiddeld. Zijn echtgenote en twee kinderen (jawel, een jongen en een meisje) waren ook niets bijzonders, vond hij zelf. Zijn vakanties waren ook standaard (zomers kamperen in Zuid-Frankrijk en 's winters met het gezin skiën in Oostenrijk). Maar was hij gelukkig? Was hij ongelukkig? Moest hij dit leven, dat toch niet slecht was, maar accepteren? Hij dacht aan de dagelijkse troosteloze tv-beelden van zo'n miljard mensen die wel andere dingen aan hun hoofd hadden, zoals hun buik vullen, en die het woord 'geluk' niet eens kenden.

Hij wist dat zijn motivatie op het werk al enige tijd teruggelopen was. Zouden ze dat aan hem hebben gemerkt? Of kon hij het nog goed verbergen? Moest hij een andere baan zoeken? Maar wat dan? En zou hij wel geloofwaardig zijn, na zo veel jaar bij een en dezelfde werkgever gediend te hebben? Hij zou vast aanvullende opleidingen nodig hebben. Maar welke? Waarom het jezelf moeilijk maken? Zo slecht ging het toch ook weer niet?

Vrij naar de bijbel: wie zonder twijfel is, werpe de eerste steen. Bent u een aarzelaar of een koerszekere carrière(s)tijger? Leg dan eens uit wat zo prettig is aan het 'hebben' van een carrière? (Of heeft de carrière *u* soms? (Ook dat komt voor...) Wat zoekt u in een loopbaan?

Kent u deze Drie Gouden Regels?

1. Een loopbaan begint bij uzelf.
2. Een betere loopbaan begint bij uzelf.
3. Een goede voortgang van je loopbaan begint bij uzelf.

Maar je moet eerst weten wat je wilt!

En dat is het doel van dit hoofdstuk: te helpen erachter te komen wat u nu echt verlangt in uw werk of toekomstige baan. Want pas als u dat in kaart heeft gebracht, kunt u een deel van het 'masterplan' voor uw loopbaan schrijven. Bedenk hierbij dat het soms beter is een goede timmerman te zijn dan een slechte chirurg (en niet alleen voor de patiënten). U kunt alleen maar goede stappen in uw loopbaan nemen wanneer u weet wat u in het leven wilt bereiken. Als u geen lid bent van het Huis van Oranje-Franje moet u werken voor de kost. Doe dat dan zo plezierig mogelijk. Als u aan het eind van dit hoofdstuk echt niet weet wat u wilt, kunt u altijd nog de politiek ingaan...

Gelukkig met uw baan?

De gemiddelde werknemer heeft op weekdagen drie dagdelen van elk acht uur: slapen, werken en vrije tijd. (Sommigen werken als ze moeten slapen; anderen slapen op hun werk.) Wanneer je niet gelukkig bent met je baan, worden de twee andere dagdelen hierdoor sterk beïnvloed: gemopper thuis. Maar ook de werkgever heeft weinig aan een ongelukkige medewerker. Die zal minder presteren en zich vaker ziek melden met hoofdpijn, maagpijn, slaapstoornissen en andere vage klachten.

Oefening 6.1   Gelukkig met uw baan?

Wat maakt u allemaal gelukkig? Een creditkaart die nooit aangezuiverd hoeft te worden? Het bezit van een persoonlijk secretaris, die ook uw schoenen poetst? Een Ferrari voor het weekend? Is uw 'geluksdoel' wel realistisch?

Hoe gelukkig bent u op uw werk? Geef eens eerlijk antwoord op de volgende vragen:

	Ja	Nee
1. Gaat u met veel plezier – fluitend – elke dag (nou ja, bijna elke dag...) naar uw werk?	❏	❏
2. Heeft u aan het eind van (bijna) elke werkdag het idee iets gepresteerd te hebben, iets zinvols verricht, een resultaat bereikt?	❏	❏
3. Heeft u respect voor uw organisatie (missie, doelstellingen, kennis, resultaten)?	❏	❏

	Ja	Nee
4. Bent u het helemaal eens met de ethiek en gedragsregels van uw organisatie?	☐	☐
5. Kunt u uw talenten, kennis, vaardigheden, capaciteiten 'kwijt' in uw baan?	☐	☐
6. Wordt u voldoende betaald voor uw werk (inclusief alle bijkomende vergoedingen)?	☐	☐
7. Wordt u met respect behandeld door de organisatie? Wordt u 'erkend'?	☐	☐
8. Heeft u voldoende promotiekansen? Kunt u desgewenst 'horizontaal' doorgroeien?	☐	☐
9. Biedt uw organisatie voldoende gelegenheid (geld en tijd voor allerlei opleidingsmogelijkheden) voor uw doorgroei?	☐	☐
10. Kent uw organisatie uw professionele wensen en is zij bereid daarmee rekening te houden?	☐	☐
11. Is naar uw idee werk (tijd, energie) in balans met uw vrije tijd?	☐	☐
12. Is er voldoende uitdaging en spanning op uw werk? Of waant u zich bij het concert van Los Saaios, met hun nummer 'gaap, gaap'?	☐	☐
13. Als u een teamspeler bent: komt u voldoende aan uw trekken in de teams op uw werk? (Of bestaan die niet?)	☐	☐
14. Kent uw werk meer aantrekkelijke dan onaantrekkelijke taken?	☐	☐

Hoe meer 'ja's', hoe gelukkiger u bent met uw werk. Bent u voor 10% gelukkig of voor 80%?

Oefening 6.2   Inactiviteit

Als u de afgelopen jaren geen actie heeft ondernomen op loopbaangebied, betekent dat niet dat u gelukkig bent met uw lot. Misschien knaagt er al lange tijd iets van binnen, maar heeft u dat gevoel nog niet kunnen thuisbrengen.

Laat de volgende vragen eens op u inwerken:

- Hoe lang bent u nu in dienst van deze werkgever en heeft u ooit nagedacht over verandering van werkkring?
- Wat was de gelegenheid of de aanleiding?
- Waarom heeft u verder geen actie genomen? (Wat waren de resultaten van uw acties?)
- Wanneer heeft u voor het laatst een opleiding gevolgd, betaald door uw werkgever? (Waarom is dat inmiddels zo lang geleden?)
- Wanneer heeft u voor het laatst een opleiding gevolgd die u uit eigen zak heeft betaald? (Waarom is dat inmiddels zo lang geleden?)
- Kent u het 'mission statement' van uw organisatie? Weet u waar zij heen wil? (Hoe komt het dat u dat niet weet?) En spoort dit met uw eigen plan?
- Weet u wat u waard bent op de arbeidsmarkt? (Wanneer heeft u voor het laatst geprobeerd hierover informatie te verkrijgen?)
- Bent u goed op de hoogte van de ontwikkelingen in uw vakgebied? (Hoe blijft u bij?)
- Bent u passief of actief lid (of geen lid...) van een beroepsvereniging?
- Schrijft u wel eens over uw vakgebied?
- Waar liggen uw talenten? (Weet u dat nog niet?)
- Wanneer heeft u voor het laatst uw cv bijgewerkt?
- Hoe goed bent u op de hoogte van het wel en wee van uw collega's? (Wat kunnen zij, wanneer dan ook, voor u betekenen?)
- Bent u bereid een stap terug in uw inkomen te doen voor een baan met meer perspectief of vrijheid?
- Welke belemmeringen heeft u in het vertrekken naar een nieuwe baan? (Verhuizen onmogelijk, werkende partner, kinderen, et cetera.) Hoe kunt u zo'n belemmering wegnemen?

Om over na te denken: Nu de files meer en meer hun tanden laten zien, denken mensen steeds vaker over de kwaliteit van het leven. Dat laat zich vertalen in het dichter bij het werk wonen, desnoods in een kleiner huis en zonder uitzicht op zee. Misschien is telewerken een goed alternatief?

Motivatie

Suddert uw carrière maar door, gelijk vlees in de pot? Wordt levensaccountant en stel de balans op.

Denken is lastig. Denken over het eigen functioneren nog moeilijker. En denken over de invulling van de rest van uw leven is wel het allerlastigst. Vooral wanneer je ook nog eens onder dagelijkse stress je werk moet verrichten.

Als uw motivatie tot onder de voetzool is gezakt, doe dan inspiratie en ideeën op in een geheel andere omgeving. Ga vakantie vieren, hossen in de bossen, wordt wijzer op het water. Misschien past het trappistenklooster beter bij u? (U zult daar dan wel een goede reden voor hebben.)

> **Om over na te denken:** Door je zwakheden te erkennen word je alleen maar sterker.

Wat zou u allemaal willen doen? Amerika ontdekken? Helaas. De indianen en de noormannen waren u voor. Dit boek schrijven? Jammer, u bent net te laat. Het winnende Eurovisiesongfestivallied (een van de langste woorden in de Nederlandse taal) componeren? Ach, daar komt alleen maar ellende van... Professioneel de kuiersport bedrijven? Daar zit weinig brood in. Een carrière in administratrivia? ('Homo kantooriensis' zal mogelijk de naam worden waaronder ons mensensoort bekendheid verwerft in de geschiedenis.) Dat is niet spannend genoeg. Toch blijft er voldoende werk in de wereld te verzetten.

Bij het uitzetten van een loopbaankoers heeft u te maken met drie kanten:

- de richting die u uit wilt;
- het gewenste niveau van de banen;
- de snelheid waarmee u doelen wilt bereiken. De snelweg is niet per se beter dan de 'toeristische route'.

Kortom, het komt neer op de motivatie. U zult hierover moeten nadenken. Want als u dat niet doet, wie doet het dan voor u? Tenzij u wilsonbekwaam bent. Trekken brede voren lelijke lijnen door uw loopbaan, omdat u nooit wist wat u wilde en als een bijna-baan van de baan is, is het goed u te bezinnen op wat u wilt bereiken. U bent toch heer (vrouw) en meester(es) over uw eigen 'hoofdkantoor'? Probeer uw gevoelens onder woorden te brengen. We bieden hierbij hulp.

> **TIP:** De wereld veranderen – hoe politiek correct ook – lukt niet. De baas-met-problemen evenmin. Jezelf aanpassen aan de omstandigheden en mogelijkheden zal een beter lot zijn beschoren. Kies dan ook voor bescheidener doelen.

129

Oefening 6.3 Geld speelt geen rol voor iemand van stand

Een klassieke (strik)vraag in sollicitatiegesprekken is de volgende: 'Hoe zou u uw leven inrichten als u bulkt van het geld? Wat voor werk zou u doen als geld niet belangrijk voor u is?' Overenthousiaste sollicitanten roepen meteen 'Vakantie vieren. Niets doen. Leuk werk.' En ze hebben zich in tweetiende seconde uit een baan gekletst. Een gedeeld wereldrecord. Toch is het geen slechte vraag – alleen u moet *uzelf* deze vraag stellen en in alle rust opschrijven hoe u uw tijd zou doorbrengen als geld inderdaad geen rol speelt.

Ik zou mijn tijd besteden aan...

1. ....
2. ....
3. ....
4. ....
5. ....

Kunt u uit dit rijtje ingrediënten halen voor een baan?

Oefening 6.4 Wilt u veranderen?

Enkele vragen om eens rustig over na te denken:

- Zijn er dingen die u in uw werk niet doet, maar wel zou willen doen? Welke dan?
- Waarom doet u dat dan niet? Wat weerhoudt u?
- Wat zou u aan uzelf allemaal willen veranderen?
- Waar moet u mee starten, omdat dat succes zal opleveren?
- Wat wilt u vooral behouden (omdat het uw 'gereedschappen' zijn)?
- Waar moet u zo snel mogelijk mee ophouden?
- Hoe kunt u uw baan verbeteren? (Men kan ook via kleine verbeteringen het werkgeluk vergroten.)
- Beschrijf uw 'wensenpakket': wat zou er allemaal moeten *veranderen* om uw baan nog aantrekkelijker te maken?

U heeft misschien nu al een aantal punten gevonden om verbeteringen in uw baan of de omgeving aan te brengen. (Waarom heeft u dat nog niet eerder gedaan? We moeten streng zijn.) Uit nogal wat onderzoek onder werknemers blijkt steeds dat een aantrekkelijke baan een grote mate van zelfstandigheid, verantwoordelijkheid en zelfcontrole (of de illusie hiervan) kent. Speelt dat ook bij u?

> **TIP:** Het is jammer dat je voor een baan zo veel vrije tijd moet opofferen... Misschien dat daardoor soms meer tijd uitgetrokken wordt om te bestuderen welk model nieuwe auto moet worden aangeschaft of welke exotische vakantie over drie jaar zal worden gevierd. Besteed 'kwaliteittijd' aan de bezinning over de eigen loopbaan. Doe het er niet 'even tussendoor'.

Het opstel

In de Verenigde Staten is het al heel lang gewoonte van universiteiten en *colleges* aanstaande studenten te vragen een opstel te schrijven over hun studiekeuze. Het doel is niet zozeer iemands originaliteit te testen (de beoordelaars kennen alle verhalen inmiddels tot vervelens toe...), maar om te bepalen hoe sterk hun motivatie is voor deze opleiding.

Schrijven betekent nadenken, meer dan spreken. Het is dus een goed uitgangspunt van de instellingen om op deze manier dieperliggende motieven van studenten te peilen. Maar het geeft de 'opsteller' zelf ook gelegenheid nog eens grondig alle voors en tegens op een rij te zetten. En misschien dat dan een keuze wordt gemaakt voor een andere opleiding of een andere universiteit...

Oefening 6.5 Opstel (deel 1)

Wanneer u aan het begin van een loopbaan staat of een studie wilt overwegen, is deze oefening geknipt voor u. Schrijf op één of twee A4'tjes op waarom u juist voor deze studie, universiteit of baan kiest of heeft gekozen. Ga daar rustig voor zitten. Het stuk hoeft niet in één adem te worden geproduceerd. U zult ook de volgende vragen moeten beantwoorden, met uw gewoonlijke eerlijkheid. Vermijd verklaringen-achteraf.

Oefening 6.6   Opstel (deel 2)

Vraag 1. Hoe lang heeft u over het opstel gedaan?

Wanneer het schrijven over meerdere dagen is verspreid, of wanneer u naar eigen vermoeden toch wel erg lang heeft moeten nadenken, kan dit een teken aan de wand zijn. Bent u echt wel zo gemotiveerd als u dacht?

Vraag 2. Wat heeft u allemaal ondernomen (het afgelopen jaar, de laatste twee maanden) of moeten ondernemen om dichter bij het nobele doel te komen?

Vraag 3. Welke bewijzen van uw motivatie kunt u overleggen? ('Vaak denken over .....' is geen sterk bewijs. Helemaal geen bewijs!)

Vraag 4. Welke bewijzen denkt u over enige tijd in portefeuille te hebben?

Misschien is het beter dat u zelf tijdig op bewijzenjacht gaat, voordat een selecteur de vraag stelt en u met de mond vol tanden staat. (Vaste tanden naar we hopen.)

Om over na te denken: Hoeveel 'contacturen' heeft u elke maand met uw directe baas? Is dat een bevredigend aantal? Zo niet, hoeveel wenst u dan? Wat gaat u ondernemen om dat doel te bereiken?

Een barre tocht naar de beroepskeuzeadviseur?

Het is handig een beroepskeuzeadviseur in te schakelen wanneer je er zelf niet meer uitkomt. Of wanneer je geen afstand van jezelf kunt nemen of niet kritisch genoeg over jezelf bent. Of misschien overal een pasklaar antwoord op hebt. ('Wat ben ik geniaal! Jammer dat niemand dat herkent. Maar dat komt juist omdat anderen niet zo hoogbegaafd zijn als ik!')

We nemen u nu mee naar het arbeidsterrein van de beroepskeuzespecialist. Door de oefeningen te maken stoot u hem of haar het brood (misschien de kruimels) uit de mond. Maar dat zal niet uw grootste zorg zijn.

Beroepskeuzetests

Beroepskeuzetests zijn psychologische tests die tot doel hebben iemands beroepsinteresses in kaart te brengen. Deze tests zijn op het idee gegrondvest dat als je een beroep wilt kiezen of een functie wilt uitoefenen, je er dan op zijn minst belangstelling voor moet hebben. Geen wonderbaarlijke of onredelijke stelling. Warm lopen voor een beroep betekent natuurlijk niet dat je er ook geknipt voor bent, ofwel de gewenste capaciteiten ervoor 'in huis' hebt.

Sommige mensen houden van cijfers (maar niet van taalkundige zaken), anderen van handwerk (maar niet van 'mensen'). Deze tests onderscheiden een aantal interessegebieden. Een analyse van de belangrijkste beroepskeuzetests leert dat het meestal gaat om een beperkt aantal, dat wil zeggen clusters van bij elkaar behorende beroepen. Er bestaat helaas geen test die nauwkeurig uitwijst dat het beroep van *paparazzo* op uw lijf is geschreven.

In de volgende oefening komt u ze (in willekeurige volgorde) tegen.

Oefening 6.7   Beroepsinteresse

Wanneer u in het duister tast over welke beroepsgroepen u (op het eerste gezicht) wel en niet aanspreken, is het een goede greep de volgende oefening te maken. Je wordt er bijna religieus van, maar via een aantal kruisjes verkrijg je een ruw *beroepskeuzeprofiel*.

In de rechterkolommen kunt u aangeven hoe het met uw beroepsbelangstelling is gesteld. Heeft een gebied uw hoogste belangstelling, geef dan een 3. Gaat het om een, naar uw idee, gemiddelde belangstelling, geef hiervoor dan een 2. Is er sprake van een lage belangstelling? Een 1 indiceert uw keuze. Heeft u totaal geen interesse? Een 0 is uw pennenvrucht.

Er zijn mensen met een heel eenzijdige belangstellingssfeer (beroepsinteresse): superspecialisten. Maar de meesten hebben een belangstellingsprofiel dat een mix is tussen beroepsinteresses. Waar zet *ú* de kruisjes?

Interessegebied	Hoogte belangstelling (3, 2, 1, 0)
Techniek	....
Muziek	....
Commercialiteit	....
Administratie/cijfermatig	....
Literair/ schriftelijk	....
Sociaal werk	....
Opvoeding	....

Interessegebied	Hoogte belangstelling (3, 2, 1, 0)
Ondernemend	....
Artistiek	....
Bèta-wetenschappelijk	....
Alfa-wetenschappelijk	....
Sociaal-wetenschappelijk	....
Religieus	....
Sportief	....
Verzorgend	....
Medisch/gezondheidszorg	....
Biologisch	....
Onderzoekend	....
Intellectueel	....
Ambachtelijk/handenarbeid	....
Voedselbereiding/agrarisch	....
Bestuurlijk/leidinggevend	....

U kunt met de uitkomst op de volgende manier aan de slag:

1. Heeft u veel of slechts enkele 'drietjes' geplaatst? Hoe meer hoge scores, des te breder uw belangstellingsgebied. Geen 'drieën' gescoord? Dan heeft u geen interessegebieden die eruit springen.
2. Zijn er interessante combinaties te maken? Bijvoorbeeld muzikaliteit en commercialiteit: functies in de marketing van musici, impresario, pr-manager voor een muzieklabel (platenmaatschappij). Commercialiteit en sport kan banen opleveren als commercieel manager van een voetbalclub, marketeer of reclamemanager (sponsor) in dienst van een grote onderneming, stadiondirecteur, et cetera.
3. U zult nu waarschijnlijk – als dat de wens is – de diepte in moeten, verfijningen aanbrengen.

*** Zie *Alles over psychologische tests* *** Hoofdstuk 11

Volautomatische beroepskeuzetests

De afgelopen jaren zijn er meer en meer computergestuurde en internet-
beroepskeuzetests op de markt gekomen (onder het motto: 'ons scant
ons'). De computer kan op allerlei manieren hulp bieden bij het zoekpro-
ces, maar er zijn ook nadelen. We sommen beide hier op.

Voordelen
- De computer maakt een combinatie tussen beroepsinteresse en favoriet
  beroep.
- De harde schijf, cd-rom, diskette of een ander opslagmedium kan veel
  informatie bevatten, zoals koppelingen tussen beroep en hiervoor ver-
  eiste opleiding.
- Het is gemakkelijk. Een programma kan thuis worden uitgevoerd of
  op één centrale locatie.
- Het is razendsnel.
- Er wordt ogenblikkelijk een standaardadviesrapport opgeleverd.

Dat zijn stuk voor stuk mooie kanten, maar zegt dat iets over de kwaliteit?

Nadelen
- Het rapport, een computeruitdraai, is in nogal absolute termen
  gesteld. De indruk wordt gewekt dat de computer de 'absolute waarheid' spreekt.
- Er ontbreekt menselijke begeleiding, die zaken kan relativeren en enkele,
  misschien minder logische, maar wel creatieve alternatieven kan aandragen.
- De snelheid geeft weinig kans tot rustig nadenken.

 De sleutel tot uw beroepstoekomst steekt niet *uitsluitend* in een
diskette of cd-rom. U heeft méér ondersteuning nodig. U kunt
gemakkelijk op het verkeerde been worden gezet.

Wat wil de werkgever?

We spreken in dit hoofdstuk over uw wensen. U speelt de hoofdrol in het
toneelstuk van uw leven. Maar we degraderen de werkgever (werkcreator
of werkschepper is misschien een betere term) niet tot figurant. Weet u
wat uw werkgever (van u) wil? Of wil uw baas helemaal niets? Sommige
bazen willen niet alleen een vinger in de pap; ze willen de hele pap – en
ook nog voor zichzelf.

- Kent uw baas uw interesses, vaardigheden, kennis, potentieel? (Waarom kent hij die niet?)
- Hebben in uw bedrijf alle monniken gelijke kappen? Worden alle medewerkers voor het gemak in een bedrijfskeurlijf geperst?
- Wordt u betrokken in een loopbaanplan voor uzelf? Beseft de organisatie dat u 'verder' wilt?
- Vindt de werkgever dat talent wordt geboren – niet gemaakt (en zeker niet bij ons)? Meent hij dat succes neerkomt op *survival of the fittest*: zwemmen of verdrinken?
- Kent de werkgever alleen maar mensen die opstoten of sneuvelen en zijn andere bewegingen niet mogelijk of aanvaardbaar? (Het zogenaamde *up or out*.)
- Is het motto van de werkgever: 'Kwaliteit van het bestaan is iets voor je vrije tijd'?
- Zijn er in het bedrijf even veel topplaatsen beschikbaar als er mensen in de lift naar boven zijn?
- Gelooft de werkgever in een eerlijk gevecht tussen de stijgers?

Als uw baas niets van uw ambities kent, is het hoog tijd zelf aan de bel te trekken! Is zijn *incentive* een trip met 'Thinair' naar Somalië, maak dan dat u wegkomt!

Oefening 6.8 Knippen voor de toekomst

1. Knip de eerstvolgende veertien dagen alle personeelsadvertenties uit die op het eerste gezicht aanspreken. Beperk u niet tot enkele stuks; zorg voor een ruim aanbod. Lees *niet* de eisen die aan de toekomstige functionaris worden gesteld.
2. Breng een schifting aan bij het afsluiten van de oogsttijd. Maak twee categorieën: haalbaar ('h') en voor mij onhaalbaar ('o'): vanwege de vereiste opleiding, ervaring, zwaarte van de functie, salarisniveau, reisproblemen, et cetera. Zet een 'h' of een 'o' op de advertentie.
3. Hussel de advertenties door elkaar en breng een tweede indeling aan: probeer de werkgevers in te delen naar type organisatie. U mag zelf de types bedenken.
4. Welke conclusies zijn te trekken uit de stapel 'onhaalbaar'? Bijvoorbeeld meer opleiding nodig, minder hoog grijpen. En uit de stapel haalbaar? Bijvoorbeeld beperkt aanbod en de indelingen in organisaties. Welke soort werkgevers trekt u aan?

Heeft de oefening enige inspiratie opgeleverd?

Managen moet (niet)!

Klinkt het niet fijn het thuisfront te vertellen bevorderd te zijn tot leidinggevende, zonder passende opleiding? Maar is het dat ook? Is het zo plezierig een afdeling (een kudde lamme schapen of een troep uitgehongerde wolven) te 'managen'? Kunt u dat? Wilt u dat? Is uw antwoord een juichend 'ja' op deze vragen, beantwoord dan de volgende twee:

1. Waarom wilt u leidinggeven?
2. Wat maakt leidinggeven voor u aantrekkelijk (buiten de titel – leuk op het visitekaartje – en de maandelijkse munten)?

De weg naar de top is glibberig. Het aantal hogere functies is in elke organisatie beperkt. Dat betekent dat velen de steile wanden van de piramide beklimmen en de meesten er afglijden – vrijwillig of 'met hulp'. Frustratie en ontevredenheid zijn het gevolg.

Management: hoe krijg je vele musici zover om samen te spelen in een symfonieorkest. Het zijn nog eigenzinnige mensen ook! Pas ervoor op dat u van leider geen lijder wordt. Een loopbaan kan ook gezond zijn zonder geklim, zonder gehijg, zonder kaderfunctie. Sommigen zijn zielsgelukkig met de inhoud van hun uitdagende werk – en willen niets liever dan hier tot de laatste snik mee doorgaan. Alhoewel het er tegenwoordig op lijkt dat elke baby geboren wordt met het predikaat manager-in-opleiding, wil toch niet iedereen voortouwtrekker worden.

Oefening 6.9 Het gat

Is er een evenwicht tussen wat u wilt en uitvoert? Wat zegt uw hart? Wat zegt dat kastje vol elektronica op uw romp?

1. Deel de werkdagen in in de belangrijkste onderdelen, bijvoorbeeld in taken en activiteiten (kolom 1).
2. Zet hier telkens het percentage tijdsbeslag achter (per dag, week, maand of jaar). Het totaal moet op 100% komen.
3. Geef nu aan of u deze onderverdeling graag anders zou willen hebben, de gewenste onderverdeling (kolom 3).
4. Waardeer elk van deze activiteiten op een schoolcijferschaal (1-10). Hoe plezierig vindt u ze?

Onderdeel	Feitelijk %	Gewenst %	Waardering
....	....	....	....
....	....	....	....
....	....	....	....
....	....	....	....
....	....	....	....
	100%	100%	

Brengt u te veel tijd door met ongewenste activiteiten, of is alles in balans?

Jezelf geweld aandoen

Stel, er is iemand die u nogal bewondert, bijvoorbeeld om zijn extraversie: zijn vlotheid, zijn geestigheid, het gemak waarmee hij anderen inpalmt, zijn opgewektheid, zijn ontspannen manier van leven. Zo wilt u ook zijn en u gaat zijn gedrag (bewust of onbewust) navolgen.

Maar als uw idool ver van de kern van uw eigen persoonlijkheid af staat, moet u uzelf voortdurend forceren, geweld aandoen. Wilt u dat? Kunt u dat? Zult u dat lang (willen) volhouden? En tegen welke prijs? Af en toe op de tenen lopen kan geen kwaad (vraag het de eerste de beste ballerina), maar doorlopend pijnigt uw hersenpan. Daag uzelf steeds uit, doe geestelijke rek- en strekoefeningen om uw gevierde held te benaderen. Maar pas ervoor iemand te worden die u niet bent. De inrichtingen zitten al vol genoeg.

Oefening 6.10 Eigen personeelsadvertentie schrijven

Als u wel eens een personeelsadvertentie heeft opgesteld, weet u hoe moeilijk dat is. Belangrijke zaken moeten er bondig in worden beschreven, zoals de taken en verantwoordelijkheden die de nieuwe medewerker krijgt toebedeeld.

Schrijf nu uw eigen eenvoudige, maar kordate personeelsadvertentie. Dat wil zeggen, u bent op zoek naar een versterking in uw organisatie en de ideale nieuwe man of vrouw is uw kloon. Er is één spelregel: de tekst mag niet langer dan vijf regels zijn.

....
....
....
....
....

Misschien bent u eigenlijk wel ongelukkig over deze vijf regels. U zucht en kreunt en steunt: 'Is dat mijn leven'?

Als u dat gevoel heeft, ga dan naar het tweede deel van deze opdracht. Stel weer een personeelsadvertentie op over uzelf. Maar dit keer van de ideale baan. Het 'personeeltje' waarop *u* zonder enige bedenktijd zou reageren. We gunnen u nu ook weer vijf regels.

....
....
....
....
....

Begint u te zien wat voor baan u eigenlijk wenst?

TIP: Het is gemakkelijk te bedenken welke functie u *niet* wilt verrichten. Verdoe uw tijd niet met zulk nutteloos tijdverdrijf. Speur naar functies waarin u wél bent geïnteresseerd, waarin u brood ziet. Het al dan niet wegstrepen van mogelijkheden (de methode van de negatieve eliminatie) laat u de minst slechte mogelijkheid kiezen. Maar u wilt toch meer dan dat?

Verschillen tussen organisaties

Als u dan toch 'verhuisplannen' heeft, is het goed te bedenken hoeveel verschillen er zijn tussen takken van industrie en organisaties. Een kleine en voorlopige opsomming:

- type industrie (zie hoofdstuk 9 en bijlage 1);
- grootte van de onderneming (in termen van aantallen medewerkers, omzet, et cetera; zie hoofdstuk 9);
- vestigingsplaats (Hoe ver wenst u te reizen? Bent u verhuisbereid? Zijn er steden waar u *moet* werken; denk aan Amsterdam voor een baan in een uitgeverij, de kunst, het bankwezen of de reclame; denk aan

Rotterdam voor het werken in de scheepvaart; denk aan Den Haag voor een job in de hogere overheidssferen of als lobbyartiest.);

- leeftijd van de organisatie (een felle en flitsende internet-'*start-up*' of een hoogbejaarde 'grande dame'?);
- de organisatiecultuur;
- de openbare zichtbaarheid van het bedrijf en zijn image (Maakt het wat uit of het beursgenoteerd is? Moet de werkgever vaak in het nieuws staan?);
- de arbeidsvoorwaarden (het salaris en alles wat daar bovenop komt);
- groei, stabiliteit, krimp;
- reputatie;
- moet de organisatie 'een verschil maken' in de wereld: een bijdrage aan een betere planeet leveren?

Verschijnt er een beeld van een prettig bedrijf op het netvlies?

Oefening 6.11 Favoriet organisatietype

In welke werkomgeving voelt u zich het prettigst? Bent u iemand voor de multinational of juist voor het kleinere importhuis? Denkt u gelukkig te zijn als afdelingshoofd Sport bij een grote gemeente of als voorlichter in een klein ziekenhuis? Mensen verschillen nogal in hun voorkeuren – gelukkig maar!

In wat voor organisatie denkt u het best te passen, zich thuis te voelen? Geef aan waarop u uw keuze baseert.

- Multinational, want ....
- Not-for-profit organisatie, want ....
- Winkel, want ....
- Kantoor, want ....
- Familiebedrijf (klein), want ....
- Gemeente/ andere overheid, want ....
- Solowerker/freelancer, want ....
- Netwerker, want ....
- Onderaannemer, want ....
- Maatschap, groepspraktijk (artsen, advocaten, architecten), want ....
- Partnership, want ....

Oefening 6.12 Welke rol spelen?

Het leven is een groot toneelstuk, iedereen speelt er zijn rol in. Omdat mensen zo van elkaar verschillen, bestaan er ook uiteenlopende rollen in organisaties.

Wilt u hier aangeven welke rol(len) u bij voorkeur speelt. Omkleed uw antwoord met een of meer redenen.

Mijn favoriete rol is:
- De leider, manager, chef, baas, want ....
- De adviseur, raadgever, consultant, want ....
- De strateeg, visionair, ziener, want ....
- De onderhandelaar, bemiddelaar, want ....
- De deskundige, autoriteit, specialist, want ....
- De verkoper, promotor, sponsor, want ....
- De opvoeder, trainer, opleider, want ....
- De onderzoeker (mensen, middelen), want ....
- De artiest, clown, 'entertainer', want ....

Oefening 6.13 Met en voor welke mensen werken?

Er is geen baan te bedenken waar niet met anderen wordt samengewerkt (of soms tegengewerkt). Als het aan u ligt, met wat soort mensen wilt u dan vooral werken, intern en/of extern? Leg hier uw wensen vast:

- interne collega's ☐
- cliënten ☐
- verkopers, leveranciers ☐
- het grote publiek ☐
- kinderen ☐
- ouderen ☐
- volwassenen ☐
- geestelijk of lichamelijk gehandicapten/zieken ☐
- deskundigen ☐
- academici ☐
- anderen, namelijk .... ☐
- anderen, namelijk .... ☐
- anderen, namelijk .... ☐
- anderen, namelijk .... ☐
- anderen, namelijk .... ☐

Verbetering van de kwaliteit van het werk

Een loopbaan suggereert beweging (in een redelijk tempo, want het gaat niet om een renbaan of een kuierbaan). Deze veranderingen kunnen leiden tot objectieve dan wel subjectieve verbeteringen van het werk. Er zijn meerdere bewegingen naast de stijgende:

1. lateraal (zijdelings, horizontaal);
2. promotie (stijgende loopbaan);
3. neerwaarts (degradatie);
4. demotie (loopbaanbeëindiging).

1. Laterale beweging

Het bedrijf kan werknemers verplaatsen van de ene naar de andere afdeling. Het kan ook *uw* wens zijn 'iets anders' in de organisatie te gaan doen. De horizontale beweging levert voordelen op voor beide partijen. Denk bijvoorbeeld aan een grotere inzetbaarheid van medewerkers, het benutten van hun capaciteiten, nieuwe ervaringen opdoen. Voor alle duidelijkheid: deze '*move*' betekent geen hogere beloning of meer verantwoordelijkheden, het kan wel uw waarde op de arbeidsmarkt vergroten. Wilt u 'lateraal worden bewogen', dan zijn er verschillende mogelijkheden.

Taakverruiming is het uitbreiden van de taak of het takenpakket. Uw werk kan hierdoor beter herkenbaar worden. Er ontstaat meer inzicht in het fabricage- of dienstverleningsproces en er is vaak een grotere bewegingsvrijheid.

Taakverrijking is de toevoeging van andersoortige, meestal moeilijkere, werkzaamheden. Taakverrijking leidt vaak tot zelfregulering, ofwel minder bemoeienis van de leiding. Voordelen zijn:

- groeiend gevoel van eigen verantwoordelijkheid;
- toenemende flexibiliteit;
- grotere betrokkenheid bij het resultaat.

Taakroulatie houdt in dat een medewerker meer verschillende taken krijgt en rouleert met anderen. Hierdoor ontstaat een grotere flexibiliteit. Statusverschillen worden weggenomen en zowel de onaangename als de leuke 'klussen' worden door iedereen verricht. (Japanse ondernemingen hechten veel waarde aan het ontstaan van generalisten, die overal ingezet kunnen worden. Bij 'slappe tijden' kan snel het roer worden omgezet voor de fabricage van andere producten.)

2. Promotie

Promotie betekent een volgend (soms: eind)station van een bepaalde ontwikkeling. Het is vaak een beloning voor goede prestaties (soms duidt het op goede relaties in de organisatie...) en brengt grotere verantwoordelijkheid, zelfcontrole, en meestal ook de verantwoordelijkheid voor acties en prestaties van andere medewerkers met zich mee.

Voor sommigen is het niet voor te stellen, maar een promotie wordt ook wel eens afgewezen, en wel om de volgende redenen:

- geen ambitie;
- geen behoefte aan meer verantwoordelijkheden;
- een werkende partner (waarom de loopbaan van de ander vóór laten gaan?);
- faalangst;
- voldoening (tevredenheid met de huidige positie);
- verandering van waarden (geluk, vrije tijd, hobby's, tijd voor de kinderen wordt als belangrijker gezien);
- geen zin in een twaalfurige werkdag.

3. Neerwaartse bewegingen

Bij 'aspiratieloze' medewerkers, die misschien wel enige promoties hebben ontvangen (wegens trouw of omdat de organisatie nu eenmaal zo 'werkt'), kan de neerwaartse beweging uitkomst bieden. Dat geldt ook voor een recente promotie naar een managementpositie, die niet goed uitpakt. Sommige mensen functioneren nu eenmaal beter op een lager sportje. Er kan hiervoor worden gekozen wanneer prioriteiten veranderen. Bijvoorbeeld een ziekelijk kind dat veel zorg en aandacht vereist.

Het is soms handig tijdelijk de luwte te kiezen, om hierna hoger te kunnen springen. Bezie het als een strategische of trainingsperiode.

Neerwaartse beweging of degradatie wordt zelden in een loopbaanplan opgenomen, terwijl het toch een mogelijkheid is. De reden? Onze maatschappij is gegrondvest op groei, in alle opzichten.

4. Demotie

Aan het einde van de loopbaan komt demotie, de geleidelijke afbouw. Een geleidelijke overdracht van taken, kennis, inzicht en expertise geeft de oudere werknemer een gevoel van eigenwaarde en verantwoordelijkheid voor de jongere generatie. Voor de jonge garde – en dus de organisatie – betekent dat dat de 'oude' kennis blijft, evenals de normen, waarden en ideologie, kortom de kenmerkende cultuur blijft behouden. En heel praktisch: de kans dat 'oude' fouten weer worden gemaakt, is klein.

Sommige organisaties geven de aanstaande senioren speciale afbouwcursussen. 'Retirement planning' heet dit in de Verenigde Staten. Mogelijke onderwerpen zijn: hobbyontwikkeling, 'personal finance' (pensioen, fiscus), reizen, et cetera. Vanzelfsprekend neemt het aantal werkuren enkele jaren voor de pensionering geleidelijk aan af.

Andere bewegingen zijn vertrek, een andere functie elders aanvaarden, en een tijdelijke periode van zelfonderzoek – al dan niet op kosten van de baas.

Organisatiecultuur

Overal waar mensen samenwerken, ontstaan unieke omgangsvormen, van de kleinste (tweepersoons)groep tot de grootste organisaties en landen. Een organisatiecultuur is de onzichtbare, vaak zeer complexe en in lange tijd gegroeide manier waarop mensen in een onderneming zich met elkaar verstaan. Anders gezegd, elke organisatie heeft zijn eigen bedrijfscultuur en -filosofie.

De Engelse managementdenker Handy geeft een opsomming van vier soorten cultuur. Alhoewel deze typologie een te sterke vereenvoudiging van de werkelijkheid is, leert het ons toch iets over culturele achtergronden van organisaties. Zij kan een houvast bieden om eens na te denken over het type organisatie waar u wilt aarden.

A. De clubcultuur
Het embleem is een spinnenweb. (De 'spin' is de directeur/eigenaar van de organisatie.) In deze cultuur zijn de draden van het web niet belangrijk, maar de dwarsdraden die de spin-in-het-middelpunt omcirkelen. Die draden kunnen invloed en macht uitoefenen; ze worden dan ook minder belangrijk naar gelang ze verder van het centrum staan. De relatie met de spin komt er meer op aan dan welke titel of kwalificatie ook. Deze cultuur is terug te vinden in kleine bedrijven en jonge ondernemingen en is prima geschikt voor snelle besluitvorming.

B. De rollencultuur
Deze cultuur gaat ervan uit dat de mens een redelijk wezen is en dat in een organisatie alles kan en dient te worden geanalyseerd volgens de wetten der logica. De taak van de organisatie kan dan in vakjes verdeeld worden. Het werk wordt volgens een vast schema georganiseerd, ieder heeft een minutieus voorgeschreven taak en het geheel wordt samengehouden

door een compleet stel regels en procedures. De rollencultuur is een bureaucratie, die we vooral tegenkomen in grote organisaties. In deze cultuur zal morgen alles verlopen als vandaag en gisteren. Stabiliteit en voorspelbaarheid zijn de uitgangspunten. De persoon van de rolvervuller is niet van groot belang; het gaat om de functie of rol van het werk dat moet worden verricht.

C. De taakcultuur

Werken en leidinggeven wordt hier gezien als het zich doorlopend bezighouden met diverse problemen en de succesvolle oplossing ervan. Eerst moet het probleem duidelijk gedefinieerd worden. Dan moet worden vastgesteld waar de geschikte middelen kunnen worden gevonden om het probleem te bestrijden. Daarna krijgt de groep deskundigen carte blanche – het noodzakelijke geld en de nodige apparatuur – en vervolgens wacht men af hoe de oplossing van het probleem zal uitvallen. De verrichtte taak wordt beoordeeld in termen van resultaten van de probleemoplossing.

Deze cultuur is een netwerk van los-vaste, aan elkaar gekoppelde commando-eenheden, waarbij elke eenheid grote zelfstandigheid heeft en tegelijk een specifieke verantwoordelijkheid draagt binnen het geheel. Zij erkent alleen deskundigheid als basis van macht en invloed. Leeftijd maakt geen indruk, evenmin als langdurig dienstverband. Jeugd, energie en creativiteit passen bijzonder goed in deze jonge dynamische organisaties.

D. De existentiële cultuur

In de vorige culturen is de persoon ondergeschikt aan de organisatie: de mens is er om de organisatie te helpen haar doel te verwezenlijken en wordt daarvoor beloond. In deze vierde cultuur bestaat de organisatie juist om de mens te helpen een bepaald doel te bereiken. Denk aan een artsenpraktijk, een advocaten- of kunstenaarscollectief.

In welke cultuur wilt u bij voorkeur werken?

Oefening 6.14 Cultuur in de organisatie

Volgens De Cock en zijn Belgische collega's kunnen organisaties op een aantal aspecten van elkaar worden onderscheiden. Ze noemen de volgende, die hier enigszins zijn bewerkt. Via de kruisjes geeft u aan in welke organisatiecultuur u zich thuis voelt:

	Vind ik belangrijk	
	Ja	Nee
• Geringe afstand tussen meerderen en ondergeschikten	❑	❑
• Kritisch ten opzichte van autoriteit	❑	❑
• Streven naar gelijkheid	❑	❑
• Bezorgdheid van meerderen voor de betrokkenheid van de werknemers	❑	❑
• Openheid (uitwisseling van ideeën en opvattingen)	❑	❑
• Vrij mogen uiten van je gevoelens	❑	❑
• Toekomstgerichtheid	❑	❑
• Wetenschappelijke en technische gerichtheid	❑	❑
• Intellectuele gerichtheid	❑	❑
• Uitdaging van het werk	❑	❑
• Taakgerichtheid	❑	❑
• Inspanning van het werk	❑	❑
• Altruïsme (wederzijdse hulpvaardigheid)	❑	❑
• Goede interpersoonlijke relaties	❑	❑
• Agressiviteit (uiting van vijandige gevoelens)	❑	❑
• Organisatorische efficiëntie	❑	❑
• Conventionaliteit (aan normen onderworpen zijn)	❑	❑
• Bereidheid tot vernieuwing	❑	❑
• Maatschappijgericht	❑	❑

De 'kleine bedrijfscultuur'

Bedrijfscultuur wordt niet altijd per se in grootse en meeslepende zaken teruggevonden. Er zijn ook allerlei details en gewoonten waarvan u een prettig gevoel van binnen krijgt of waar u zich juist aan ergert. We noemen er enkele:

• Hoe spreekt men elkaar aan? Mag het 'u' zijn of moet het 'jij' zijn?
• Zien de bureaus er uiterst geordend uit of zegeviert koning chaos?
• Brengen de medewerkers veel privé-tijd met elkaar door of is het afgelopen klokke 5?
• Is alle drank de gehele dag door gratis verkrijgbaar of moet ervoor worden betaald of wordt het alleen op vastgestelde tijden uitgeserveerd?

- Is er een wekelijkse gezellige (vrijdagmiddag)borrel? Of sprint iedereen zo snel de beentjes hem of haar kunnen dragen weg?
- Wordt er veel – en met plezier – overgewerkt of is dit een uitzondering?
- Zijn alle medewerkers politieke dieren?
- Ben je zonder het '*Handboek Soldaat*' nergens of zijn er nauwelijks regels in het bedrijf te vinden?
- Is het aantal mannen en vrouwen in evenwicht? Zijn er meer mannen in hogere functies dan vrouwen?
- Is de klant koning of juist de collega's?
- Is er oog voor alle individuele belangen en problemen? (Bijvoorbeeld flexibele werktijden in verband met schoolgaande kinderen.)
- Is de directie eerlijk jegens de medewerkers? Houdt men zich aan afspraken – ook als deze niet op schrift staan?

Het is geen kwestie van goede of slechte bedrijfscultuur. Het enige wat telt: waar voelt u zich het meeste thuis? Waar wilt u werken?

Vrijetijdsbesteding

Wat is er mooier dan van je hobby je werk maken! (Op de tweede plaats komt van je werk je hobby maken.) Het lukt sommigen om hun leven zodanig in te richten dat ze met hun vrijetijdspassie geld verdienen. De filmfan die in dienst treedt van een bioscooponderneming. De *soap*fanaat die een baan vindt in de televisiestudio. De vlinderliefhebber die op de loonlijst staat van de universiteit als wetenschappelijk medewerker en deze insecten mag onderzoeken. De voetbalgek die voor de radio voetbalwedstrijden verslaat. De autoliefhebber die zijn eigen dealership opzet. En zo kunnen we doorgaan.

Zijn er aanknopingspunten tussen uw vrijetijdsbesteding, hobby's en favoriete sporten en banen? (Zie bijlage 4 voor een overzicht van vrijetijdsbestedingen.)

Oefening 6.15 Toetsstenen

Waar liggen uw voorkeuren? Waar liggen uw behoeften? Aan welke eisen moet een baan voldoen? U hoeft het niet allemaal zelf te bedenken. Het moderne leven is soms gemakkelijk: kruisjes zetten en muisklikken. Het doel van deze zelfanalyse is uw wensen in kaart te brengen, waardoor u een meer gerichte keus maakt in het soort werk dat u ambieert. Een ander voordeel is dat hiermee het zogenaamde *tunneleffect* wordt vermeden: uitsluitend naar vacatures zoeken die in het verlengde liggen van voorgaand werk.

Geef hier aan wat u wilt van of in een baan, wat u aantrekt, wat u motiveert tot het leveren van goede prestaties. De termen zijn indicaties. Neem variëteit in het werk. Voor velen een belangrijk aspect. Maar wat is dat? De patatbakker kent veel variatie, vindt hij zelf, want elk patatje is net even anders dan de andere en ook elke klant verschilt. De stratenmaker werkt met unieke stenen en elke straat is ook weer anders. Hoeveel variëteit wenst u?

De volgende aspecten zetten u aan het denken en behoeden u voor het nemen van verkeerde beslissingen. Maar ze bieden meer: ze helpen een lange-termijnperspectief te zien (u moet tenslotte langer mee dan die ene job). En ten slotte, sommige komt u misschien tegen bij een sollicitatiegesprek...

- in het groen werken ☐
- rookvrije werkplek ☐
- eigen werkplek (kantoor) ☐
- kamer met vrij uitzicht ☐
- muziek op het werk ☐
- eigen bedrijfsrestaurant ☐
- veel reizen naar buitenland ☐
- 'on the job' trainingsmogelijkheden ☐
- langdurige opleidingen (> 1 jaar) kunnen volgen ☐
- combinatie werk en opleiding ☐
- toewijzing van mentor of coach in de organisatie ☐
- managementdevelopmentprogramma volgen ☐
- creatieve vrijheid bezitten ☐
- onafhankelijkheid/zelf(standig) kunnen beslissen ☐
- anderen beïnvloeden ☐
- anderen helpen ☐
- intellectueel bezig zijn (op academisch niveau) ☐
- routinematig werken ☐
- een hoog inkomen genieten ☐
- naar prestatie (variabel) worden beloond ☐
- commissie/provisie verdienen ☐
- vast inkomen verdienen ☐
- veel vrije dagen ☐
- gezelligheid (leuke collega's om je heen) ☐
- hoge status ☐
- in (project)teams werken ☐
- vooral alleen (solo) werken ☐
- intensief samenwerken met collega's ☐

- concurreren met collega's ☐
- gebruik van mijn talenten/vaardigheden/deskundigheid ☐
- nieuwe vaardigheden ontwikkelen ☐
- bestaande vaardigheden behouden of verbeteren ☐
- doorgroeimogelijkheden ☐
- *snel* promotie kunnen maken ☐
- ruime opleidingsmogelijkheden ☐
- zichtbaarheid in de eigen organisatie ☐
- zichtbaarheid in het vakgebied ☐
- veel verantwoordelijkheid ☐
- leiding kunnen geven ☐
- gevarieerd werk ☐
- druk/bezig/actief zijn/onder druk werken/deadlines halen ☐
- kalm aan doen/ontspannen werken ☐
- aandacht voor detail kunnen hebben/detailwerk ☐
- met grote lijnen bezighouden ☐
- *aantoonbaar* succesvol zijn ☐
- gewaardeerd en 'erkend' worden/respect krijgen ☐
- 'anoniem' werken ☐
- efficiënt werken ☐
- deskundigheid gebruiken ☐
- deskundige kunnen worden ☐
- service verlenen ☐
- veel buiten de deur/op weg zijn/reizen ☐
- veel op kantoor werken ☐
- goede leiding ontvangen ☐
- geen supervisie ontvangen ☐
- sportief ('*casual*') gekleed gaan ☐
- formeel gekleed gaan ☐
- snelle veranderingen in de werkomgeving ☐
- stabiele werkomgeving ☐
- veel verantwoordelijkheid dragen ☐
- geen verantwoordelijkheid ☐
- maatschappelijk relevant werk ☐
- regelmatige werktijden ☐
- risico's mogen nemen ☐
- risico's moeten mijden ☐
- eigen werktijden bepalen ☐
- vaste werktijden hebben ☐
- lange vakanties ☐
- tijd voor het gezin ☐
- trots kunnen zijn op het werk ☐

- avontuur binnen de baan ☐
- hevige spanning/externe concurrentie ☐
- baanzekerheid ☐
- vroege uittreding mogelijk ☐
- kunnen werken tot na het 65^e jaar ☐
- macht bezitten (over anderen) ☐
- betrokkenheid bij het werk ☐
- met de nieuwste technologie werken ☐
- ethisch werken ☐
- dichtbij huis werken (beperkte reistijden)[1] ☐
- zelfstandig beslissen, vrijheid van handelen ☐
- mijn sterkste kanten uitbuiten ☐
- mijn zwakste kanten verbeteren ☐
- een hoog werktempo ☐
- getraind worden ☐
- boven mijn opleidingsniveau werken ☐
- professionele erkenning ☐
- uitgedaagd worden (door mijzelf en/of de omgeving) ☐
- een culturele, kunstzinnige omgeving ☐
- routineus werken ☐
- mijn energie en drijfkracht kwijt kunnen ☐

Vanzelfsprekend is de voorgaande lijst niet uitputtend. Wilt u hier opnoemen welke persoonlijke behoeften u verder nog heeft, die niet op de vorige lijst staan? U kunt er zoveel opnoemen als u wilt.

a. ....

b. ....

c. ....

d. ....

e. ....

f. ....

g. ....

Geef de dromen en ambities niet op. De aanhouder wint!

---

[1] Wat is het maximum in km of tijd?

Oefening 6.16 Voor wat voor baas werken?

Een hoger-geplaatste kan uw leven tot paradijselijke toppen brengen of tot een hel maken. Een veelgehoord vertrekmotief is 'niet kunnen opschieten met de baas'. De oorzaken hiervan lopen ver uit elkaar: van de baas die nooit luistert tot de chef die promoties tegenhoudt.

Streep aan (zoveel als u wilt) hoe uw ideale baas eruit moet zien:

- is een coach ☐
- leidt op ☐
- geeft regelmatig feedback, laat weten waar hij staat ☐
- smeedt het team ☐
- beloont goede prestaties ☐
- heeft een open deur, is bereikbaar ☐
- kan tegen kritiek ☐
- moedigt initiatieven aan ☐
- staat experimenteren en fouten maken toe ☐
- verdedigt je bij problemen (blijft achter je staan) ☐
- is deskundige, een autoriteit, op zijn of haar vakgebied ☐
- geeft veel vrijheid ☐
- durft beslissingen te nemen ☐
- streeft naar open omgang tussen allen ☐
- heeft goede connecties met de top ☐
- anders, namelijk .... ☐
- anders, namelijk .... ☐
- anders, namelijk .... ☐
- anders, namelijk .... ☐

Waar wonen?

Wonen en werken gaan vaak samen. Meeverhuizen met de baan betekent nogal eens veroordeeld worden tot een nieuwe woonomgeving. Het tegengestelde is ook mogelijk: u wilt in een bepaald gebied wonen en *daardoor* besluit u van baan te wisselen.

Waar wilt u graag wonen?

- In Nederland of België?
- In de Europese Unie?
- In Europa, maar buiten de Unie?
- Elders in de wereld?

- In een aantrekkelijk klimaat?
- In de stad?
- Op het platteland?
- Dichtbij het werk?
- Dichtbij goede scholen?
- Dichtbij de familie?
- Dichtbij winkels en restaurants?
- Dichtbij culturele en uitgaansmogelijkheden?
- Dichtbij een ziekenhuis?
- In een gebied met veel werkgelegenheid?
- Een gebied met lage huur- of koopprijzen?
- Type huis?
- Gemengde of eenzijdige buurt (bijvoorbeeld naar inkomensklassen)?

Keuzes, keuzes, keuzes...

Eigen bedrijf beginnen?

We hebben een verleidelijke baan voor u, die van ondernemer. De lokroep van het Grote Geld horen – en nog veel meer! Mogen we ons fantastische aanbod puntsgewijs voorleggen? Daar gaan we:

- keihard werken (gemiddeld meer dan 11,5 uur per dag);
- zesdaagse werkweek;
- geen of weinig vakanties;
- sterk wisselend en onregelmatig inkomen;
- geringe verdiensten (vooral de eerste paar jaar);
- geen vakantiegeld;
- partner moet vaak meewerken;
- grote mate van 'baanonzekerheid'.

Dat is het eigen bedrijf. En toch klinkt het velen nog steeds als zoete muziek in de oren. Voor 'jezelf beginnen'. Sommigen kiezen vrijwillig voor de onzekerheid. Een hartenwens gaat in vervulling. Voor anderen is het een noodsprong, omdat een vaste baan er niet (meer) in zit. (Wat is úw motief?) Het is echter een hard gegeven dat de meeste 'starters' binnen twee jaar het bijltje erbij neergooien. Of vaker: de fiscus hanteert de botte bijl omdat de kersverse ondernemer glad was 'vergeten' dat de belastingdienst ook een graantje wil meepikken van de welvaart...

Andere bekende problemen zijn dat de aangeboden producten of diensten niet goed in de markt vallen (te goedkoop of te duur, te groot of te klein, et cetera) of dat de ondernemer niet uit het juiste hout gesneden blijkt te zijn. Veel ondernemers zijn sappelaars. Is het zo'n goed idee het heft in eigen hand te nemen en voor eigen rekening en risico te gaan werken? Aan de andere kant: er was eens iemand die van zichzelf vond dat hij goed gloeilampen kon maken. Hij trok de stoute schoenen aan en de boze wereld in... En de rest is geschiedenis. Hoe dan ook, het succes van een onderneming is grotendeels afhankelijk van de inzet en de persoonlijke kwaliteiten van de ondernemer. (Een snuifje geluk helpt.)

> **TIP:** Een goed begin voor een eigen bedrijf is een vlam, een droom, een vonk. Als die er niet is, vergeet dan dit romantische idee.

Verkeerde redenen

Verreweg de meeste nieuwe ondernemingen zijn binnen vijf jaar *'kaputt'*. Een groot aantal al in twee jaar. Achter elke mislukking gaat veel persoonlijk leed schuil. Naast schaamte (dat kost niets) betekent een faillissement jarenlang schuldeisers terugbetalen. Het is dus zaak de juiste motieven te hebben voor een *'start-up'*. Enkele bekende foute redenen zijn:

- rijk en beroemd willen worden (liefst zo snel mogelijk);
- ex-collega's en -bazen iets bewijzen of hen de ogen uitsteken;
- aantonen dat het aangezegde ontslag een verkeerde beslissing was van de werkgever;
- de druk van het werknemerschap afschudden.

Uit ondernemershout gesneden?

Wat zijn de mogelijkheden een eigen bedrijf te beginnen? Werk je bij een bank, dan is het wat lastiger om je eigen bank te starten (althans in Nederland of België). Werk je voor een reclamebureau? Dan zijn de kansen aanmerkelijk groter, zo blijkt uit de oprichting van vele nieuwe bureaus op dit gebied.

De keuze tussen een grote knecht zijn of een kleine baas is niet altijd gemakkelijk te maken. Het is een kwestie van persoonlijke voorkeur. Beter is misschien om een grote baas te worden, maar daar bestaat niet zo veel vraag naar...

Als u een eigen bedrijf wilt opzetten, beantwoord dan de vragen van bijlage 3 (niemand luistert mee, dus u kunt eerlijk zijn!). Ze helpen u het ondernemerschap in het juiste perspectief te zien.

Als de deskundigen het ergens over eens zijn, is het dat ondernemers eigenwijze mensen zijn. Als u niet een tikkeltje eigenzinnig bent, stort u dan niet in het avontuur dat u misschien uw laatste kledingstuk kost. Bij regen haalt die altijd zo hoffelijke bankier prompt zijn paraplu weg...

Klein beginnen

Organisaties zijn erachter gekomen dat ze veel activiteiten kunnen uitbesteden. Vaak doen ze dat aan de eigen medewerkers, die in verschillende gradaties van 'graagte' gebruikmaken van de mogelijkheid om een eigen bedrijf te beginnen – met een vliegende start. (Men spreekt over '*outsourcing*'.) Want de eerste klant zit meteen in de knip! Een gouden kans. Maar voordat u zo'n stap zet, moet u zich afvragen wat de overlevingskansen van uw bedrijf op de langere termijn zijn, vooral wanneer de liefde tussen beide partners wat bekoelt.

Er zijn ook andere manieren om op bescheiden voet te starten. Denk aan een partnership of een maatschap. Samen de lasten delen. Een belangrijk nadeel is: wie kun je vertrouwen? Met wie denk je zo'n economisch huwelijk jarenlang te kunnen volhouden? Er zijn bekende succesverhalen: Hewlett en Packard (van de elektronica), Rodgers en Hammerstein (van de musicals), George en Ira Gerschwin (toevallig ook broers). Helaas sneuvelen de meeste koppels vroegtijdig.

Het kantoor aan huis (of in de technologiesector: de garage) is een goede en goedkope plaats om te beginnen. De huur is toch al betaald en de tijdwinst is enorm, aangezien het woon-werkverkeer nog maar 7,3 seconden per dag bedraagt. Afscheid nemen van de eindeloze files zal ook het humeur goed doen.

Oefening 6.17 Waarom een eigen bedrijf?

Geef aan (kruisjes zetten) waarom u 'eigen baas' wenst te worden:

Reden	Heel belangrijk	Belangrijk	Onbelangrijk
Vrijheid	❑	❑	❑
Hoog inkomen	❑	❑	❑
Zekerheid (niet ontslagen kunnen worden)	❑	❑	❑

Reden	Heel belangrijk	Belangrijk	Onbelangrijk
Meer tijd aandacht voor het gezin (hobby, hond, et cetera)	❐	❐	❐
Jezelf waarmaken en ontwikkelen.	❐	❐	❐
Erkenning	❐	❐	❐
Macht en invloed (de baas spelen)	❐	❐	❐
Status	❐	❐	❐

Zijn de gekozen motieven sterk genoeg om de sprong in het diepe te maken?

TIP: Een alternatief voor het opstarten van een eigen bedrijf is een lopend bedrijf overnemen. Iets voor u?

TIP: Als u uw bedrijf kunt starten met één klant, is dat heel mooi. Maar pas op! Misschien wordt u van deze klant even afhankelijk als van uw (ex-)werkgever. Zorg ervoor dat uw grootste klant niet meer dan 25-30% van uw omzet gaat vormen. 'Monoculturen' zijn geen lang leven beschoren. Anders gezegd, uitgeknepen citroenen belanden snel in de vuilnisbak.

Een ondernemingsplan schrijven

Als u nog steeds serieus van plan bent een eigen zaak te starten, komt hier de lakmoesproef. Schrijf het ondernemingsplan! De ervaring leert dat dat voor velen een afschrikking is, want de werkelijkheid slaat dan genadeloos toe. Stel uw plan op alsof u hiermee naar de bank moet om een zakelijk krediet los te peuteren. Met andere woorden, het plan dient goed onderbouwd en geloofwaardig te zijn. (Bevat het *business plan* een Gouden Idee?)

Hulp kunt u krijgen van diverse handboeken, cd-rom's, websites en diskettes (zoals de Entrepreneurscan), pamfletten en checklists (bijvoorbeeld voor een op te stellen begroting) van uw plaatselijke Kamer van Koophandel. Elektronische programma's zorgen ervoor dan uw plan 'gelikt' uit de printer rolt. U zult ook nog enkele andere plannen moeten schrijven, zoals een marketingplan, een financieel plan, een actie- (cn organisatie)plan.

> **TIP:** Sommige beginnende ondernemers sluiten zich aan bij gelijkgestemde kleine zelfstandigen, bijvoorbeeld via een ondernemingscentrum. Het bespaart kosten en levert misschien klanten en adviezen op.

Oefening 6.18 Reality check

U heeft in dit hoofdstuk een aantal wensen ontvouwen. Heeft u enig idee hoe realistisch die zijn? Beantwoord de volgende vragen om greep te krijgen op de weerbarstige werkelijkheid:

1. Is de voorkeur haalbaar, gelet op uw ervaring(en)?
2. En gelet op de vereiste opleiding en diploma's?
3. Is het mogelijk de voor de baan vereiste diploma's binnen x maanden[2] te behalen?
4. Sluit de functie aan bij de richting die de organisatie op termijn wil?
5. Krijgt u voor uw keuze de handen op elkaar van alle betrokkenen? (Baas, P&O, directie, collega's, et cetera.)
6. Is de keuze ook op langere termijn gunstig voor u?

Wat betekent dit alles voor ú?

1. U doet er goed aan grondig na te denken over uw loopbaan, vóórdat anderen dat voor u doen... Bepaal wat u gelukkig maakt in een baan. Welke rol wilt u in een organisatie spelen? Met wat voor mensen gaat u bij voorkeur om?
2. Er zijn ook andere loopbaanmogelijkheden dan 'managen', als uw voorkeur daar niet ligt. Probeer de persoon te blijven die u bent. Doe uzelf geen geweld aan. Naast promotie zijn er ook andere loopbaanbewegingen mogelijk.
3. Soms is het beter bij de huidige werkgever in dienst te blijven, soms is het beter elders aan de slag te gaan.
4. Ga na in welk type cultuur u het best denkt te aarden of misschien wortel te schieten.
5. Een eigen bedrijf starten uit nood leidt zelden tot succes. Waak ervoor voor de verkeerde reden op ondernemerspad te gaan.
6. Toets uw wensen telkens, houd 'reality checks'.

---

[2] De periode die hiervoor staat: een cursus kan twee maanden in beslag nemen, een universitaire studie vijf jaar.

ER KOMT EEN TIJD DAT JE GEEN TALENT MEER WILT ZIJN.

Met talent is het raar gesteld. Als je met je talent echt iets bereikt, heb je het nog steeds, maar ben je het niet meer. En als je het niet kunt gebruiken, gaan na verloop van tijd mensen zich afvragen of je het ooit wel hebt gehad. Talent moet je kunnen gebruiken. Alleen dan kun je jezelf ontwikkelen. Bij Vitae zijn we daar heel duidelijk in. Plezier in je werk wordt bepaald door twee dingen: een prettige werksfeer en de ruimte om je te ontplooien. Daarom krijg je bij Vitae een persoonlijke adviseur, die de markt kent, jou

dingstraject van circa twee jaar. Hierbij komen alle aspecten van de uitvoering aan de orde. Onder je werkzaamheden vallen o.a. het voorbereiden en opstellen van contracten voor de uitvoering van weg- en waterbouwkundige werken, zoals de aanleg van de tweede Beneluxtunnel. Daarnaast begeleid je het dagelijks toezicht op deze werken. Spreken afwisseling en persoonlijke ontwikkeling je aan en heb je een opleiding HTS- of MTS-Civiele Techniek? Bel dan met Aukje Hoving op telefoonnummer 010 – 2425 230 of stuur een e-mail naar: a.hoving@vitae.nl

Manager ingenieursbureau
Voor een landelijk opererend ingenieursbureau in het noorden van het land zoeken wij een enthousiaste manager met aantoonbare leidinggevende ervaring. Iemand die de knopen kan doorhakken. Je geeft leiding aan een team van tekenaars en bestekschrijvers. Concreet denken we aan een technisch onderlegde manager die in staat is het beleid van de organisatie tot uitvoering te brengen. Ben jij die teamplayer die deze afdeling kan uitbouwen, reageer dan direct. Bel dan met Ronald Boerkamp of Udo Veenstra, 038 – 4288 888 of stuur een e-mail naar: u.veenstra@vitae.nl

ELEKTRO-TECHNIEK

Werkvoorbereider elektrotechnische installaties
In deze functie ga je je bezighouden als werkvoorbereider voor uiteenlopende installaties toegepast in utiliteitsbouw, gezondheidsinstellingen en industrie. Je kunt hierbij denken aan meet- en regeltechniek, data, licht- en kracht, brandmeldinstallaties. Steeds wisselende technieken, onderwerpen en situaties maken routinematige uitvoering van werkzaamheden onmogelijk. Ook houd je de vinger aan de pols tijdens de uitvoering. Spreekt deze functie je aan, ben je op zoek naar een vast dienstverband, heb je een MTS- of HTS-opleiding Elektrotechniek, Elektronica, Algemene Operationele Techniek en ervaring in een soortgelijke functie/omgeving, dan kun je bellen met Cindy Knottnerus, 020 – 5579 613 of e-mail: c.knottnerus@vitae.nl

ICT

Systeemontwikkelaar
Kennis van zaken en vernieuwing. Begrippen die tekenend zijn voor Falcon Leven, onderdeel van de Forüs Groep en toonaangevend in levensverzekeringen. Als systeemontwikkelaar werk je in een team aan de realisatie van offerteprogrammatuur, vanaf de functionele specificatie tot en met de implementatie en aan projecten als intranet en polisadministratie. Je hebt een HBO-opleiding en je hebt ervaring met het ontwikkelen van applicaties met behulp van Delphi, Lotus Notes, Java of RPG. Als ook...

HOOFDSTUK 7

Wat kunt u?

De vader van Frederik Haven was een hoge ambtenaar; zijn zoon had na vier maanden ontslag genomen bij zijn eerste werkgever. Dat stemde vader Haven niet bijzonder prettig. Junior was als jonge bedrijfseconoom ingehuurd, maar voelde zich helemaal niet thuis in het bedrijf. Het werk beviel hem ook totaal niet.

Frederik Sr. vond dat zoonlief maar eens moest spreken met zijn zwager, Dorus Stein, want die was decaan op een middelbare school en zou dus wel eens met handige adviezen over de brug kunnen komen.

Dorus raadde Frederik aan 'iets in de ICT te doen, want dáár ligt de toekomst.' Die woorden verdampten snel in de lucht, want 'ik háát computers en technologie', was juniors ogenblikkelijke reactie. 'De handel, dan', probeerde Stein, 'want daar kun je ook goed verdienen.' 'Ik ben niet zo commercieel, ik heb geen handelstalent', sprak Frederik tegen. 'Tsja, wat dan?', aarzelde de aangeslagen Stein. Frederik bracht zelf in dat hij evenmin directeursvlees aan de ribben had, zoals zijn vader en opa. Hijzelf noch de boze buitenwereld hadden deze kwaliteit bij hem kunnen ontdekken. Misschien moest hij er maar in berusten dat ook hij ergens in het midden van de normaalverdeling aan moest schuiven: 'Er zijn tenslotte per definitie ook maar weinig topsporters.'

Iedereen beschikt over vaardigheden, vermogens, talenten. Het is belangrijk uw eigen talenten te ontdekken of te onderkennen. Doet u dat niet, dan dienen zich twee mogelijke problemen aan:

1. U verspilt energie aan zaken waarin u minder goed bent en die u met minder geestdrift volbrengt.
2. Op een later tijdstip in uw leven merkt u de frustratie, omdat u nooit iets met uw talenten heeft gedaan. U wist niet dat u deze bezat of heeft nooit het risico van een overstap durven te maken...

Je behoeft niet per se een certificaat of getuigschrift te bezitten om iets 'te kunnen'. Een diploma in diplomatie is niet noodzakelijk om tactvol met overheidsfunctionarissen om te gaan. Je kunt ook zonder de training 'tijdbeheer' stoppen met het voortdurend woekeren met je tijd of zelfs met je hele leven.

Het is belangrijk dat u een (loop)baan vindt waarin u uw capaciteiten 'kwijt kunt', een voorwaarde voor geluk en het aankunnen van de dagelijkse spanning op het werk. (Een beetje spanning in de job is goed. Te weinig leidt tot een voortdurende lodderige blik in de ogen.) Of benijdt u nu al de stressloze seniorlandgenoten die het begrip vakantie zijn vergeten, omdat dat hun dagelijkse werkelijkheid is?

Dit hoofdstuk lijkt een beetje op een historische schets. De wortels van uw toekomst staan in het verleden. Anders gezegd, er is (bijna) geen betere voorspeller van iemands toekomstig gedrag dan zijn verleden. We helpen u hier een beter zicht te krijgen op uw capaciteiten, potentieel, vaardigheden en vermogens. U zult er ongetwijfeld achter komen dat uw sociale vaardigheden (u mag dat woord vervangen door EQ – emotionele intelligentiequotiënt – alhoewel de termen niet identiek zijn) van wezenlijk belang zijn.

Help! Ik ben uniek!

U bent een uniek wezen. Er loopt geen ander zoals u op deze wereld rond. De combinatie van eigenschappen, vaardigheden, talenten, vermogens en kennis bestempelt u tot een 'Uniek Product', om het oneerbiedig in marketingtermen te zeggen. Sommige kwaliteiten zijn waardevol voor alle of enkele specifieke werkgevers, andere zullen uw portemonnee nauwelijks spekken. Er zal weinig belangstelling bestaan voor de specialismen Oud- en Middel-Laps.

Oefening 7.1   'Unique selling points'

Elk mens verschilt volstrekt van de miljarden andere tweepotigen die deze planeet bevolken. Interessanter is de vraag: wat maakt *u* uniek? Om daar achter te komen hoeft u alleen maar antwoord te geven op de volgende vragen. Het gaat hierbij om wat u van uzelf vindt, niet de mening van anderen. Zet uw bescheidenheid maar opzij...

Vraag	Mijn antwoord
1. Hoe, in welke opzichten, vind ik mijzelf uniek?	....
2. Welke talenten maken mij uniek?	....
3. Welke kennis en vaardigheden maken mij uniek?	....

Vraag	Mijn antwoord
4. Waaruit blijkt mijn uniciteit ('uniekheid')?	
– op het werk?	....
– tijdens mijn studie?	....
– privé (thuis)?	....
– in mijn vrije tijd (hobby's, sport, et cetera)?	....
5. Stel, u moet uzelf aanbevelen aan een werkgever. Welke algemene punten noemt u dan?	....

Welke conclusie(s) kunt u aan de antwoorden verbinden? Hoe kunt u gebruikmaken van uw unieke kanten?

> **Om over na te denken:** De meeste mensen zijn 'gemiddeld', net zoals u, al zullen statistische fijnslijpers problemen hebben met die uitspraak. Het aantal uitblinkers (*'hipo's'*, *high potentials*, in het moderne jargon) is maar heel beperkt. En misschien zijn die wel (vak)kundig, maar minder gemotiveerd.

De middelbare school

De middelbare-schooltijd behoort tot de formatieve jaren. Kinderen ontwikkelen hun hobby's, interesses en favoriete activiteiten. Ze ontmoeten er inspirerende voorbeelden en aansprekende rolmodellen. 'Da's mooi', zult u misschien zeggen. 'Maar wat heb *ik* daar mee te maken?' Waarschijnlijk veel, want deze liefhebberijen blijven vaak een leven lang bij iemand. De middelbare school levert de leerling ideeën op, hij wordt geconfronteerd met zaken waarin hij goed blijkt te zijn. Soms wordt de weg naar de beroepsopleiding of studie rechtstreeks gewezen, vaker leidt het een sluimerend bestaan. De kiem van beroepsvoorkeuren wordt vaak in de schooltijd gelegd. Enkele voorbeelden:

- De redacteur van de schoolkrant ontwikkelt zich tot weekbladjournalist.
- De organisator van de jaarlijkse sportdag wordt via vorming op de sportacademie sportleraar.
- De schuchtere gitarist van de schoolband ontpopt zich tot professioneel studiomusicus.

De kans bestaat dat u, ondanks uw middelbare-schoolinteresses, toch beroepshalve een andere, 'onnatuurlijke' kant bent uitgegaan. Misschien onder druk van de ouders ('Ga maar eerst een praktische secretaresse-opleiding volgen, dan heb je altijd werk.'). Of druk vanuit de familietraditie: voorbestemd om vaders zaak over te nemen. Grootvader was arts, vader is arts, moeder was verpleegkundige – en wat ligt meer voor de hand dan geneeskunde te studeren? Zo bestaan er ook 'vliegfamilies', waarbij de meeste verwanten vliegend de kost verdienen – en in hun vrije tijd ook nog eens een zweefvliegtuig besturen. Misschien bent u in zo'n valkuil terechtgekomen en beseft u nu pas dat u uit uw beroepskooi wilt vliegen. Maar wat zijn de alternatieven?

Oefening 7.2   Leg de middelbare-schooltijd bloot!

Beantwoord de volgende vragen naar eer en geweten en put rijkelijk uit het geheugen:

Vraag 1. Mijn favoriete vakken op de middelbare school (scholen) waren, in volgorde van belangstelling (vul de tabel in):

Vraag 2. Waarom was dit vak juist zo populair? Wat maakte het tot favoriet?

Vraag 1. Vak	Vraag 2. Waarom dit vak?	Vraag 3. En nu?
1.	....	....
2.	....	....
3.	....	....
4.	....	....
5.	....	....
6.	....	....

Vraag 3. Hoe staat u *nu* tegenover dit vak of gebied?

Vraag 4. Voor wat voor mensen had u destijds veel bewondering? (Een buurman? Een leraar? Een sporttrainer?) En waarom juist deze? Vul hier in.

Persoon	Want...
1.	....
2.	....
3.	....
4.	....
5.	....

Vraag 5. Wat waren in de middelbare-schooltijd uw hobby's en favoriete vrijetijdsbesteding (behalve 'uitgaan', slapen en stug doordrinken)?

1. ....
2. ....
3. ....
4. ....
5. ....

Kunt u enige grote lijnen ontdekken in de antwoorden op de vijf vragen? Zijn er conclusies te trekken?

Oefening 7.3 Opleidingshoogtepunten na de middelbare school

Misschien leert u uzelf nog beter kennen door de twee volgende vragen te beantwoorden over de periode na de middelbare school. Het gaat hierbij om elke formele opleiding (mbo, hbo, universiteit, et cetera), met vooral de achterliggende motivatie. Hieruit is mogelijk af te leiden wat uw sterke kanten zijn of waren of welke kennis en vaardigheden u juist belemmeren of belemmerden.

1. Welke vakken vond u het interessantst? En waarom juist deze?

Opleiding 1: ....

Vak	Reden
....	....
....	....
....	....

Opleiding 2: ....

Vak	Reden
....	....
....	....
....	....

2. En hoe staat het met de cursussen, seminars, congressen, et cetera die u heeft gevolgd?

Cursus	Reden
....	....
....	....
....	....
....	....
....	....
....	....
....	....
....	....

- Zijn er opleidingen geweest die u *niet* heeft voltooid? Welke waren dat en waarom bent u gestopt?

- Welk(e) doel(en) kwam(en) daarvoor in de plaats?

Welk beeld komt uit deze oefening? (Waar was u sterk in? Waar blonk u in uit? Welke talenten kwamen naar voren?)

....

....

....

TIP: Het is een godsgeschenk als u over (een) talent beschikt. Maar dat moet nog wel even worden omgezet in een prestatie. Want dat is zichtbaar en pas daarmee is de buitenwereld te overtuigen.

Leg afgelegde prestaties vast op papier, zodat u bewijzen verkrijgt over uw effectiviteit en waarde voor de organisatie. (Nog beter: denk ook eens na over die van de directe collega's, waartegen de eigen prestaties kunnen worden afgezet.) Het geeft niet alleen een plezierig overzicht van de verrichte werkzaamheden, het levert ook 'interessant' materiaal op voor de periodieke gesprekken met de baas.

Het doorgroei-ongeluk

'Hoe iemand ongelukkig maken?' zou de titel kunnen luiden van een managementhandboek. Het is gebruikelijk een goede verkoper tot salesmanager te bombarderen of een boekhouder tot hoofdboekhouder – als hij lang genoeg blijft zitten. Organisaties gaan er vaak gemakshalve van uit dat leidinggeven 'erbij' kan worden gedaan. En lukt het 'managen' niet? Dan maar een cursus of training ertegenaan gooien. En voilà. Een manager is geboren. Problemen verschijnen aan de horizon, persoonlijke, maar ook onder de te leiden medewerkers. Deze managers vluchten vaak terug naar het gedrag waarin ze wél goed zijn: het oude en vertrouwde werk. Hierdoor verwaarlozen zij hun managementtaken, waardoor hun afdeling achteruit holt.

Doorgroeien, promotie maken is dus niet altijd een zegen (alhoewel een leuk onderwerp op recepties en partijen). Het *Peter Principe*, genoemd naar de Amerikaan Lawrence Peter, ten voeten uit. Dit principe stelt dat iedereen doorgroeit naar zijn niveau van incompetentie. Hieruit zou de logische conclusie kunnen volgen dat de wereld per definitie een puinhoop is. Peter, dat is dus zijn achternaam, bestrijdt dit niet...

Een tweede conclusie: als iedereen zijn niveau van incompetentie bereikt, zal dit zo vanzelfsprekend zijn dat het niemand meer opvalt... (Deze conclusie trekt Peter zelf overigens niet.)

Alhoewel Peter zelf, half cynisch, zijn eigen wetenschap creëert, hiërarchiologie genaamd, bestaan er geen wetenschappelijk bewijzen voor dit principe.

Als u bent doorgegroeid naar het niveau van incompetentie (denk hier zelf eerst eens over na, wees uw baas voor...), wordt u misschien af en toe gekweld door knagende twijfel en neerslachtigheid. Een stapje terug wordt dan een stap voorwaarts op het pad van innerlijke rust. De inlevering van status en inkomsten is hiervoor een kleine prijs. *Calculeer* eens hoeveel uw welbevinden u waard is! De economie van het geluk is een eenvoudige rekensom.

> **TIP:** Bent u bekwaam in de omgang met de moderne elektronische media zoals internet? Als u nog niet over die vaardigheid beschikt, wordt het hoog tijd deze te verwerven.

Oefening 7.4   Hoogte- en dieptepunten

Beantwoord de volgende vragen:

1. Wat zijn de hoogtepunten in mijn leven geweest? (En waarom waren dat juist hoogtepunten?)

2. Wat waren de grootste persoonlijke successen in mijn loopbaan?

3. Wat waren de dieptepunten in mijn leven? (Waarom juist deze?)

4. Wat waren de grootste teleurstellingen in mijn carrière?

Oefening 7.5   Plezierige en onplezierige kanten van de huidige baan

Dit vind ik allemaal plezierig in mijn huidige baan:

1. ....
2. ....
3. ....
4. ....
5. ....

Dit vind ik allemaal onplezierig in mijn huidige baan:

1. ....
2. ....
3. ....
4. ....
5. ....

Dit maakt dat ik in mijn huidige baan blijf:

1. ....
2. ....
3. ....
4. ....
5. ....

Dit zijn de krenten in de pap van mijn huidige baan:

1. ....
2. ....
3. ....
4. ....
5. ....

Dit háát ik in mijn huidige baan:

1. ....
2. ....
3. ....
4. ....
5. ....

Dit zijn de grootste fouten die ik mijn huidige baan heb gemaakt: (Los van de keuze van de baan zelf...)

1. ....
2. ....
3. ....
4. ....
5. ....

Nota bene: U kunt deze oefening ook uitvoeren voor vorige banen.

Wat zijn de resultaten van deze vingeroefening? Welke conclusies zijn eraan te verbinden?

Competentie

Tegenwoordig wordt nogal eens gesproken over competenties van een persoon (ook van een organisatie), die kennelijk nodig zijn voor een goede functie-uitoefening. Competenties worden wel omschreven als 'het vermogen om effectief te presteren in een bepaald type taaksituatie of in een bepaald type probleemsituatie' (Hoekstra & Van Sluijs, 1999). Volgens Van der Heijden e.a. (1999) is een competentie 'een persoonskenmerk, beschreven in gedragsmatige termen, dat onderscheidend bijdraagt aan succesvol functioneren en daarmee het realiseren van de organisatiedoelen.'

Oefening 7.6   Kerncompetenties

Elke (aanstaande) werker beschikt over een aantal competenties. Een deel hiervan vormt de harde kern, oftewel de kerncompetenties. Welke bezit u *nu*? Zet die, *in volgorde van belangrijkheid*, in de volgende tabel. Een competentie bestaat uit een aantal onderdelen, taken. Bent u goed in een aantal samenhangende taken, dan is dat uw kerncompetentie.

Mijn vijf kerncompetenties zijn:

Kerncompetentie	Gebaseerd op de samenhangende taken:
Voorbeeld: Organiseren	Planning van projecten, voortgangscontrole, regelen
1.	....
2.	....
3.	....
4.	....
5.	....

De APAUL-methode

Als je elke dag op het werk aan het ploeteren en zwoegen bent en je wordt voortdurend afgebeuld door je baas en anderen die het goed met je menen, raak je wel eens het spoor kwijt. Vaak ontbreekt het aan rustpunten waarop je kunt nadenken en vragen kunt beantwoorden als: wat heb ik eigenlijk de afgelopen maand uitgevoerd? Wat heb ik nu helemaal bereikt? Wat heb ik geleerd? Zonder zo'n bezinningsogenblik lijkt het alsof het leven voortkabbelt en je stilstaat in je ontwikkeling. Er is een handige manier om greep op de tijd te krijgen door je de volgende routine eigen te maken. De resultaten hiervan zijn voor verschillende doelen te gebruiken: het bepalen van competenties (zie de vorige oefening), beroeps- en baankeuze, argumenten verzamelen voor sollicitatiebrief en -gesprek.

De APAUL-methode is een techniek om meer zicht te krijgen op uw werkzaamheden. Het is hierbij de bedoeling dat u *wekelijks verslag* levert over uw werk via de volgende invalshoeken.

- *Acties*: Wat heb ik uitgevoerd?
- *Problemen*: Welke problemen ben ik daarbij tegengekomen?
- *Alternatieven*? Waren er (bij nader inzien) andere oplossingsmogelijkheden?
- *Uiteindelijk resultaat*: Welke effecten had de actie?
- *Leerpunten*: Wat heb ik geleerd (per element of in de verslagperiode)?

U kunt toch wel één uur per week vrijmaken (dat is toch niet te veel?) om te noteren welke wezenlijke activiteiten u in (en om) het werk heeft verricht. U zult versteld staan over wat u allemaal heeft bereikt – en geleerd.

Acties	Problemen	Alternatieven	Uiteindelijk resultaat	Leerpunten
....	....	....	....	....
....	....	....	....	....
....	....	....	....	....

Na enige maanden kunt u misschien antwoord krijgen op de volgende vragen:

- Welke lijn zit erin?
- Welke soort activiteiten spraken mij (wel/niet) aan?
- Welke vermogens en talenten heb ik benut?

169

Een alternatief

Als deze methode te omslachtig is of te veel van uw tijd vergt, is een uit-
gekleed alternatief de maandelijkse voortgangsrapportage. Noteer aan
het eind van elke maand welke *activiteiten* u heeft uitgevoerd, belangrijke en kleine. Doe dat zonder enige volgorde. (Het is wel handig om korte
notities per week te maken. Het geheugen speelt soms parten.) Nadat de
lijst is afgerond, schrijft u op wat u heeft geleerd in de voorbije maand,
de *leerpunten*.

Misschien helpt het volgende voorbeeld.

Voortgangsrapport	Maand: november

- aanzet gegeven tot opzet van vragenlijst 'papieronderzoek';
- namen en adressen van de papierbranche bij de Kamer van
  Koophandel besteld en inmiddels ontvangen;
- accommodatie geboekt voor het methodologieseminar in Engeland.
  Voorlopige afspraak gemaakt met de hoofddocent die ik later als
  adviseur wil inschakelen;
- brieven verstuurd naar de hoogleraren Poney, Neinworski en El-
  Amein om ze op de hoogte te houden van de vorderingen; hun reacties inmiddels ontvangen;
- mijn presentatievoorstel voor de conferentie in Orlando is geaccepteerd;
- het voorstel voor de tv-serie 'Verstand van de klant' is goed ontvangen. Zij verzochten echter uiterlijk binnen drie weken een aangepast
  voorstel (inhoudelijk) in te dienen. Het budget moet eveneens worden herzien (verlaagd).

Leerpunten:

- Mensen (de hoogleraren) stellen het op prijs geïnformeerd te worden.
- Het verzoek tot het indienen van een voorstel voor een tv-serie niet
  geheel juist ingeschat. 'De middelen zijn ruim' kun je op verschillende
  manieren interpreteren. Oppassen! Vraag tijdig om een budgetindicatie.

Zit er in een lijn in? Loopt er een rode draad door? Misschien zelf eerder
initiatieven nemen.

Gebruik hiervoor de volgende tabel om uw eigen voortgang in kaart te brengen.

Maand: ....

Verrichte activiteit	Leerpunt	Evt. bijzonderheden
....	....	....
....	....	....
....	....	....
....	....	....
....	....	....

TIP: Als u dat handig vindt, kunt u de leerpunten nader onderbrengen in categorieën, bijvoorbeeld persoonlijke competenties, teamcompetenties en kennis.

Om over na te denken: Leven = leren. Nader commentaar overbodig.

Talent

Een moeilijk begrip. Het is zoiets als een aangeboren vermogen, een gave, waardoor je een voorsprong op anderen hebt – die vaak niet is in te halen.

Getalenteerde mensen beseffen meestal niet dat zij begaafd zijn, omdat de vaardigheid hen zo gemakkelijk af gaat. Hun gave is voor hen iets natuurlijks, iets vanzelfsprekends. Dat is nu juist het talent!

Pas als je je talenten kent, dat wil zeggen je je bewust bent van hun kracht, kun je deze verkopen... Iedereen beschikt over minstens één talent(je). Kent u ze? Weet u wat zij waard zijn, en voor wie en waar?

Oefening 7.7   Vaardigheden en vermogens

Het gaat in deze oefening om uw vaardigheden. Een vaardigheid is ongeveer een kunde, een kracht, een vermogen dat u aan kunt tonen, demonstreren. In welke mate bezit u de volgende vaardigheden? Plaats daaronder een kruisje. U behoeft zich hiervoor geen hersenbreuk te berekenen.

Als u er niet uitkomt, lukt het misschien de vaardigheden te identificeren door na te gaan welke prestaties u zoal de afgelopen jaren heeft verricht. Gebruik de volgende ezelsbruggetjes:

- Uw resultaten waren beter dan voorheen, dan collega's, dan begroot.
- Uw resultaten zijn gelijk gebleven, maar met inzet van minder mensen en/of middelen.
- De kwaliteit van het werk is vooruitgegaan.
- U bent snel tot oplossingen van problemen gekomen of heeft met gezwinde spoed adequate besluiten genomen.
- U heeft nieuwe ideeën gelanceerd, verbeteringen doorgevoerd.
- U heeft aangetoond problemen vroegtijdig te onderkennen.
- U heeft programma's (op welk gebied ook) ontwikkeld of uitstekend uitgevoerd.
- U heeft merkbare bijdragen aan de organisatie geleverd. (Welke? Hoe?)

Vaardigheid	Uitstekend	Voldoende	Onvoldoende	Niet
Aanpassingsvermogen	❑	❑	❑	❑
Analytisch-academisch vermogen (logisch denken)	❑	❑	❑	❑
Assertiviteit	❑	❑	❑	❑
Bedrijfsmatig inzicht	❑	❑	❑	❑
Beïnvloeding	❑	❑	❑	❑
Beoordelingsvermogen	❑	❑	❑	❑
Bemiddelingsbekwaamheid	❑	❑	❑	❑
Besluitvaardigheid	❑	❑	❑	❑
Buitenlandse (werk)ervaring	❑	❑	❑	❑
Commercieel (zakelijk) inzicht	❑	❑	❑	❑
Coachen (trainen/lesgeven)	❑	❑	❑	❑
Conflicten oplossen	❑	❑	❑	❑
Controleren (van feiten)	❑	❑	❑	❑
Coördineren	❑	❑	❑	❑
Creativiteit (verbeelding, fantasievol, ideeënrijk)	❑	❑	❑	❑
Cijfermatig inzicht/analyseren	❑	❑	❑	❑

Vaardigheid	Uitstekend	Voldoende	Onvoldoende	Niet
Delegeren	❑	❑	❑	❑
Doelgerichtheid	❑	❑	❑	❑
Doorzettingsvermogen	❑	❑	❑	❑
Empathie (inlevingsvermogen)	❑	❑	❑	❑
Energie (harde werker)	❑	❑	❑	❑
Evalueren	❑	❑	❑	❑
Financiën en boekhouden	❑	❑	❑	❑
Handvaardigheid	❑	❑	❑	❑
Helikopterblik (grote lijnen zien)	❑	❑	❑	❑
Hulpvaardigheid	❑	❑	❑	❑
Improvisatievermogen	❑	❑	❑	❑
Initiatieven nemen	❑	❑	❑	❑
Inleven (in anderen)	❑	❑	❑	❑
Innovativiteit (inventiviteit)	❑	❑	❑	❑
Interviewen	❑	❑	❑	❑
Klantgerichtheid	❑	❑	❑	❑
Kritisch denken	❑	❑	❑	❑
Leervermogen	❑	❑	❑	❑
Leidinggeven (management)	❑	❑	❑	❑
Luistervaardigheid	❑	❑	❑	❑
Mensenkennis	❑	❑	❑	❑
Methodisch, systematisch werken	❑	❑	❑	❑
Mondelinge communicatie	❑	❑	❑	❑
Motiveren	❑	❑	❑	❑
Observatievermogen	❑	❑	❑	❑
Omgaan met details	❑	❑	❑	❑
Onderhandelen	❑	❑	❑	❑
Ondernemen	❑	❑	❑	❑

Vaardigheid	Uitstekend	Voldoende	Onvoldoende	Niet
Oordeelsvermogen	❏	❏	❏	❏
Organiseren (regelen)	❏	❏	❏	❏
Overtuigen	❏	❏	❏	❏
Plannen	❏	❏	❏	❏
Praktische instelling	❏	❏	❏	❏
Precisie/accuratesse	❏	❏	❏	❏
Presenteren	❏	❏	❏	❏
Prioriteiten stellen	❏	❏	❏	❏
Problemen signaleren en oplossen	❏	❏	❏	❏
Redigeren	❏	❏	❏	❏
Rekenvaardigheid	❏	❏	❏	❏
Relativeren	❏	❏	❏	❏
Risicobereidheid	❏	❏	❏	❏
Samenwerken (teamwork)	❏	❏	❏	❏
Schriftelijke communicatie	❏	❏	❏	❏
Sociale vaardigheden	❏	❏	❏	❏
Spreekvaardigheid	❏	❏	❏	❏
Stimuleren	❏	❏	❏	❏
Strategische visie	❏	❏	❏	❏
Talenbeheersing	❏	❏	❏	❏
Technisch inzicht/technische vaardigheden	❏	❏	❏	❏
Vakkennis (het eigen vakgebied)	❏	❏	❏	❏
Vasthoudendheid	❏	❏	❏	❏
Veranderingen doorvoeren	❏	❏	❏	❏
Verkopen	❏	❏	❏	❏
Voortgangscontrole	❏	❏	❏	❏
Werktempo	❏	❏	❏	❏
Zakeninstinct (*'business sense'*)	❏	❏	❏	❏
Zelfdiscipline	❏	❏	❏	❏

1. Welke van deze vaardigheden maken u uniek?
2. Welke van deze vaardigheden gebruikt u het meest?
3. Op welke van deze vaardigheden wilt u uw (verdere) loopbaan baseren?

*** Zie ook *Alles over assessment centers* *** Hoofdstuk 2

Oefening 7.8   Mijn sterkste eigenschappen

Als je 'twee linkerhanden' hebt, zul je niet graag hiermee werken. Je wilt dan 'hoofdwerk' verrichten – daarmee voel je je meer verbonden en kunnen de sterke kanten beter tot hun recht komen. Geef in de volgende tabel aan wat uw sterkste eigenschappen zijn, in *volgorde van sterkte*. (Het mogen ook vaardigheden zijn of bepaalde kennis die u meer bezit dan bijvoorbeeld collega's.) Om niet al te royaal voor uzelf te zijn moet het 'bewijs' er nog worden bijgeleverd (tweede kolom).

Ter verduidelijking, bij vaardigheden kun je denken aan: analytisch vermogen, besluitvaardigheid, communicatieve vaardigheid, creativiteit, flexibiliteit, sociale vaardigheid, initiatieven nemen, leidinggeven, overtuigen, plannen, samenwerken, et cetera. Het bezit van sterke vaardigheden is mooi, maar als je daar geen plezier aan beleeft zul je er niets mee doen. Vul dan ook altijd de derde kolom in.

Eigenschap	'Bewijs'?	Welk plezier beleeft u hieraan?
Voorbeeld: Commercialiteit	1. Sponsorprogramma voor club opgezet en veel geld (hoeveel?) opgehaald via sponsoractie	Trots, om met succes ideeën te verkopen
	2. Al drie jaar weekenddienster in restaurant	Doe veel mensenkennis op Het gedrag van klanten voorspellen
1.	....	....
2.	....	....
3.	....	....

Eigenschap	'Bewijs'?	Welk plezier beleeft u hieraan?
4.	....	....
5.	....	....
6.	....	....
7.	....	....
8.	....	....
9.	....	....
10.	....	....

Conclusie:
Is het mogelijk clusters van eigenschappen en 'pleziertjes' te maken? Welk patroon verschijnt dan?

Overdraagbare kennis en vaardigheden

Sommige vaardigheden zijn uitstekend overdraagbaar, dat wil zeggen dat ze in vele en uiteenlopende situaties ingezet kunnen worden. Neem bijvoorbeeld schrijven. Iemand die goed schrijft (hoe dan ook gedefinieerd), kan werken als journalist, als rapporteur, als boekenauteur, als copywriter voor reclameteksten, als pr-medewerker, et cetera. Een medewerker die kan verkopen, kan dat voor allerlei artikelen en diensten doen. (Het helpt als dit met kennis van zaken gebeurt en affiniteit met de producten.) De vaardigheid leidinggeven kan ook in velerlei bedrijven en instellingen worden toegepast. En zo kunnen we doorgaan.

Ook de hobbysfeer levert soms goed overdraagbare kennis en vaardigheden op. Uw *'fund raising'*-vaardigheid kan worden uitgebuit via een baan.

Als u echter veel kennis heeft over hoe er tussen de vestigingen van uw bedrijf wordt gecommuniceerd, is deze kennis misschien weinig waard in de 'echte wereld'. Helaas.

Heeft u enig idee welke van uw topvaardigheden goed overdraagbaar zijn, een hoge *'transferwaarde'* hebben?

Over mensen, dingen en informatie

Beroepskeuzeadviseurs maken vaak een grove indeling in drie categorieën van mensen (alsof het leven zó eenvoudig is...): zij die het liefst werken met mensen, met informatie of met dingen. Ofwel het type van de 'mensmens', de 'informatiemens' en de dingenmens'.

De 'mensmens'
De kracht van deze persoon ligt besloten in zijn omgang met anderen. Zijn professionele contacten kunnen nogal uiteenlopen. We noemen: instrueren en doceren, adviseren, coachen, diagnosticeren, motiveren, overtuigen, ideeën verkopen, presenteren, anderen vermaken, debatteren, werven en selecteren. Enkele typische beroepen die hieronder vallen zijn: verkoper, stewardess, managementadviseur, personeelsfunctionaris en politicus.

De 'informatiemens'
Deze persoon zit het liefst de gehele dag achter de computer en houdt zich bezig met het verzamelen, bewerken en analyseren van allerlei ideeën, gegevens, feiten en cijfers, want daarin is hij bedreven. Details zijn voor hem belangrijk en hij werkt graag systematisch en foutloos. Hij kan ook veel lezen om hieruit zijn informatie te putten, die hij samenvat of er bepaalde plannen uit ontwikkelt. Zo iemand kan werken in de boekhouding of bedrijfsadministratie, klantenservice, marketingonderzoek, wetenschap.

De 'dingenmens'
Monteurs en technici, architecten, bouwers, ontwikkelaars, kunstenaars, et cetera horen in deze categorie thuis. Ze werken graag met hun handen of hun lichaam of zien bij voorkeur via hun denkbeelden iets concreets (een gebouw, een machine, een voorwerp) ontstaan of onderhouden dat met liefde. 'Dingen' mogen ook organisch zijn (tuinen, landbouwbedrijven, dierentuinen).

Er zijn nog meer typen te onderscheiden:

- creatievelingen (ze drukken zichzelf uit via muziek, dans, schrijven, beeldende kunsten, et cetera); als creatief professioneel verdien je of erg veel – sla de kranten er maar op na – of te weinig om van in leven te blijven;
- onderzoekers: zij zijn altijd nieuwsgierig naar het hoe en waarom. Dat kan in de vorm van wetenschappelijke studie, maar ook bijvoorbeeld via recherchewerk (politie).

Er zijn veel functies die zich op twee of drie raakvlakken van mensen, informatie en dingen afspelen. Zo heeft de receptionist van een garage te maken met dingen (auto's, motoren), maar ook met (of vooral) mensen: klanten en monteurs. Een manager in de automatisering bekleedt een positie op het breukvlak van mensen en informatie. (De meeste managers bevinden zich op zo'n snijvlak.)

Het komt nogal eens voor dat mensen een technische opleiding gevolgd hebben (omdat zij bijvoorbeeld uit een 'technische familie' stammen) en er pas later in hun werkzame leven achter komen dat ze liever en beter met mensen werken. Zo kennen we een chemisch ingenieur die heel toevallig voor zijn multinational eens als invaller een training moest verzorgen voor buitenlandse collega's. Hij was meteen verkocht. De bevestiging dat hij eigenlijk altijd al 'iets met mensen' wilde doen. Hij verliet de techniek (tot grote schrik van zijn werkgever) en werd internationaal verkooptrainer. Met succes. Maar 'jammer genoeg jaren te laat', zoals hij toegaf.

Anderen groeien door in en op hun werk. Ze maken voortdurend promotie, zien hun salaris stijgen, hebben het druk, druk, druk en ontdekken dat ze eigenlijk de verkeerde richting zijn uitgestuurd. Dat overkwam de gemeenteambtenaar die over de jaren opklom tot diensthoofd van een belangrijke sector van een middelgrote gemeente. Hij ontdekte steeds vaker dat hij geen leiding kon geven – en wat erger was: het niet wilde! Zijn wens: zijn technisch-artistieke hobby (antieke voorwerpen repareren) tot zijn hoofdtaak maken.

Wanneer werkzoekenden wordt gevraagd wat voor soort werk zij ambiëren, luidt het antwoord vaak: 'Omgaan met mensen.' Op de vervolgvraag 'Waarom?' wordt dan gereageerd met een 'Omdat dat leuk is.' Maar, op de vraag *wat* dat dan leuk maakt, blijft een antwoord achterwege. Kortom, omgaan met mensen willen velen, maar de achterliggende motivatie is vaak nogal dun. Trouwens, kunt u gemakkelijk banen noemen waarin *niet* met anderen wordt 'omgegaan'? De moderne maatschappij kent vrijwel geen solisten.

Als mensen u zo aanspreken – welke mensen dan? Kunt u specifiek zijn? Wilt u 'omgaan' met zieken, zakenreizigers, zwakzinnigen, zomervakantievierders, zeelieden, zenuwartsen, zenboeddhisten, zoölogen, zuigelingen, zwangere vrouwen?

Het doel van de volgende oefening is zelf te bepalen wat voor persoon u bent in termen van vaardigheden en talenten.

178

Oefening 7.9   Wat voor mens bent u?

1.   Geef aan in percentages (maximaal 100%) wat voor persoon u denkt te zijn in 'kunden'.

'Mensmens'
(anderen helpen, ondersteunen, begeleiden, overtuigen)   ...%

'Informatiemens'
(cijfers, taal)   ...%

'Dingenmens'
(technische zaken)   ...%

Totaal   100%

2.   Waar baseert u deze inschatting op?

....

Alleen de vragen 3 en 4 invullen als u onder 'mensmens' minstens 33% heeft ingevuld:

3.   Wat vindt u aantrekkelijk in het omgaan met/het samenwerken met mensen?

....

4.   Wat vindt u onaantrekkelijk in het omgaan met/het samenwerken met mensen?

....

TIP: Als het idee heeft postgevat dat u liever en beter op een andere plek in uw organisatie terechtkunt, behoeft u niet op stel en sprong deze werkgever te verlaten. Misschien kunt u enkele taken van uw huidige functie verminderen en in de vrijgekomen tijd nevenwerk verrichten in uw bedrijf. Bijvoorbeeld af en toe een training verzorgen, als mentor optreden voor nieuwelingen op het werk, het bedrijf of de branche naar buiten vertegenwoordigen, et cetera.

Een tussenstap zou ook kunnen zijn vrijwilligerswerk in uw organisatie te verrichten (OR-lidmaatschap, bestuurslid van de personeelsvereniging, oprichter van een sportcommissie, feestcommissie, et cetera). Misschien dat uw baas tips heeft of bereid is u verder te helpen.

Oefening 7.10 Grote successen

Alle mensen hebben in hun leven Grote Successen geboekt. Dat wil zeggen prestaties geleverd waarop anderen, maar ook zijzelf, trots zijn. Om uzelf beter te leren kennen: geef hier aan wat úw Grote Successen zijn geweest – en waarom u ze dit predikaat meegeeft. (Ook als het om een activiteit gaat die pas binnenkort in uw Gouden Boek wordt opgenomen, moet u die in de lijst zetten.)

	Groot Succes	Gebied	Waarom vindt u dat? Waarom deze personen?	Volgens wie nog meer?	Om welke vermogens, talenten en vaardigheden ging het?
1.	....	....	....	....	....
2.	....	....	....	....	....
3.	....	....	....	....	....
4.	....	....	....	....	....
5.	....	....	....	....	....
6.	....	....	....	....	....

Op welke gebieden heeft u vooral gepresteerd? Wat leert deze lijst u over uw eigen talenten?

Vaardigheden verkopen

U heeft nu min of meer vastgelegd wat voor u de ideale baan zou kunnen zijn in termen van vermogen en 'kunden'. De vragen die u zich moet stellen om uzelf te kwalificeren in de ogen van een (eventueel nieuwe) werkgever, zijn deze: wat maakt mij zo geschikt voor juist deze baan? Of: waarom is deze functie mij op het lijf geschreven? Of: waarom ben ik geknipt voor deze functie? Lees de volgende voorbeelden:

..... omdat ik naast organisatietalent en kennis van fysieke distributie van wetenschappelijke tijdschriften ook nog heel redelijk Spaans spreek.

..... omdat ik naast een goede verkoper van turbomotoren kennis heb van bouwtechnische zaken en bovendien creatief ben in het aanleggen van archiefsystemen.

..... omdat ik goed les kan geven aan middelbare scholieren, uitstekend de orde kan handhaven bij moeilijk opvoedbare kinderen en op de hoogte ben van de nieuwste ontwikkelingen op het gebied van de sociale wetgeving.

..... omdat ik veel ervaring heb met het opzetten en opstarten van bedrijfs-bureaus, daarnaast mensen weet te stimuleren en ook niet bang ben voor het nemen van onaangename beslissingen.

..... omdat ik vrij goed op de hoogte ben van de regelgeving bij de over-heid, goed ben ingevoerd in de automatisering van een personeelsadmini-stratie, alsmede mij heb bekwaamd in onderhandelingen met de gemeen-telijke overheden over decentralisatie.

> **Om over na te denken:** U bezit al heel veel kennis en informatie. Hoe gaat u daarmee om? Want kennis op zich speelt geen rol; het enige wat telt is wat u ermee doet.

Wat betekent dit alles voor ú?

1. U bent uniek. Welke eigenschappen, kwaliteiten en dergelijke kunt u het best 'verkopen'? Bepaal uw kerncompetenties.
2. Het feit dat u kunt doorgroeien in een baan betekent niet automa-tisch dat dit spoort met uw vermogens.
3. Neem eens per week afstand van uzelf en geef aan wat u in de ver-slagperiode heeft geleerd (de APAUL-methode).
4. Bepaal of u een 'mensmens', een 'informatiemens' of een 'dingen-mens' bent. Waar bent u goed in?

HOOFDSTUK 8

Wie bent u?

Carlo Basura beschreef zichzelf als een typische rekenmeester: werkend in Amsterdam minus woonachtig in het liefelijke Purmerbegin is gelijk aan elke dag in de file staan. Toen hij zich er meer in ging verdiepen, kwam hij erachter dat geduld niet zijn sterkste persoonlijkheidseigenschap was. Opofferingsgezindheid evenmin. Of het moest zijn dat hij graag zijn collega's opofferde voor zijn eigen promoties... Carlo was in een periode van twijfel terechtgekomen. De oorzaak hiervan kende hij: collega Stermans – beter bekend als 'de komeet' vanwege zijn snelle carrière in het bedrijf – bleek niet meer gelukkig in zijn functie te zijn en was voor een halfjaar 'op sabbatical' vertrokken. Carlo vroeg zich af of hij zelf nog gelukkig was en of het bedrijf nog wel hetzelfde was als toen hij in dienst trad...

Hoe beter men zichzelf kent, des te scherper kan er over de loopbaan en de te maken keuzes worden nagedacht. Een passende baan sluit nauw aan bij uw persoonlijkheid. Het is dus niet de kunst om een baan te zoeken louter gebaseerd op uw capaciteiten, vaardigheden en sterkten, maar op uw persoonlijkheid, wensen en waarden. De theorie van de bekende Amerikaanse beroepskeuzeonderzoeker John Holland stelt dat wanneer beroepskeuze en persoonlijkheid niet op elkaar aansluiten, de persoon ontevreden zal zijn en weinig succes zal bereiken in zijn loopbaan. De theorie is inmiddels gestaafd door vele onderzoeken.

Alle factoren rond een baan zijn te veranderen, behalve uw persoonlijkheid. (Althans, dat gaat een stuk lastiger.) Het is dus de moeite waard ervoor te gaan zitten en na te gaan wie u bent – en we doelen hierbij niet op de naam die op uw visitekaartje staat. U wilt de komende 10 of 36 jaar toch niet tegen uw zin in onbevredigend werk verrichten?

Wat voor iemand bent ú? Bent u een modevolger? Doet u altijd mee aan de laatste modes? Heeft u de nieuwste lowbudget hobbezak van Dior aangeschaft? Kunt u onafhankelijkheid en verantwoordelijkheid dragen? Zit dat 'in' u? Kan uw persoonlijkheid worden beïnvloed? Wie hebben dat de afgelopen drie jaar voor elkaar gekregen? Of lukt het niemand u te veranderen? Bent u erg competitief? Bent u iemand die altijd wil winnen?

Jezelf analyseren is een moeilijke opgave. Daar zijn een aantal redenen voor:

- Het is een bezigheid die je (liever) niet vaak uitvoert. Mensen verrichten talloze activiteiten zonder daar al te diep over na te denken.
- Je bent geneigd jezelf als positiever te beoordelen dan anderen dat zouden doen.
- Je hebt er geen opleiding voor genoten en er weinig ervaring in.
- Misschien ben je bang voor de uitkomst...

In dit hoofdstuk gaan we vooral in op uw persoonlijkheid, dus om de kern van het noordelijkste deel van uw lichaam, het commandocentrum, het zenuwcentrum van uw eigen BV. Het is vooral belangrijk te weten wie u bent wanneer u 'zoekt'. Wij kunnen niet zeggen of u een sociaal gericht iemand bent of juist meer eenzelvig. Of precies daartussen in. Wél geven we u steekwoorden waarmee u verder komt.

Persoonlijkheid: 'je bent wie je bent'

Uw persoonlijkheid duidt op *constantheid*. Natuurlijk past u zich aan aan de omgeving of het werkteam. (Niet iedereen houdt van teamkuddes.) Maar u bent geen vormloze amoebe. Mensen veranderen – tot op zekere hoogte. Er is 'iets' wat u qua persoon(lijkheid) uniek maakt. De kern van al uw schillen. Uw favoriete manier van bijvoorbeeld omgaan met mensen of deze juist proberen te vermijden.

De meeste mensen hebben een positief zelfbeeld. Daar is niets mis mee. Maar probeer uzelf zo realistisch mogelijk af te schilderen in de oefeningen. Er kijkt toch niemand mee over uw schouders. Als u de 'negatieve' eigenschappen kent, zoals die worden waargenomen door baas, collega's en anderen, kunnen die misschien omgetoverd worden tot positieve.

> **Om over na te denken:** Bent u een 'gevoelsmens'? Bedenk dan dat gevoel niets anders is dan nog niet onder woorden gebracht verstand.

De vijand van binnen

Sommige mensen kennen maar één serieuze vijand waarmee ze rekening moeten houden: zichzelf. Dit komt voor bij personen die zeer besluiteloos zijn, zodat ze een ander dan maar de beslissing voor hen laten nemen. Of constant worden de verkeerde beslissingen genomen. Andere verstaan de kunst consequent de verkeerde adviseurs aan te trekken, te luisteren naar de verkeerde vrienden, de verkeerde onderzoeken te verrichten, et cetera. Waar zit uw persoonlijkheid u in de weg? Als u dat heeft ontdekt, kunt u eraan 'werken'.

Stop ermee een gevangene te zijn van uw eigen gedachten. Ga naar andere denkpatronen. Bezie de zaak (welke dan ook) van een andere kant. Haal desnoods hiervoor hulp in huis.

> **Om over na te denken:** Heeft u angst om te veranderen? Het enige waar u bang voor hoeft te zijn is de *gestapo*. Maar die is al lange tijd niet meer '*in business*'. Verander uzelf tijdig en vrijwillig – voordat u hiertoe wordt gedwongen.

Oefening 8.1   Zelfbeoordeling

De volgende lijst bevat een aantal min of meer tegengestelde (persoonlijkheids)kenmerken. Het is geen persoonlijkheidstest; het doel is om belangrijke kenmerken snel in kaart te brengen via de tegenstellingen. Omcirkel op elke regel het woord dat op u slaat:

Ik ben aan de ...... kant	Ik ben aan de ...... kant
belangstellende (brede)	ongeïnteresseerde (beperkte)
creatieve	a-creatieve
sociabele (groepsgerichte)	eenzelvige (op mijzelf gerichte)
volgende	initiatiefnemende, zelfstartende
generalistische	detaillistische
stressonbestendige	stressbestendige, veerkrachtige
starre	flexibele
afhankelijke	onafhankelijke
introverte	extraverte
onverstoorbare	lichtgeraakte
betrouwbare	onbetrouwbare
efficiënte	inefficiënte
fantasierijke	fantasiearme
geduldige	ongeduldige
argwanende	open
impulsieve	beheerste
ongeduldige	geduldige
verlegen, bedeesde	brutale, vrijmoedige
onderdanige	dominante
overtuigende	onzekere

Ik ben aan de ...... kant	Ik ben aan de ...... kant
systematische	chaotische
idealistische	praktische
agressieve	vredelievende
amicale	formele
passieve	dynamische
stabiele	wispelturige
ambitieuze	tevreden
representatieve	slordige
adviserende	uitvoerende
leidinggevende	leidingvolgende
opgewekte/vrolijke	sombere/neerslachtige
coöperatieve	niet-meegaande
moedige	laffe
solistische	samenwerkende, teamspelende
commerciële	ambtelijke
empathische	ongevoelige
gewetensvolle	gewetenloze
open	gesloten
nauwgezette	onnauwkeurige
eerlijke	oneerlijke
redelijke	onredelijke
enthousiaste	lauwe
energieke	lethargische, uitgebluste
vriendelijke	onvriendelijke
vasthoudende	opgevende
loyale	ontrouwe
zelfstandige	onzelfstandige, volgzame
anticiperende	afwachtende
gevoelige	ongevoelige
onconformistische	conformistische
gedisciplineerde	ongedisciplineerde
humoristische	humorloze
tolerante	intolerante
vastberaden, onverzettelijke	meegaande
veeleisende	weinig eisende
vertrouwenwekkende	onbetrouwbare
risicomijdende	risicozoekende
hulpvaardige	hulpvragende
toekomstgerichte	verledengerichte
slimme, geslepen	naïeve
veelzijdig ontwikkelde	eenzijdig ontwikkelde
zelfvertrouwende	onzekere
diplomatieke/tactische	botte
zelfbeheerste	onbeheerste

Ik ben aan de ...... kant	Ik ben aan de ...... kant
zuinige	verspillende/genereuze
optimistische	pessimistische
doelgerichte	doelloze
besluitvaardige	besluiteloze

U heeft nu in kaart gebracht hoe u zelf denkt te zijn. Komt u ook zo over? Vraag het eens aan anderen. Of beter nog: leg deze lijst aan hen voor en vraag hun om u te beschrijven in deze eigen kenmerken. Voor welke banen maakt u dat geschikt? En voor welke juist ongeschikt?

Vijf factoren

Volgens de moderne persoonlijkheidspsychologen bestaat de persoonlijkheid uit 'slechts;' vijf factoren (met een groot aantal onderdelen). Het gaat om:

- extraversie (graag in het gezelschap van anderen verkeren; op de buitenwereld zijn gericht);
- openheid (nieuwsgierig en onconventioneel zijn);
- neuroticisme (emotioneel instabiel en angstig zijn);
- altruïsme (hulpvaardigheid, vriendelijkheid, samen willen werken);
- consciëntieusheid (gewetensvol zijn, pro-actief zijn).

Misschien is het gemakkelijker uzelf in deze vijf karaktertrekken te beschrijven.

*** Zie ook *Alles over psychologische tests* ***

Waarden

Elke mens heeft waarden: zaken die men in het leven en het werk van fundamenteel belang acht. Waarden kunnen zijn vrijheid (in vrijheid willen leven), democratie (stemrecht, medezeggenschap hoog achten), eerlijkheid (in relaties), et cetera. Mensen laten zich leiden door deze *diepgewortelde overtuigingen*. De omgeving onderdrukt die soms, maar de waarden zullen toch na verloop van tijd de kop opsteken... Als uw persoonlijke waarden in overeenstemming zijn met die van uw (volgende) werkomgeving, zult u een gelukkig mens zijn. Als zij gaan uiteenlopen, zal dat uiteindelijk tot een (al dan niet vrijwillig) vertrek bij de werkgever leiden. Het is dan ook noodzakelijk om in kaart te brengen wat uw waarden en die van uw huidige of toekomstige werkgever zijn.

Ethisch werken

Uw uur heeft geslagen! Met beide handen grijpt u de kans om te werken voor de onbekende plaatselijke bank. Een aantal jaren op zo'n Antil, altijd wuivende palmen (waarom die bomen dat doen is nog steeds een onopgehelderd raadsel), de zon aan de top en hagelwitte stranden en dito tanden van de bediening. Werken wordt weer leuk! Maar staat u geheel achter hun slogan: 'Wij wassen wit terwijl u wacht'? Misschien strookt zo'n Antilliaanse bank toch niet met uw eigen normen en waarden en is *reticuler pour mieux sauter*, ofwel een stapje terug doen, niet zo'n slechte zet.

Oefening 8.2   Waardebepaling

Ga als volgt te werk: geef per waarde in de 'Ik-kolom' een + als deze op u betrekking heeft. Dat doet u ook voor de organisatie. Voor elke keer dat uw persoonlijke waarde met die van de organisatie in overeenstemming is (dus zowel in de tweede als de derde kolom), zet u in de vierde kolom ('Score') een 1.

Tel alle 'eentjes' op en vermeld dit aantal onder aan de tabel ('Somscore').

Waarde	Ik	Mijn (toek.) organisatie	Score
1. Menselijkheid (respect voor anderen; mensen in hun waarde laten, hen helpen; vriendschap)	....	....	....
2. Trots, erkenning (op de eigen prestaties, op de eigen organisatie, op het eigen team)	....	....	....
3. Vrijheid (onafhankelijkheid)	....	....	....
4. Zekerheid, stabiliteit (in de baan, in het leven, op financieel gebied; veiligheid)	....	....	....
5. Teamwork (collegialiteit, samen willen werken, vriendschap)	....	....	....
6. Eerlijkheid, integriteit	....	....	....

Waarde	Ik	Mijn (toek.) organisatie	Score
7. Loyaliteit (van mij naar de organisatie en andersom, naar en van de collega's)	....	....	....
8. Eigen potentieel (zelfactualisatie; groei; ontwikkeling)	,..........	....	....
9. Plezier (in het werk)	....	....	....
10. Verantwoordelijkheid (voor eigen gedrag, voor inrichting eigen leven)	....	....	....
11. Beloning (beloond worden voor alle werkzaamheden/prestaties; hoog salaris, veel geld verdienen)	....	....	....
12. Hoge normen; moraliteit; ethiek	....	....	....
13. Uitdaging ('onmogelijke' taken volbrengen, pionieren, ontdekken)	....	....	....
14. Esthetiek (schoonheid van producten, zaken om mij heen of ermee werken)	....	....	....
15. Religiositeit (spiritualiteit)	....	....	....
16. Gelijkheid van mensen	....	....	....
17. Liefde; genegenheid; geluk	....	....	....
18. Gehoorzaamheid	....	....	....
19. Wijsheid (kennis ontwikkelen en toepassen)	....	....	....
20. Ambitie	....	....	....
21. Spanning; opwinding	....	....	....
22. Creativiteit (iets uit niets scheppen; 'oude' producten verbeteren; ideeën aanscherpen)	....	....	....
23. Status (erkenning; hoge positie wensen)	....	....	....
24. Prestaties (bijdragen leveren aan de organisatie; zaken verbeteren)	....	....	....
25. Affiliatie (ergens bij willen horen, mij aansluiten bij ...)	....	....	....
26. Concurrentie (tegen mijzelf en anderen strijden en winnen; de beste zijn)	....	....	....

Waarde	Ik	Mijn (toek.) organisatie	Score
27. Variatie (verandering)	....	....	....
28. Maatschappelijke relevantie (iets betekenen voor de maatschappij)	....	....	....
29. Leiderschap, management (mensen aansturen, soms 'bezitten')	....	....	....
30. Comfort(abel werken)	....	....	....

Somscore: .....

Hoe dichter uw eindscore bij 30 in de buurt komt, des te beter zijn uw waarden afgestemd op de werkgever (of andersom). Hoe lager de eindscore (dichter bij 0), des te kleiner de overeenstemming tussen beide partijen. Misschien dient u zich te bezinnen over een afscheid of moet u andere waarden kiezen...

Nota bene: Gaat het om een nog onbekende toekomstige werkgever? Dan volstaat het om alleen uw eigen waarden vast te stellen. U kunt dan gaan zoeken naar 'bazen' die een soortgelijk waardepatroon als uzelf bezitten.

Waar komt u vandaan?

De vraag naar wie u bent kan ook worden beantwoord door te kijken naar de afgelegde weg. De eerdere banen zeggen iets over uzelf. Want de meeste mensen hebben keuzes (hoe beperkt soms ook). U heeft bepaalde functies bekleed en andere die wel binnen de 'invloedssfeer' lagen, niet. Zal dat toeval zijn?

Oefening 8.3   Het spoor terug

De eerste baan (fulltime, na de opleiding):
- Wat was dit? ....
- Waarom juist deze baan gekozen? ....
- Terugblikkend: wat was het meest aantrekkelijke van deze baan?
  ....
- Welke ambities had u bij aanvang van deze baan? ....

- Wat is er met deze ambities gebeurd? ....
- Waarom deze baan verlaten? ....

De tweede baan (bij dezelfde of een andere werkgever):
- Wat was dit? ....
- Waarom juist deze baan gekozen? ....
- Terugblikkend: wat was het meest aantrekkelijke van deze baan? ....
- Welke ambities had u bij aanvang van deze baan? ....
- Wat is er met deze ambities gebeurd? ....
- Waarom deze baan verlaten? ....

De derde baan:
- Wat was dit? ....
- Waarom juist deze baan gekozen? ....
- Terugblikkend: wat was het meest aantrekkelijke van deze baan? ....
- Welke ambities had u bij aanvang van deze baan? ....
- Wat is er met deze ambities gebeurd? ....
- Waarom deze baan verlaten? ....

De vierde baan:
- Wat was dit? ....
- Waarom juist deze baan gekozen? ....
- Terugblikkend: wat was het meest aantrekkelijke van deze baan? ....
- Welke ambities had u bij aanvang van deze baan? ....
- Wat is er met deze ambities gebeurd? ....
- Waarom deze baan verlaten? ....

De vijfde baan:
- Wat was dit? ....
- Waarom juist deze baan gekozen? ....
- Terugblikkend: wat was het meest aantrekkelijke van deze baan? ....
- Welke ambities had u bij aanvang van deze baan? ....
- Wat is er met deze ambities gebeurd? ....
- Waarom deze baan verlaten? ....

De zesde baan:
- Wat was dit? ....
- Waarom juist deze baan gekozen? ....

- Terugblikkend: wat was het meest aantrekkelijke van deze baan?
  ....
- Welke ambities had u bij aanvang van deze baan? ....
- Wat is er met deze ambities gebeurd? ....
- Waarom deze baan verlaten? ....

De gevolgde loopbaan:
- Welke perioden hebben u het meeste plezier gegeven? ....
- Waaruit bestond dat plezier? ....
- Welke perioden hebben u het minste plezier gegeven? ....
- Waar werd dat door veroorzaakt? ....

Belangrijkste veranderingen:
- Wat zijn de belangrijkste veranderingen die u in uw werk heeft meege-
  maakt en waarom waren deze zo belangrijk? ....
- Wat betekenden deze veranderingen voor u? ....

Weigeringen:
- Heeft u wel eens een baan of promotie geweigerd? Waarom?
  ....

(On)plezierige perioden:
- Welke perioden in uw loopbaan hebben u met name veel plezier
  gedaan? (Wat dan?)
  ....
  ....
  ....
  ....
  ....

- Welke perioden in uw loopbaan hebben u juist geen plezier opgeleverd? (Wat dan?)
  ....
  ....
  ....
  ....
  ....

Rode draad:
- Als u nu terugkijkt op deze oefening, welke rode draad, grote lijn of welk thema ziet u dan verschijnen? (Probeer specifiek te zijn. Bijvoorbeeld 'omgaan met mensen' is erg breed.)

....

....

....

....

....

Om over na te denken: *'Talent is wie je bent'*, volgens Vedior Personeelsdiensten. Ofwel, we beschikken allemaal over talenten. Welke talenten heeft u? Nu is het nog de kunst de talenten om te zetten in prestaties!

Stijl en snel stijgen

Wilt u een snelle loopbaanstijger zijn? Bezit u de juiste instelling en kenmerken voor een carrière als een speer? Het weekblad *Intermediair* geeft aan hoe dat racebaantype eruitziet en wat zijn capaciteiten zijn. We nemen deze karakterschets over. De capaciteiten van de snelle stijger zouden zijn:

Hij heeft *zelfkennis*. Hij kiest een functie die bij hem past. Hij biedt zichzelf zo de beste kans om de eigen kwaliteiten te ontwikkelen. Bovendien zal hij niet door de mand vallen door te veel of te weinig uitdaging.

Hij is *contactueel vaardig*. Hij werkt goed in teamverband. Weet door eigen inbreng anderen beter te laten presteren.

Hij zit *niet vast aan patronen*. Hij kan gemakkelijk een werkmethode die van tevoren in teamverband is afgesproken, loslaten en overschakelen op een effectievere werkwijze.

Hij doet de *eigen pr*. Hij zorgt dat hij opvalt. Superieuren kennen de persoon en de prestaties.

Hij heeft *overtuigingskracht*. Gelijk hebben is wat anders dan gelijk krijgen. Hij is in staat anderen te overtuigen van zijn eigen voorstel.

Hij kan *omgaan met eigen fouten*. Een risico nemen en dan een fout maken is geen ramp. Zolang je het maar toegeeft aan jezelf en je collega's en ervan leert.

Hij is *mobiel*. Hij is altijd bereid te verhuizen voor een nieuwe functie.

Hij werkt *resultaatgericht*. De details van het werk zijn in orde en hij kan voldoende afstand nemen om de grote lijnen te overzien.

Hij zet woorden om in *daden*. Kennis is voor iedereen toegankelijk. Het gaat er echter om dat nieuwe kennis snel wordt toegepast en optimaal resultaat oplevert.

Hij werkt '*zelfstandig samen*'. Hij weet wanneer er zelfstandig en wanneer er samengewerkt moet worden.

Hij neemt *risico's*. Hij durft belangrijke presentaties te geven of aan opvallende projecten deel te nemen.

Hij is een *netwerker*. Hij zorgt op iedere functie voor de juiste connecties.

Hij is *ondernemend*. Hij draagt ideeën aan om de eigen prestaties en die van anderen te verbeteren. Hij is aan het begin van een project deelnemer en groeit uit tot projectleider. Dit is een vorm van promotie, ook al levert het niet meer geld op.

Herkent u uzelf hierin? Bent u zo'n resultaatgerichte, daadkrachtige, ondernemende, zelfstandige, samenwerkende netwerker die risico's durft te nemen? Uw bedje is gespreid... Daar lijkt het op...

Wat betekent dit alles voor ú?

1. Hoe beter u uw eigen persoonlijkheid kent, des te scherper uw keuzes voor banen en werkgevers.
2. Elk mens bezit diepe overtuigingen, waarden. Stem deze af op de organisatie waar u in dienst wilt treden. Of baseer hier uw vertrek op.
3. Snelle carrièrestijgers beschikken over een aantal kenmerken. Komen die met de uwe overeen?
4. Als u zelf uw ergste vijand bent, verander uzelf dan. *Iedereen* kan ander gedrag aanleren.

HOOFDSTUK 9

Aan de slag!

Harry Landman had een merkwaardige loopbaan achter de rug – en bevond zich nu in een dip. Als vijftienjarige koos hij voor het ruime sop. Nou ja, kiezen... Een akelige echtscheiding van zijn eerst welvarende ouders en een vader die alimentatie weigerde te betalen – en dat vol kon houden wegens werken in een ver buitenland – bezorgde het gezin een leven op bijstandsniveau. Zijn hertrouwende moeder deed Harry besluiten zeeman te worden – alles om het huis te ontvluchten. Na drie maanden kwam hij erachter een zeeman (zeejongen?) van niets te zijn. Hij had door dat enige opleiding nodig was en schreef zich in op de Zeevaartschool. Hij werd officier op de koopvaardij en toen hij een walbaan zocht ('Blijf jij op zee, dan vertrek ik', zei zijn jonge vrouw) blufte hij zich in een goede baan bij een multinational. En daarna volgde er nog een, en nog een, en nog een, totdat hij 'aangekomen' was als divisiedirecteur van een oer-Hollands bedrijf. Dat er een Franse eigenaar kwam vond hij niet leuk, maar daar viel mee te leven, maar met zijn nieuwe baas niet. En zeg nu zelf, 'We moeten eens praten...' klinkt heel wat vriendelijker dan 'Je bent ontslagen!'

Landman kreeg de beelden van zijn jeugd voor zich: een armoedig bestaan. Moest hij zijn villa in het groen opgeven? Zou de bijstand hem weer terugzuigen, hem zijn plaats wijzen? Harry werd somber, verloor zijn motivatie en straalde onzekerheid uit. Hij was niet meer tot actie aan te zetten. Juist toen het zo hard nodig was, want hij moest nu eigenlijk voor het eerst nadenken over hoe hij zijn loopbaan verder zou inrichten. Denken, maar vooral doen. Hij zou het serieuzer aanpakken dan zijn vriend Eric-Jan, die medicijnen studeerde via het apothekerskastje in zijn badkamer.

In dit hoofdstuk is het uitgangspunt dat u een volgende loopbaanstap wilt, en geen loopbaanstop, en dus loopbaanmanagement gaat bedrijven. U heeft uzelf inmiddels beter leren kennen, in grotere of kleinere lijnen, en vastgesteld wat u wilt en kunt. Waar wilt u aan de slag, in welke sector(en)? Misschien dat u hiervoor uw cv moet (laten) repareren. We helpen u het kompas in te stellen op de gewenste koers en deze route aan te houden. We wijzen erop dat (blijven) leren van groot belang is voor een succesvolle loopbaan en in menig loopbaanplan een prominente rol speelt. Het schrijven hiervan is geen kwestie van achterover leunen en lichtjes filosoferen, vooral onder het genot van een goed glas wijn. We gaan de roest eraf halen en de vaart erin brengen. Blijf hierbij wel zo nuchter als een priester op zondagochtend. Hoogdravende plannen mogen gerust worden gesmeed, zolang ze maar uitgevoerd kunnen worden. Misschien kunt u na 'gebruik' van dit hoofdstuk een korte samenvatting van uzelf geven: ik wil ...., want ik ben .... en ik kan ....

In het land van King Marketing

De makelaar belt: 'Ik heb een villa in de aanbieding, op een fantastische locatie – en uitzonderlijk gunstig geprijsd!'
De relatiebemiddelaar belt: 'Ik heb uw ideale aanstaande echtgenoot(ote) gevonden!'
De executive searcher belt: 'Ik heb geen baan voor u, maar een droomloopbaan!'

In de echte wereld zijn sprookjes verbannen naar de naakte nieuwbouw. Je moet zelf actie ondernemen en telkens het realiteitsgehalte toetsen. Je wordt zelden (in ieder geval: te weinig) gebeld...

Het is nu tijd om marketing te bedrijven voor de belangrijkste persoon op aarde. Het loopbaanplan dat u aanstonds gaat schrijven, is een soort marketingplan. Daarin komen sterke en zwakke punten aan de orde, maar ook hoe en wanneer u uzelf gaat 'verkopen'.

In de marketing spreekt men over de marketing-mix-factoren: de vier 'p's'. De eerste 'p' is die van het *product*: dat bent u dus. U biedt uzelf aan op de – eigenlijk: een specifieke – arbeidsmarkt. We gaan ervan uit dat dit product *'marketable'* is. Dat wil zeggen dat uw vaardigheden en kwaliteiten gewild zijn, aftrek zullen vinden.

Elk product kent zijn *prijs*. Het is mogelijk dat menig werkgever smult van het aangeboden product. Maar kan hij de prijs betalen? Een klacht van oudere werknemers is dat zij vaak moeilijk 'aan de bak' komen vanwege hun leeftijd. Dit kan worden vertaald met te duur zijn ten opzichte van jongere concurrenten. Aan de andere kant bieden sommigen hun waren te goedkoop aan. De werkgever twijfelt dan aan hun capaciteiten. Kortom, u moet zicht hebben op het juiste prijskaartje dat u aan het product in de etalage hangt.

De derde 'p' is die van *promotie*, reclame. U zult duidelijk moeten maken dat u 'in de markt' bent voor een (nieuwe) functie. Vele wegen leiden naar Rome: internetvacaturebanken, de eigen advertentie, het netwerk, executive searchers, et cetera. Alleen de absolute top kan het zich permitteren thuis rustig 'het telefoontje' af te wachten. Gewone stervelingen moeten hun waren aanprijzen. Toch triest.

U heeft in het voorgaande misschien ook al bepaald wie uw doelgroep is. Dat is (heel breed): inkopende (kleinere) werkgevers, hoofden P&O/PZ of welke categorie ook. Het product moet hier afgezet worden. (Dat is de vierde 'p', van *plaats van verkoop*.)

 Organisaties zoeken nogal eens schapen met vijf poten. (Weet men niet dat schapen oerdomme dieren zijn?) Presenteer u niet als zodanig; het is zo onwaarschijnlijk...

> **TIP:** Lees eens een 'goeroeboek'. U weet wel, vlotte lectuur waarin de auteur de hele (zaken)wereld in tachtig bladzijden uiteenvouwt. Inclusief verleden en toekomst. Goeroes worden niet zo geboren, maar gemaakt (door de media), maar misschien kunt u enkele krenten uit de pap pikken. Dan leert u de denkwereld van beslissers beter kennen. Tenslotte is van lezen nog nooit iemand dommer geworden.

> **Om over na te denken:** Misschien zit de briljante oplossing voor uw probleem wel bij al die ideeën die ooit door uw hoofd zijn geschoten, nooit het papier hebben gehaald en nu helaas niet meer kunnen worden achterhaald...

Leren, leren, leren...

Het zal eerder opgevallen zijn dat we een groot belang hechten aan leren. Het *vermogen en de bereidheid* te leren zijn van fundamenteel belang, om de eenvoudige reden dat de wereld om ons heen in razend tempo verandert en wij mee *moeten* veranderen. Wat u allemaal op de middelbare school, op de universiteit, in cursussen heeft geleerd, veroudert snel. Beroepen en functies verdwijnen en worden opgevolgd door nieuwe. U wilt niet uit de boot vallen.

Meer en meer multinationals beseffen dat ook en beschikken tegenwoordig over hun eigen universiteit of academie, een vrij nieuwe trend. McDonald's heeft de '*Hamburger University*', Arthur Andersen (accountantskantoor) heeft voor dit doel een Amerikaans *college* opgekocht, Disney heeft zijn instituut op het terrein van Disneyworld in Florida.

Hoe leert u of wilt u leren? Derycke onderscheidt vier leerstijlen (gebaseerd op de theorie van Kolb):

- De *practicus* leert al doende. Hij oefent en doet ervaring op. Een intuïtieve benadering, gebaseerd op het gevoel. Deze 'leerders' leren graag samen met anderen, vaak door het uitvoeren van een gemeenschappelijke taak of opdracht.
- De *onderzoeker* probeert vooral te begrijpen. Hij zoekt naar 'waarheid' door te lezen, te observeren, te verkennen. Experimenteren met nieuwe ideeën spreekt hem aan.
- De *theoreticus* is de rationele denker. Hij wil de wereld (of zijn baan) hanteerbaar maken door te werken met modellen en concepten. De logica achter een theorie wordt vaak belangrijker gevonden dan de praktische waarde ervan. Het bijwonen van colleges en lezingen en het lezen over modellen zijn de favoriete vormen van informatieverwerving. Voor mensen die een wetenschappelijke loopbaan nastreven, is dit een goede leerstijl.
- De *ondernemer* neemt risico's om zijn doelen te bereiken. Hij test zaken uit en beïnvloedt mensen. Dit type houdt ervan om situaties vanuit verschillende invalshoeken te bestuderen. Brainstormen en groepswerk zijn favoriete leervormen, waarbij een open geest centraal staat.

Heeft u enig idee wat uw leerstijl is? (Een combinatie van deze stijlen is ook mogelijk.)

> **TIP:** Om werknemers te behouden bieden organisaties vaak bedrijfsspecifieke trainingen aan. Werknemers daarentegen wensen meer algemene trainingen, die *overdraagbare* vaardigheden opleveren, waardoor het gemakkelijker is de arbeidsmarkt op te gaan. Kies (nu en dan) voor algemene opleidingen om niet te afhankelijk van de werkgever te worden.

Stel je voor, je zou nog wat (bij)leren...

Continue educatie is van levensbelang om te overleven op je werk en in de arbeidsmarkt. Volg dan ook elke door de werkgever aangeboden opleiding – ook als deze, of een deel ervan, in de 'eigen tijd' valt. En wat als uw organisatie geen interne trainingen en cursussen aanbiedt, noch externe? Ga eens met uw baas praten, Personeelszaken of wie dan ook die op dit gebied iets voor u zou kunnen betekenen. U toont hiermee in ieder geval aan dat u:

- gemotiveerd bent;
- toekomstgericht bent;
- niet op uw lauweren wenst te rusten;
- ambitieus bent;
- leergierig bent.

Toch geen slechte trits van eigenschappen?

Het begrip opleiding mag u wat ons betreft nogal ruim zien:

- Lees een studieboek, lectuur die uw horizon kan verbreden, uw creativiteit kan aanwakkeren, uw gedachten stimuleren, orde in chaos aan kan brengen – of andersom – dat is soms ook nodig!
- Volg een Teleac/NOT-cursus (gewoon via de thuisbuis, lekker lui liggen luisteren en kijken; of koop het begeleidende boek en/of de bijbehorende videobanden).
- Selecteer een passende post-hbo/postacademische opleiding of een professionele vervolgopleiding.
- Denk eens aan een MBA-opleiding (*Master of Business Administration*). Ze zijn er tegenwoordig in allerlei geuren en kleuren en worden hogelijk gewaardeerd door werkgevers – ongeacht uw oorspronkelijke vakgebied.
- Schrijf u in voor een module van de Open Universiteit.
- Volg een cursus aan een van de vele schriftelijke opleidingsinstituten of via internet.
- Neem deel aan een praktische managementtraining (zodat u kunt oefenen op collega's die ook fouten maken).
- Huur eens een educatieve video, koop eens een 'interessante' geluidscassette (voor in de auto).
- Bezoek een lezing (en blijf hierbij wakker...).
- Schrijf regelmatig voor een vakblad of het eigen personeelsorgaan. (Schrijven dwingt tot nadenken over het onderwerp.)

Ontwikkelingsdoelstellingen

Er staat u *nooit* iets in de weg om uzelf verder te ontwikkelen...

1.   Kies één of twee (meer mag ook) gebieden waarop u zich de komende jaren wenst te bekwamen.

2. Geef per gebied aan welke feitelijke problemen 'op de werkvloer' u wilt oppakken – en waarom juist deze. Voer dit uit per gebied.

3. Schrijf op *hoe* u elk probleem denkt te gaan oplossen – en waarom juist op deze manier. Welke alternatieven zijn er en waarom heeft u deze verworpen?

4. Wat is uw doelstelling per gebied? Wat wilt u precies bereiken? Stel van tevoren vast welke toetspunten of criteria er zijn. Anders gezegd, welke harde bewijzen wilt u binnenhalen om uw succes te kunnen staven? Zie het niet als een 'politioneel verhoor', maar probeer wel met overtuigende stukken op de proppen te komen.

5. Geef per probleem aan welke persoonlijke competenties en kennis u gaat gebruiken om het probleem op te lossen. Na afsluiting geeft u aan wat u allemaal heeft geleerd, wat voor nieuwe kennis u heeft verworven, et cetera.

Een voorbeeld:

1. *Gebied*: human resources.

2. *Feitelijk probleem*: een verlegen medewerker die zich achter bureauwerk verschuilt, dwingen tot klantencontact, telefonisch en persoonlijk.

3. *Probleemoplossing*: via wekelijkse coaching gedurende enkele maanden, eventueel gevolgd door externe training op het gebied van 'persoonlijke effectiviteit' of 'assertiviteit'. Een alternatief zou kunnen zijn training in eigen huis, maar daarvan wordt de geloofwaardigheid door de kandidaat minder hoog ingeschat.

4. *Doel*: medewerker met plezier telefoongesprekken met klanten laten voeren (zijn evaluatie) en assertief (beoordeling door twee collega's en directe baas).

5. *Toetspunten*: onder andere mening van (bekende) klanten vragen na het coachingsproces (en de training).

6. *Persoonlijke competenties en kennis*: gedragsbeïnvloeding door coaching, waarmee ervaring wordt opgedaan. Nieuwe kennis. Deze persoon beter leren kennen. Wat zou de reden zijn voor zijn terughoudendheid? (U doet 'mensenkennis' op.)

Oefening 9.1 Het opleidingscontract met jezelf

Welke opleidingen (cursussen, seminars, et cetera) wilt of moet u de komende jaren gaan volgen om '*jobfit*' te worden of te blijven?

Opleidingsplanner:

Jaar	Kwartaal	Te volgen opleiding	Reden
....	....	....	....
....	....	....	....
....	....	....	....
....	....	....	....

Leerbereidheid

Bent u bereid bij te leren? Presenteer aan het minipubliek van uzelf uw denkbeelden hierover:

- Hoeveel tijd van de baas wilt u erin steken (op maandbasis)?
- Hoeveel van uw eigen tijd? (Wees realistisch! Houd ook rekening met reistijd en -geld.)
- En hoeveel eigen geld?

Biedt de baas geen opleiding aan, is er geen werkgever of bent u blut? Wees creatief! Probeer het geld, of een gedeelte daarvan, te lenen van de werkgever. Mocht de baas zijn beurs niet willen opentrekken, steel het dan uit de eigen buidel. Wees gul, het gaat om uw toekomst!

Of sluit een lening af bij een bank of misschien zijn er elders sponsoren te vinden – in of buiten de familiekring. Sommige cursusinstituten hebben gemakkelijke betalingsvoorwaarden of helpen bij het afsluiten van een lening. De fiscus is deze keer royaal: studiekosten zijn aftrekbaar. Een investering in de eigen toekomst is de beste die gemaakt kan worden.

Geen tijd? Lunch- en file-leren

Druk, druk, druk. Altijd bezig met het afhandelen van de dingen van de dag. Dat betekent interen op je kenniskapitaal. U moet tijd vrijmaken om te leren, ondanks tegengas op het werk of thuis. Geen tijd is geen excuus. Er zijn *altijd* vrije ogenblikken te vinden. Bijvoorbeeld door in de lunchpauze de afzondering te zoeken. Files lenen zich bijzonder goed om te luisteren naar geluidsdragers, zoals een taaltraining. We kennen drukbezette baasjes die hun *walkman* meenemen naar hun fitnesslokaal. Tijdens de oefeningen genieten ze onderwijs via de koptelefoon. Het 'afstandleren' via internet wordt steeds populairder.

Conferenties, congressen en seminars in binnen- en buitenland kunnen belangrijke kennis- en kennissenverstevigers zijn. Bezoek deze als het belangrijk is voor de voortgang van de loopbaan – ook als de baas naar lucht hapt wanneer hem om een bescheiden bijdrage wordt gevraagd.

Een leer/vakantiecombo is niet alleen interessant (soms aardiger dan ingevet op het strand bakken) maar levert ook fikse fiscale voordelen op. En waarom zou je je niet tijdens zo'n vakantie mogen inspannen?

 In hoeverre wilt of kunt u uw kennis – een kostbaar bezit – beschermen? Of verkoopt u deze meestal toch te gemakkelijk en te snel?

Examen doen

Het is gemakkelijk om jezelf ervan te overtuigen dat het volgen van een cursus maar één doel dient: kennis vergaren. Waarom zou dit dan moeten worden getoetst? Wie moet je wat bewijzen? Ook als er een mate van vrijblijvendheid in een opleiding zit: leg de test af. Je gaat dan beslist meer gericht leren en de informatie beklijft beter.

De waarde van diploma's

Klagen over de waarde van diploma's is niet uitsluitend van deze tijd. Elke opleiding van de volgende generatie is slechter dan van de voorgaande. Dat is althans een veelgehoorde klacht. Waar of niet. Als de helft van het land uit doctorandussen bestaat, kunnen twee vragen worden gesteld:

• Is het land als geheel beter af, omdat er meer knappe koppen zijn?
• Is het doctoraal diploma geïnfleerd? Heeft het zijn waarde verloren?

De afgelopen jaren stomen de *'masters'* op. Meer en meer opleidingen leiden op tot zo'n (nog niet wettelijk erkende) titel, waarvan het bekendste voorbeeld de MBA is (*Master of Business Administration*). Er zijn twee zaken die u goed voor ogen moet houden:

• Is uw diploma nog wel voldoende waard?
• Als u denkt aan een vervolgopleiding, kies dan een die door de buitenwacht erkend en gewaardeerd wordt.

Hoe vaak van baan veranderen?

Wat is wijsheid? Is het verstandig erg lang (zeg vijftien jaar) bij een baas te blijven om de nestgeur te behouden? Of is de werkgever dan een 'fluwelen doodskist' geworden? Ze voelt goed aan, maar je komt er niet meer uit... Of is het daarentegen gunstig bijna elk jaar te verkassen? Beide uitersten hebben hun voordelen. Laten we ze eens tegenover elkaar zetten:

Voordelen kort verblijf	Voordelen lang verblijf
Snel stijgen	Geleidelijke doorgroei naar de top mogelijk
Snel een hoger inkomen verwerven	Langdurige sociale relaties
Uiteenlopende werksituaties leren kennen	Verdieping/specialisatie verwerven
	Wordt in opleiding geïnvesteerd
	Gemakkelijker loopbaan-management

Maar er zijn ook nadelen aan verbonden...

Nadelen kort verblijf	Nadelen lang verblijf
Blijk van ontrouw	Tot 'meubilair' verworden
Geringere promotiekansen	Salarisstijgingen beperkt of nominaal
Geloofwaardigheidskloof	Minder uitdaging, teruglopende motivatie
Geld is kennelijk belangrijker dan werk op zich	Vertrek wordt moeilijker
Vaak ontslagen/onvrijwillig vertrek?	
Geen loopbaanplan	

Als het eerste jaar in een nieuwe baan verkenning of leren inhoudt, het tweede jaar zaaien en het derde oogsten, lijkt een minimum van drie jaar noodzakelijk. Misschien is drie tot vijf jaar een ideale baanduur, voor werkgever en werknemer. Maar op de arbeidsmarkt gelden weinig algemeenheden...

Jobhoppers zijn mensen die vaak van baan veranderen. Criterium: eens per jaar. In de ogen van personeelsmanagers zijn dat geen ideale werknemers, omdat zij niet weten waar zij heen willen met hun loopbaan en zich (kennelijk) alleen maar laten motiveren door geld. Het werk op zich en de organisatie interesseren hen minder. Hierdoor zijn werkgevers geneigd wat terughoudend op te treden wanneer het gaat om opleidingen voor deze categorie te financieren. Ze zijn immers weer vertrokken bij het plezante gerinkel van zwaardere dukaten.

In tijden van economische voorspoed zullen jobhoppers niet al te veel problemen ondervinden, maar als het tij keert, zal hun geloofwaardigheid kunnen duiken. Op termijn levert jobhopping geen winst op, niet voor de werknemer, noch voor de werkgever.

Als u snel een 'zozo' baan kunt krijgen, terwijl de droombaan niet binnen handbereik ligt, waar moet u dan voor kiezen? Probeer de lange termijn voor ogen te houden. Want zoals gezegd, vele korte-termijnbanen staan niet gunstig op uw cv. Ze zullen een zee van vragen oproepen bij de volgende sollicitatiegesprekken en u heeft dan heel wat uit te leggen... En u zult merken: deze ketting van tussenbanen blijft u uw hele arbeidzame leven achtervolgen.

> **TIP:** Blijf scherp. Probeer zo veel mogelijk (relevante) opleiding te ontvangen. Alleen op die manier blijft u 'verleidelijk' voor de eigen organisatie en ander werkgevers.

Futuring

We springen in dit boek van heden naar verleden en dan weer naar de toekomst. Het houdt u scherp.

Als we de vraag stellen 'Waar denkt u over vijftien jaar te zijn?, verschijnt er misschien een peilloze leegte in uw ogen. 'En over tien jaar?' Lastig. Het kan zijn dat u niet eens vermoedt waar u overmorgen zult zijn... Als u wilt nadenken over het komende decennium, probeer dan aan te geven op welke positie, op welke stoel u zult zijn aangeland. Focus op dat beeld en knip! We gaan dan 'terugtellen'. Om op die plaats te komen moet u een aantal tussenstations bezoeken. Welke? En welke opleidingen, cursussen en trainingen moet u volgen om al deze doelen te bereiken? Probeer deze eens in kaart te brengen.

U kunt het nog anders doen: terugblikken. Het is het jaar 2025: wat heeft u de afgelopen x jaar allemaal bereikt? En op welke prestaties bent u trots? *Futuring* klinkt beter dan koffiedikkijkerologie en leidt tot concrete actie. Dit is een snellere, maar oppervlakkige, manier dan het opstellen van het uitgebreide loopbaanplan, dat zo meteen aan de orde komt.

Om je doel te bereiken heb je een plan nodig: een loopbaanplan

Heeft u een specifiek carrièredoel? Een plan om dat doel te bereiken? Zo niet, dan kunt u ten prooi vallen aan besluiteloosheid, onzekerheid, frustratie en verwarring. Er zit een groot verschil tussen het concentreren op een doel en ernaar staren. Veel mensen wensen zich een andere functie in een andere organisatie, maar ondernemen geen actie. Je moet plannen *hoe* het doel te bereiken en wanneer. De volgende oefeningen zullen daarbij helpen.

Als u de noodzaak inziet van loopbaanplanning, doet u er goed aan de volgende praktische wenken op te volgen:

*   Leg het loopbaanplan schriftelijk vast. Opschrijven vergt andere mentale inspanningen dan het plan 'in je hoofd hebben'. Het wordt plotseling serieus...
*   Zoek naar bereikbare doelen en mogelijkheden. Waarom jezelf nodeloos frustreren? Dat betekent niet de lat laag leggen, maar wél kiezen voor uiteindelijke bevrediging en plezier. Het doel beschrijft de eindbestemming.
*   Controleer de stand van zaken elk jaar en stuur bij, indien nodig. (Niet alleen op onvrijwillige ogenblikken, zoals bij de fusie van de werkgever.)
*   Ontwikkel plannen voor de komende vijf jaar – dat is een lange periode! Een loopbaanplan schrijven doe je niet voor de korte termijn. Wat moet de kroon op uw werk worden? Waar komt de top van uw carrière te liggen?
*   Om uw doelen te bereiken zult u actie moeten ondernemen. Niets gebeurt nu eenmaal vanzelf, behalve wanneer je aan de voet van de vulkaan leeft. Ontwikkel dan ook *actieplannen*. Dat zijn kortetermijnactiviteiten (zes tot twaalf maanden; leuk voor een 'bijspijkercursus') om lange-termijnstrategieën te kunnen implementeren. Een te beschrijven actie geeft aan *hoe* u uw doel denkt te bereiken.

- Stel een tijdlimiet vast waarbinnen u uw doel gerealiseerd denkt te hebben. Heb doorzettingsvermogen, zodat het doel niet uit het oog wordt verloren.
- Goede doelen zijn specifiek. Een voorbeeld is: een MBA-graad behalen aan de Harvard Business School in het Amerikaanse Boston.
- Een doel moet ook uitdagend en aantrekkelijk zijn – en blijven, want anders verliest u de motivatie al snel.
- Een ander criterium is de meetbaarheid, het peilpunt. De MBA-graad is een duidelijk diploma.
- Laat uw doel ook een grote mate van realisme bezitten. De kans dat u als 55-jarige, met alleen een diploma middelbare school op zak, nog een carrière als hersenchirurg zult beginnen, is uitermate klein. Hoe zeer u ook gelooft in uw eigen capaciteiten.
- Aanpassingsvermogen is noodzakelijk. Het leven laat zich namelijk moeilijk voorspellen en veel ontwikkelingen 'gebeuren', zonder dat je daar invloed op kunt uitoefenen. Wees dan ook bereid de route te veranderen.
- Hoe langer de weg, des te groter de kans op teleurstellingen en angst dat het eindstation niet zal worden gehaald. Als de motivatie groot genoeg is, zal elke tegenslag worden overwonnen.
- Vertrouw op de eigen inzichten en kennis, want niemand behartigt uw belangen zo goed als uzelf!

We kunnen een onderscheid maken tussen lange- en korte-termijndoelstellingen. Lange-termijndoelstellingen kunnen zijn (enkele voorbeelden):

- doctoraal diploma bestuurskunde behalen, de MBA-graad verwerven;
- financiële reserves ter waarde van 100.000 euro kweken;
- een eigen bedrijf starten;
- voorzitter worden van een prestigieuze beroepsvereniging;
- freelancer worden;
- van bedrijfsjurist naar pr-deskundige 'switchen';
- terugverhuizen naar de geboortestreek;
- vrijwillige vervroegde uittreding.

Bij korte-termijndoelstellingen kan worden gedacht aan:

- het opzetten van een bepaald netwerk;
- een kortlopende cursus volgen (intern, dan wel extern);
- aan een post-hbo of postacademisch programma deelnemen;
- afdelingsvergaderingen gaan leiden;
- verkiesbaarstelling voor het OR-lidmaatschap;
- lid worden van een werkgroep, commissie, professionele organisatie;

- een mentor of coach zoeken;
- inschrijven voor de studie bedrijfseconomie aan de Open Universiteit.

Het maken van een loopbaanplan kost dagen. Denk er niet te lichtzinnig over!

> **TIP:** Zet uw doelen en acties uit op een *tijdbalk* om een beter overzicht te verkrijgen. U kunt hiermee ook afgelegde trajecten doorstrepen en eventuele nieuwe acties toevoegen. Gebruik hiervoor bij voorkeur een computerprogramma.

Oefening 9.2 Doelen, belemmeringen en acties op schrift zetten

Visualiseer het *(eind)resultaat* en geef een gedetailleerde weergave van wat u wilt bereiken. Wees hierbij specifiek, schets een helder beeld en gebruik zo veel mogelijk actiewoorden. 'Ik zal aangesteld worden als ...' of 'Ik zal afstuderen als ...'

Mijn (eind)carrièredoel(en) is/zijn:

....
....
....
....
....

Ik wil mijn doel(en) bereikt hebben voor uiterlijk (datum/jaartal):

....

Herschrijf dit doel nu in *meetbare* en *verifieerbare* termen, om te zijner tijd te toetsen of het doel is bereikt. Gaat het om meer verantwoordelijkheid, meer werknemers aan wie leiding wordt gegeven, meer salaris, meer status? Een titel? Het maakt een groot verschil of u opschrijft 'een uitdagende baan' of 'een leidinggevende functie (niveau: afdelingshoofd) in een professionele organisatie in de medische sector met een 10% hoger salaris'.

Mijn doel(en) in meetbare en verifieerbare termen is/zijn:

....
....
....
....
....

Doelen moet iets bevatten wat u in staat stelt persoonlijk te groeien, stimulerend zijn, dus uitdagen. Bijvoorbeeld: 'Ik zal het een uitdaging vinden voor de eerste keer leiding te geven aan een aantal mensen.' 'Ik zal leren hoe ik een team moet bouwen en motiveren.'

Door mijn nieuwe carrièrestap zal ik gestimuleerd en uitgedaagd worden door:

....

....

....

....

Wees realistisch. Iedereen heeft zijn beperkingen. Ga voor uzelf na of het doel in termen van achtergrond, opleiding, ervaring, interesses en familiesteun haalbaar is. Een goede test hiervoor is te spreken met deskundigen of goede kennissen. Als u uitsluitend vertrouwt op het eigen oordeel, is de kans groot dat u de mogelijkheden onder- of overschat. Is het plan flexibel genoeg en aanpasbaar aan veranderende omstandigheden? En is het in overeenstemming met andere plannen en andersoortige doelstellingen? Voer een '*reality check*' uit:

Ik zal aan deze drie deskundigen of kennissen vragen of dit een realistisch doel is:

1. ...., omdat ....
2. ...., omdat ....
3. ...., omdat ....

Om een doel te bereiken moet vaak een prijs worden betaald. Veel mensen willen dat simpelweg niet. Ze hebben excuses, stellen uit of hebben zulke vage plannen dat er niets van terechtkomt. Hoeveel tijd, energie en geld wilt u erin steken? Als u liever sport of tv kijkt in plaats van leert of 'lobbyt', bent u misschien niet helemaal eerlijk tegen uzelf.

Schrijf eerst de eigenschappen op die u zullen helpen de gewenste doelen te bereiken. U heeft hier eerder over nagedacht.

Sterke punten die mij helpen mijn doel te bereiken:

1. ....

....

2. ....

....

3. ....
   ....
4. ....
   ....
5. ....
   ....

Ieder mens heeft naast sterke eigenschappen ook zwakkere. Waarop wilt
u de nadruk leggen: versterking van de sterke punten of juist van de
zwakke? Schrijf nu de punten op die u zullen *belemmeren* in uw loopbaan, zoals persoonlijke zwakheden, familieomstandigheden, missende
werkervaring en andere factoren. Verbind een cijfer aan de mate waarin
deze punten het behalen van het doel kunnen bemoeilijken (1 = weinig
invloed, 2 = enige invloed, 3 = veel invloed).

1. .... (Cijfer: ....)
2. .... (Cijfer: ....)
3. .... (Cijfer: ....)
4. .... (Cijfer: ....)
5. .... (Cijfer: ....)

Zet deze barrières nu om in *positieve actieplannen*. Welke acties moet u
ondernemen om deze bezwaren te vernietigen of op te heffen?

1. ....
2. ....
3. ....
4. ....
5. ....

De volgende stap is deze plannen om te zetten in middellange-termijndoelen. (U moet zelf bepalen wat 'middellang' is: ergens tussen kort en
lang in.) Deze moeten wederom specifiek, meetbaar, aantrekkelijk, haalbaar en tijdgebonden zijn. Bijvoorbeeld: 'Gedurende de volgende twee
jaar zal ik een aantal bedrijfskundige en leidinggevende cursussen volgen
via mijn werkgever om mij te kwalificeren voor de functie van unit-
manager. Ik zal cijfers hoger dan een zeven halen.'

Middellange-termijndoelen:

1. ....
2. ....
3. ....

4. ....

5. ....

Sommige mensen hebben sterk de behoefte om middellange-termijndoelen te verdelen in dagelijkse en korte-termijnactiviteiten en -bezigheden. Het is voor hen essentieel om het gevoel te hebben continu doelen behaald te hebben. Bijvoorbeeld: het middellange-termijndoel 'technische procedures leren kennen' wordt als korte-termijnactiepunt gehanteerd: 'Op maandag 7 juni zal ik mijn chef vragen of ik met een collega mag meelopen, zodat ik ervaring kan opdoen met technische procedures en als reserve kan dienen in het geval hij ziek wordt of op vakantie is.' Korte-termijnacties zullen het zelfvertrouwen en enthousiasme vergroten, want er worden successen ervaren. Stap voor stap zullen de barrières worden afgebroken en u dichter bij de doelen brengen.

Schrijf eventueel de *korte-termijnacties* op die nodig zijn voor het bereiken van de middellange-termijndoelen (en noteer ze in de agenda):

1. ....
2. ....
3. ....
4. ....
5. ....
6. ....
7. ....
8. ....
9. ....
10. ....
11. ....
12. ....
13. ....
14. ....
15. ....
16. ....
17. ....
18. ....
19. ....
20. ....

Een stap terug: vraag uzelf af: waarom? Luister zorgvuldig naar het eigen antwoord, want dat moet inspirerend en overtuigend zijn en passen bij de persoonlijke opvattingen van de directe familie. Als u daar geen rekening mee houdt zult u mogelijk uw doelen saboteren. Strookt bijvoorbeeld de ambitie om seniorconsultant (met bijbehorend tijdsbeslag) te worden niet met de wens om veel tijd aan de opvoeding van de kinderen te besteden, dan is de uitvoering van het plan gedoemd te mislukken.

Waarom wil ik dit plan uitvoeren?

....

Ondersteunt mijn directe familie dit doel?

....

Dan nog een cruciale opleidingsvraag. Moet er een gat worden gedicht?

....

Welke belangrijke belemmeringen kan ik verwachten op korte termijn?

....

Hoe kan ik deze wegnemen?

....

Welke belangrijke belemmeringen kan ik verwachten op lange termijn?

....

Hoe kan ik deze wegnemen?

....

Met dit recept heeft u een helder beeld van wat u wilt en moet doen om de gewenste doelen te bereiken. 'Geluk' dwing je af. Er zijn voldoende passende banen, je moet alleen weten welke dit zijn...

TIP: Als u er zelf niet meer uitkomt, is het raadzaam een loopbaan-adviseur in te schakelen. Dat geldt ook voor een 'onderhoudsbeurt' aan uw eigen loopbaan: een carrièrecheck, waarbij eens per jaar als een soort *tax-planning* of periodieke medische keuring gezamenlijk wordt nagegaan of u nog op koers ligt en zo niet, hoe dit dan te bereiken. (In voorkomende gevallen kan een outplacementadviseur u eveneens helpen.)

Dubbele competenties

Het strekt tot voordeel om twee vakken gestudeerd te hebben of een hoofdvak en een aantal cursussen op een ander terrein. De bezitters van *multivaardigheden* zijn meestal veelgevraagd, afhankelijk van de combinatie. Maar voordat u zich stort in het avontuur van een nieuwe studie, moet u bedenken dat een dubbele competentie ook geen of een ongewenst effect kan sorteren.

Iemand met een technische achtergrond wil zijn carrière opstoten. Gek geworden door de vele luchtige en kleurige brochures van *'business schools'* slacht hij zijn spaarvarkentje en stopt de opbrengst in een meerjarige opleiding. Het idee is dat het behalen van de (wettelijk nog niet erkende) MBA-titel het gemakkelijker maakt goudgerande jobs te bemachtigen. De praktijk kan anders uitpakken. Smachten bedrijven nog steeds naar 'MBA'ers'? Bestaat er nog een tekort aan? En is de diplomahouder een goed technicus met nóg een getuigschrift (mooi meegenomen)? Of is hij een commercieel persoon die iets van techniek weet? Pas op dat je niet tussen de wal en het schip valt en door twee diploma's juist een zwakkere positie gaat innemen. Let op je geloofwaardigheid!

Pas afgestudeerden opgelet!
Is het lastig meteen een passende en veelbelovende baan te vinden? Denk dan eens aan tijdelijke alternatieven.

- Zoek een werkervaringsplaats. Het betaalt niet veel, maar levert, juist ja, werkervaring op. Dat is misschien precies wat je nodig hebt om een aanstaande werkgever te overtuigen van je kunnen en om zelf de baan te vormen, aan te kleden en op te tuigen. (Sommige van deze plaatsen worden met baangarantie aangeboden.)
- Denk eens aan een *traineeship* of stageplaats. Het initiatief moet van jou uitgaan.
- Ga akkoord met een tijdelijke baan, bijvoorbeeld voor drie of zes maanden of een jaar. Maar vermijd twee dingen:
  – dat de werkgever het tijdelijke, kortlopende contract steeds weer verlengt. Dat levert schijnzekerheid op;
  – dat je telkens van de ene korte baan in de volgende rolt.

De portfolio- of combinatieloopbaan

De meeste mensen kiezen voor een loopbaan die bestaat uit een aantal enkelvoudige functies, waarin veelal een stijgende lijn zit. Maar het kan ook anders. Soms zijn twee parttime banen noodzakelijk om voldoende inkomen binnen te halen, soms gebeurt dit vrijwillig, vanwege kundigheden of interesses. Een groot voordeel van een combinatieloopbaan is dat het de bezitter een gevoel van vrijheid en zelfstandigheid geeft. Verliest hij een deel van zijn bestaan, dan valt het lijden mee. De combinatie maakt weerbaar voor turbulente tijden. En natuurlijk kan het werken in een andere omgeving ook een goede leerervaring en stimulering zijn, plezier opleveren, zorgen voor nieuwe contacten en kruisbestuiving.

Enkele voorbeelden. De parttime marketing researcher die ook aan de universiteit doceert, de deeltijd-hoofdredacteur van een vaktijdschrift die daarnaast eigenaar van een winkel is, de journalist die ook buitenlandse cultuurtoeristen gidst. Elke combinatie is denkbaar, zolang ze elkaar verdragen. Maar dat klinkt negatief. Veel positiever: sommige beroepen in portfolio's kunnen elkaar juist versterken. De professioneel musicerende tandarts kan onder collega-musici patiënten werven. (Of die het prettig vinden dat een mee-'*jammende*' muzikant hen diep in de mond kijkt, is een andere zaak.) De semi-profvoetballer ontvangt graag voetballiefhebbers in zijn restaurant. De romanschrijver krijgt een keur aan karakters op een presenteerblad aangeboden via zijn tweede baan: vertegenwoordiger. De deeltijd-accountant haalt nieuwe medewerkers binnen voor zijn kantoor via zijn docentschap aan een hogeschool.

Als voor de portfolio wordt gekozen op grond van baanangst, schrijf dan een '*worst case scenario*'. Wat te doen in het geval (op het slechtst denkbare ogenblik!) er een breuk komt in de relatie met de werkgever? Of wanneer u te weinig kunt of wilt vertrouwen op die ene werkgever?

Een nog betere financiële bescherming biedt het verdelen van de werkweek over *drie* min of meer gelijkwaardige activiteiten. Zo kennen we een architect die een derde van zijn werktijd besteedt in dienst van een ontwerpbureau, voor een derde schrijft voor enkele vaktijdschriften, terwijl zijn derde job bestaat uit doceren. Zijn idee was uit nood geboren. Nu wil hij niet anders!

 Meerdere banen tegelijkertijd bezetten is loopbaanjongleren. Het zal niet altijd eenvoudig zijn alle ballen in de lucht te houden.

De bewijzenportefeuille

Fotografen doen het, reclamemakers doen het, architecten doen het, journalisten doen het – dus waarom u niet? Leg een portefeuille aan waarin u de schriftelijke bewijzen opslaat van de vele ontplooide initiatieven, creatieve probleemoplossingen en vindingen. Handig voor de latere sollicitatiegesprekken. (Elke kantoorboekhandel levert u voor onder de f 20,– zo'n plastic 'showmap'. De leren uitvoering is duurder. Misschien een sinterklaascadeau voor snelle carrièremakers.) Wat plaatst u zoal in de bewijsmap? Enkele voorbeelden. Het initiëren en organiseren van een studiereis naar Hongarije was uw werk. De bedankbrief van de faculteitsvereniging over deze educatieve trip is uw bewijs. Hup, in de portefeuille! Een kritische blik tijdens de vakantie leverde uw werkgever een aantrekkelijke besparing op. Een bericht hierover, met uw foto, in het bedrijfstijdschrift spreekt boekdelen voor u. Gepubliceerde artikelen van uw hand in krant of (vak)tijdschrift laten bij uitstek zien dat u deze uit de mouw steekt – niemand dwingt u toch te schrijven? En per definitie bent u dan creatief! Als u een geannonceerd spreker op een congres of studiebijeenkomst bent, moet u daar ook gemakkelijk een bewijs van kunnen leveren. Ten slotte kunt u, speciaal voor dit doel, een 'dagboekverslag' schrijven, waarmee u het verloop van projecten bijhoudt. Maak te zijner tijd de selecteur erop attent welke bladzijden en alinea's de meest waardevolle informatie (dat wil zeggen uw bewijsvoering) bevatten. Wat ook niet in de map mag ontbreken: uw cv. Dan heeft u die in ieder geval altijd op een vaste plaats en tijdens gesprekken binnen handbereik. Het aardige van de portefeuille is dat u alle prestaties van de afgelopen jaren de revue kunt laten passeren en rustig kunt overdenken wat u in uw werk allemaal boeide.

Maar u hoeft niet te wachten totdat het sollicitatieseizoen aanbreekt. In het langdurige 'voortraject' zit veel werk. Start dan ook zo vroeg mogelijk met het aanleggen van uw portefeuille. En vul deze ook heel planmatig en bewust. Stel dat u van mening bent dat u kunt 'scoren' met een artikel in een van de meest prestigieuze vaktijdschriften. Misschien heeft u een paar maanden nodig om over een publicabel onderwerp na te denken. Dan zet u uzelf ertoe te schrijven. (Eén maand? Twee?) De redactie van het blad stuurt uw artikel terug om er correcties in aan te brengen. Twee maanden later gaat uw bijdrage ter perse. Door ruim voor aanvang van uw sollicitatiecampagne na te denken over de opbouw van uw portefeuille wordt u de tijd de baas in plaats van zijn slaaf.

Om over na te denken: Nieuwe banen worden doorlopend gecreëerd, 'oude' arbeidsplaatsen verdwijnen. Voorgoed. Maar hoeveel werk ook kan worden geautomatiseerd, er zal altijd behoefte blijven aan denkers, visionairs, vernieuwers, gedachtenprovocateurs en actieve en bijzondere doeners. Elke organisatie zal altijd geïnteresseerd zijn in die personen die over net-dat-beetje-meer creativiteit beschikken en het voortouw willen nemen en karren kunnen trekken. Bent u dat? Bewijs dat eens...

Wat kan de werkgever voor u betekenen?

Uw werkgever kan behulpzaam zijn op verschillende gebieden waar het de loopbaan betreft. (Vraag ernaar!) Een greep:

- vacatures in de onderneming bekendmaken (waarbij de huidige medewerkers een voorrangsrecht hebben boven externe kandidaten);
- loopbaanbegeleiding van PZ (of een gespecialiseerde afdeling) aanbieden;
- training en opleiding tussen de eigen muren verzorgen;
- het laten volgen van een externe opleiding;
- congresbezoek stimuleren;
- 'on the job training' offreren;
- 'job rotation' aanmoedigen;
- beoordelings- en functioneringsgesprekken laten houden;
- coaching en mentoring stimuleren.

Maak gebruik van deze mogelijkheden. Slechter wordt u er zeker niet van.

Een loopbaanwinkel binnenlopen

In hoofdstuk 3 is het mobiliteitscentrum aan de orde gekomen. De plek die u verder helpt met uw carrière – of u dat wenst of niet... Een aantal grote bedrijven heeft dit wat abstracte centrum vervangen door een frisse en vrolijke loopbaanwinkel. Komt u hier terecht, benut dan de geboden kansen. Laat u ondersteunen en stimuleren.

Men kan u nogal wat bieden:
- Een lijst met interne vacatures ter hand stellen.
- Een overzicht verschaffen van de arbeidsmarkt. (Waar is grote vraag naar 'vers bloed'? Waar liggen kansen voor iemand als u?) Overigens, aan fraaie totaaloverzichten heeft u niet zoveel. Het gaat tenslotte maar om één baan.

215

- U helpen zoeken naar passende banen, al dan niet via intermediairs. En misschien een bemiddelende rol spelen bij een potentiële werkgever. (Vooral handig wanneer de huidige werkgever tijdelijk zal suppleren.)
- Zoekhulp en advies voor 'aanloopbanen': werkervaringsplaatsen opsporen, het vinden van leerplaatsen/stages, tijdelijke banen binnen of buiten de eigen organisatie. (Een assertieve loopbaanwinkel zal misschien hieraan baangaranties koppelen.)
- Algemene begeleiding, ondersteuning en coaching (wat zijn de verschillen?).
- Praktische sollicitatiehulp: het schrijven van sollicitatiebrieven en een cv, voorbereiding op te voeren sollicitatiegesprekken.
- Opleidingsmogelijkheden aanbieden, selecteren en aanbevelen.

Bedenk hierbij dat:

1. de hiervoor beschreven uitgebreide service niet in elke loopbaanwinkel wordt geboden;
2. niet al deze diensten voor iedereen nodig zijn;
3. u zelf de armen uit de mouwen moet steken.

> **TIP:** U hoeft niet jaloers te zijn op werknemers die op hun werk een loopbaanwinkel kunnen binnenwandelen. De ondersteuning en coaching kunt u ook 'los' bij gespecialiseerde loopbaanbureaus, -adviseurs- en -winkels als Mobilo (in verschillende steden) inkopen.

Aanpassen

Heeft u al enig idee in welke mate u zich zult aanpassen aan de organisatie waar u mogelijk in dienst treedt? Sommige mensen doen dat met huid en haar, het zijn de kameleons van de samenleving. Anderen willen 'zichzelf' blijven en vertonen weinig neiging hun gedrag te veranderen overeenkomstig de eisen en normen van de werkgever.

Als 'het bedrijf' golft, gaat u dan ook golfen – alhoewel u misschien een hekel heeft aan deze sport? Tennist het bedrijf – u ook? Stemt men op de Praktische Politieke Partij – u ook? Hoever wilt u gaan? Wat wilt u van uw eigen identiteit bewaren? (Wat is dat: 'identiteit'?) U zult zelf de grenzen moeten bepalen. Hoe meer u zich aanpast, hoe groter soms de teleurstelling: 'Op mijn eerste werkdag heette de personeelsmanager mij 'welkom in onze grote familie.' Ik paste mij helemaal aan. Na acht maanden werd ik 'weggereorganiseerd'. Dat kan toch niet in een familie gebeuren?'

TIP: Ontvangt u beoordelingsrapporten op het werk? Verzamel ze. Leg ze op chronologische volgorde. Ontstaat er een bepaald beeld? Positief? Negatief?

Om over na te denken: We leven in het informatietijdperk. Zorg er dan ook voor dat u altijd over de meest recente (en juiste) informatie beschikt. 'Ververs' uw kennis regelmatig.

TIP: Het is gemakkelijk om brieven naar headhunters uit te sturen en om een loopbaanadvies te vragen. De tijd- en geldinvestering is beperkt. Uw hoge verwachtingen over de bemiddelaars zullen niet uitkomen. Ze werken voor wervende werkgevers – niet voor u. Uw brief maakt grote kans het grofvuil te verfraaien.

Pas afgestudeerden opgelet!
Er bestaan management-trainee-programma's (zoals bij de Grote Banken) waarin de vooropleiding van minder groot belang wordt geacht. Het gaat niet om kennis (want dat kan toch via interne cursussen worden bijgespijkerd), maar om andere kwaliteiten, zoals managementpotentieel (Denk je leiding te kunnen geven? Waar baseer je dat dan op?). Ben je gemotiveerd om voor een bank te werken? Dat is gemakkelijker gezegd dan gedaan. Hoe kun je de ander hiervan overtuigen?

Zoek een mentor of een coach!

Een mentor is een meer seniorpersoon in de organisatie (of daarbuiten) die een jongere 'op sleeptouw' neemt in de beroepswereld. Sommige organisaties wijzen aan elke nieuwe medewerker zo'n 'kruiwagen' toe om hem of haar snel in te wijden in het bedrijf en al zijn regels en geheimen. Elders is er meer sprake van een toevalligheid, wanneer het tussen beide partijen klikt en de senior de junior vrijblijvend onder zijn hoede neemt.

Wat kan een mentor voor u betekenen op loopbaangebied?

- Hij kan luisteren naar bezorgde vragen en problemen op werkgebied – en heeft misschien ook oplossingen in petto.
- Hij beschikt over een intern en/of extern netwerk, zodat het gemakkelijk is elders luisterende oren te vinden. (Zijn netwerk is uw netwerk.)

217

Misschien kunt u hierdoor borrels en partijtjes bezoeken die anders gesloten zouden blijven.

- Hij is een klankbord voor plannen; hij zal meedenken en zijn onbevooroordeelde mening geven.
- Hij kan als rolmodel fungeren; u hoeft alleen nog maar af te kijken...
- Misschien heeft hij zicht op de trainingen en cursussen die u het best kunt volgen.
- Hij heeft geloofwaardigheid in de organisatie (en misschien binnen het beroepsveld). Zijn aanbevelingen kunnen goud waard zijn.

Het advies is dan ook: zoek een mentor! Hij kan u zowel behoeden voor vallen als de loopbaan (bij)sturen.

Een coach is iemand die als uw klankbord kan fungeren bij uw loopbaanvragen en onzekere ogenblikken en situaties op het werk. Deze meestal externe adviseur luistert en presenteert vanuit zijn of haar neutraliteit en visie mogelijke oplossingen.

It's party time!

Als u toch regelmatig met vrienden spreekt, en daar zijn tenslotte vrienden voor, kaart dan eens het idee aan van een *job- of loopbaanclub*. Als allen met loopbaanvragen zitten, is er een goed forum van vertrouwde gezichten van te maken. Spreek over uw en hun loopbaan. Wissel ideeën uit. Ondersteun elkaar. Wees kritisch tegenover elkaar.

Een alternatieve methode is de *carrièreparty*. Nodig hiervoor maximaal acht (uiteenlopende) vrienden, relaties en kennissen uit om te spreken/discussiëren over uw werk en loopbaan. (Pleeg géén censuur!) Hoe zien zij u? Wat is hun advies (ze kennen u) over de inrichting van uw loopbaan?

Wie moeten een uitnodiging ontvangen voor uw feestje? Enkele suggesties:

- een collega die in vertrouwen kan worden genomen;
- een personeelsmanager;
- een ex-collega;
- een specialist in uw vakgebied;
- een algemeen adviseur (mentor, coach), iemands wiens wijsheid u hoog in het vaandel heeft;
- iemand die het altijd met u *oneens* is en u uitdaagt.

Als u zo'n bijeenkomst wilt opzetten, verhoogt u de effectiviteit door een agenda vast te stellen en deze tijdig uit te sturen. Wilt u steun voor een idee of frisse ideeën opdoen? Informatie over opleidingen of meningen polsen over een gerucht in de branche?

De arbeidsmarkt

Vroeg of laat zult u (weer) de arbeidsmarkt op moeten of willen. In vroeger eeuwen was er nog sprake van een echte marktplaats, waarbij op het centrale marktplein de werkzoekenden afwachtten welke bazen hen een baan-voor-de-dag zouden aanbieden. Deze tastbare markt komt nog steeds hier en daar voor. Maar vraag en aanbod ontmoeten elkaar nu onder andere via krantenadvertenties, headhunters en internet.

De arbeidsmarkt is heel dynamisch. Zij wordt beïnvloed door allerlei economische, technologische, demografische en andere factoren. Er ontstaan nieuwe banen en er verdwijnen functies, er is instroom van schoolverlaters en uitstroom van gepensioneerden. Werkenden verhuizen van de ene naar de andere baan. In het spel van werkgevers en werknemers spelen allerlei bemiddelaars, zoals wervings- en selectiebureaus, een rol.

'So what?', denkt u misschien. Ik heb toch maar één baan nodig? Dat klopt. Maar voor de deur van die ene baan staan zich misschien veel concurrenten te verdringen. Dat wijst er dan op dat vraag en aanbod niet in evenwicht zijn. Het is natuurlijk ook mogelijk dat vele werkgevers hemel en aarde bewegen om aan medewerkers te komen. De omgekeerde onevenwichtigheid.

Het voorspellen van de arbeidsmarkt is een hachelijke zaak. Niet alleen voor u, ook voor overheid en grote werkgevers. Een van de factoren die hierbij spelen is de varkenscyclus, het economische principe dat zijn naam dankt aan actieve varkensboeren. (Zie hoofdstuk 3.)

Branches

De keuze is groot: er zijn veel branches waarin gewerkt kan worden. De verschillen (buiten het feitelijke werk) zijn soms groot. Denk bijvoorbeeld aan de gezondheidszorg tegenover de radio- en tv-wereld. Of een bouwonderneming tegenover een restaurant.

Waarschijnlijk weet u (ongeveer) in welke branche u wilt gaan werken. Maar heeft u al eens de moeite genomen om alle mogelijkheden te vergelijken? Dit is dan het moment. Probeer de 'interessante' branches te volgen. Zijn er spectaculaire ontwikkelingen of moddert men maar door? Sla de vakbladen er op na, spreek met mensen die al op het desbetreffende gebied werkzaam zijn en bezoek congressen.

Een praktische indeling van de 'arbeidsdeling' geven Meijers & Wijers (1997). Het is gebaseerd op het principe dat in elke samenleving mensen het noodzakelijke werk *moeten* verdelen. Het gaat hierbij niet om het niveau van het werk (eenvoudige klussen uitvoeren of strategisch management), maar om het vervullen van primaire levensbehoeften. Het gaat om deze veertien gebieden, met telkens een aantal voorbeeldberoepen:

* *Voeding*. (Werken in de landbouw, voedselindustrie, genotsmiddelenindustrie. Beroepen kunnen uiteenlopen van landbouwconsulent tot kok en diëtist.)
* *Gebouwen*. (Bouw en onderhoud van huizen, fabrieken, kantoren, woninginrichting. Beroepen: architect, luchtbehandelingsmonteur, timmerman, aannemer.)
* *Kleding*. (Confectie, haute couture, schoenindustrie, sieraden, juwelen. Beroepen: modeontwerper, schoenmaker, juwelier.)
* *Gezondheid en zorg*. (Werken in ziekenhuizen. De geneesmiddelenindustrie, maar ook in schoonheidssalons. Enkele beroepen in deze sector zijn: psychiater, apotheker, huisarts, kapper.)
* *Natuurlijke omgeving*. (Het gaat om het onderhoud en bescherming van het milieu, kweken en verzorgen van tuin- en kamerplanten, het professioneel omgaan met huisdieren. Passende beroepen: milieudeskundige, dierenarts, bloembollenkweker, hovenier, eigenaar dierenwinkel.)
* *Energie en grondstoffen*. (Winning, productie en verwerking van grondstoffen en/of energie. Verschillende beroepsbeoefenaars kunnen hier terecht. We noemen: grondstoffentechnoloog, oliedriller, raffinageoperator, offshore technicus.)
* *Gebruiksvoorwerpen en apparaten*. (Productie en onderhoud van voorwerpen, gereedschappen, machines. Beroepen die hier thuishoren: klokkenmaker, instrumentmaker, kantoormachinemonteur, werktuigbouwkundige.)
* *Infrastructuur en transport*. (Allerlei werkzaamheden inzake het vervoer van mensen en goederen. Te denken valt aan beroepen als weg- en waterbouwkundige, automonteur, bootsman, piloot, buschauffeur, wegenwacht.)
* *Informatie en communicatie*. (Het brede en zich nog steeds uitbreidend terrein van bibliotheken en vertaalwerk, voorlichting, public relations, radio en televisie, internet, post, telecommunicatie, de grafische sector. Beroepen zijn onder andere: computerprogrammeur, documentalist, bureauredacteur, uitgever, postbode.)
* *Opvoeding en onderwijs*. (Werken voor universiteiten en hogescholen en andere scholen, schooladviesdiensten, afstandsonderwijs, jongeren-

werk, opvoedkundige bureaus. Beroepsmogelijkheden: docent, jongerenwerker, decaan.)

- *Staat en veiligheid*. (Werkzaamheden verrichten op het gebied van openbaar beleid en bestuur, defensie, justitie, verzekeringswezen, belastingdienst. Een keur van beroepen: griffier, stuurman, beveiligingsbeambte, beleidsmedewerker, belastingconsulent.)
- *Kunst, cultuur en wetenschap*. (Het maken en beheren van allerlei vormen als literatuur, muziek, dans, beeldende kunst, wetenschappelijk onderzoek, organisatie culturele elementen. Te denken valt aan beroepen als beeldend kunstenaar, conservator, galeriehouder, wetenschappelijk medewerker.)
- *Arbeid en economie*. (Hierin passen het werken voor arbeids- en uitzendbureaus, het bankwezen, de effectenhandel. Voorbeelden van beroepen: arbeidsconsulent, beleggingsadviseur, financieel manager, effectenhandelaar of -makelaar.)
- *Recreatie*. (Het arbeidsterrein van de beroepsmatige 'ontspanners'. Hier komen beroepen voor als reisleider, sporter en trainer, artiest, croupier, manegehouder.)

Spreekt u een voorkeur uit voor één of meer van deze gebieden?

Functieaspecten

Elke baan kent haar kenmerkende kanten. De vraag is dan ook: past u bij zo'n kenmerk? Het schema van Spijkerman geeft een aardige opsomming, die we hier in grote lijnen volgen:

Aspect	Taakuitoefening
Exact	Werkproblemen oplossen door logische-methodische beredenering
Kwantitatief	Werkzaamheden die bestaan uit rekenen en meten
Technisch	Ontwerpen, vervaardigen, verbeteren en instandhouden van doelmatig gevormde materiële objecten, mechanismen en installaties
Organisatorisch	Het doelmatig ordenen van eigen of andermans werk met de daarbijbehorende middelen
Verbaal	Mondeling of schriftelijk weergeven van gedachten en gevoelens in woorden en het begrijpen van door anderen gebezigde bewoordingen
Kunstzinnig	Werkzaamheden die bestaan uit expressieve of esthetische vormgeving

Aspect	Taakuitoefening
Contactueel	Werk rond de omgang met mensen
Helpend	Werk geconcentreerd op medische, sociale en psychologisch-pedagogische zorg voor de medemens
Overtuigend	Bevorderen of bemiddelen bij zakelijke transacties of het winnen van anderen voor het ideële doel
Persoonlijk voorkomen	Werkzaamheden waarbij eisen worden gesteld aan het uiterlijk, kleding, verzorging, stem en uitspraak
Handvaardigheid	Werk rond de beheersing van de bewegingen van armen, handen en vingers
Coördinatie-vermogen	Het op elkaar afstemmen van gelijktijdige of na elkaar volgende bewegingen van twee of meer lede-maten onder controle van een of meer zintuigen
Materiaalgevoel	Het aanvoelen van de toepassings- en behandelings-mogelijkheden bij het werken met materialen, machines en gereedschap
Vormgevend	De materiële realisering van objecten, waarbij de vorm niet geheel is vastgesteld door het gebruikte gereedschap
Ruimtelijk voorstellings-vermogen	Zich een voorstelling kunnen maken van ruimtelijk-heden waarbij het schatten van afmetingen en maat-verhoudingen een rol speelt
Geconcentreerde aandacht	De gedachten op een object gericht houden
Open aandacht	In een grote arbeidsruimte openstaan voor gebeurte-nissen die direct voor het werk van belang zijn. Er is hierbij niet van tevoren aan te geven wanneer zij plaatsvinden en of er meer gelijktijdig kunnen optreden
Geheugen	Er worden eisen gesteld aan het onthouden van feitelijkheden
Ordelijkheid	Het systematisch en overzichtelijk opbergen van gereedschap en materialen voor de doelmatigheid en ter voorkoming van ongelukken
Nauwkeurigheid	Resultaten op het werk mogen minimaal afwijken van hetgeen is voorgeschreven
Zorgvuldigheid	Zorg voor levende wezens, instandhouding van machines, gereedschap en materialen en de afwerking van producten

Aspect	Taakuitoefening
Zelfstandigheid	Onder eigen verantwoordelijkheid beslissingen moeten nemen
Omschakelings-vermogen	In de functie lopen taken door elkaar, waardoor telkens van de ene naar de andere moet worden overgeschakeld

Het zal duidelijk zijn dat dit schema niet compleet kan zijn, maar ook dat de meeste functies twee of meer van deze aspecten kunnen beslaan. Zo zal bijvoorbeeld de eigenaar van een meubelwinkel zelfstandig moeten kunnen werken, maar ook oog moeten hebben voor kunstzinnige zaken en daarnaast overtuigend moeten zijn.

Werksoorten

De eerdergenoemde Meijers & Wijers (1997) geven daarnaast een indeling van 'werksoorten in arbeidsorganisaties', die we hier vanwege de bruikbaarheid eveneens noemen:

- *Onderzoek en ontwikkeling.* (Onderzoek verrichten, nieuwe producten en diensten bedenken of hierover adviseren. Enkele beroepen: diëtist, researchmedewerker, productontwikkelaar, laborant, industrieel ontwerper.)
- *Productie.* (Het uitvoerende werk op productiegebied, met daarbij als beroepen: drukker, metselaar, chirurg, ziekenverzorgende.)
- *Controle.* (Nalopen of de voorschriften worden gehandhaafd en kwaliteitsdoelen worden gehaald. Dit type werkzaamheden wordt onder meer verricht door: autokeurmeesters, belastinginspecteurs, kwaliteitscontroleurs, schoolinspecteurs.)
- *Logistiek.* (Ervoor zorgen dat de benodigde goederen op de juiste tijd op de juiste plaats aanwezig zijn. Magazijnmedewerkers, logistiek managers en routeplanners zijn beroepsbeoefenaars die binnen dit gebied worden gevonden.)
- *Inkoop, verkoop, public relations en marketing.* (Een gemeenschappelijk kenmerk is het onderhouden van contacten met de buitenwereld. Enkele beroepen in dit veld: persvoorlichter, medewerker klantenservice, inkoper, verkoopfunctionaris, makelaar.)
- *Personeel en organisatie.* (Het mogelijk maken dat medewerkers hun werk optimaal kunnen verrichten. Dit zijn de beroepsbeoefenaars die zich hiermee bezighouden: personeelsfunctionaris, redacteur personeelsblad, trainer, opleider, bedrijfsmaatschappelijk werker, werver/ *'recruiter'*.)

- *Administratie*. (Het registreren en verwerken van gegevens. Dit wordt verricht door onder meer: boekhouders, administrateurs, archiefmedewerkers, EDP-auditors.)
- *Leiding*. (Het besturen of leiden van een organisatie of een deel daarvan. Beroepen hebben namen als afdelingschef, kapitein, directeur, manager, lid raad van bestuur.)
- *Zelfstandig ondernemerschap*. (Dit is een combinatie van de eerdergenoemde werksoorten. Te denken valt aan winkeliers, zelfstandig gevestigde artsen, advocaten.)

Beide indelingen kunnen los van elkaar worden gebruikt. Maar het geheel kan ook als een matrix worden gezien. Dat betekent dat u dus een of meer van de veertien werkgebieden naast de werksoorten legt en regel voor regel toetst welke mogelijkheden dat voor u oplevert.

Oefening 9.3   Favoriete branches

In welke drie branches denkt u zich 'senang' te voelen?

- Branche 1: ....
- Branche 2: ....
- Branche 3: ....

Om enige inspiratie op te doen kunt u ook bijlage 1 erop naslaan.

En waar zit volgens u toekomstmuziek in? Waarom denkt u dat?

- Branche 1: ...., want ....
- Branche 2: ...., want ....

Oefening 9.4   Bedrijfsgrootte

Hoe groot moet de organisatie zijn waarin u zich het prettigst zult voelen? Een slagvaardig team van vijf? Een eenheid van vijftig? Een divisie van duizend? De voorkeuren van mensen lopen uiteen.

Geef hier eens voor uzelf aan wat de ideale grootte is. Zet achter het kruisje ook waarom u aan zo'n omvang de voorkeur geeft.

Bedrijfsomvang (aantal med.)	Mijn keuze	Reden van keuze
Zeer klein (<5)	❏	....
Klein (6-50)	❏	....
Middelgroot (51-100)	❏	....
Groot (101-1000)	❏	....
Zeer groot (1000-10.000)	❏	....
Mammoet (>10.000)	❏	....

Nota bene: Het gaat om de totale organisatie. Werkt u bijvoorbeeld bij een kleine afdeling (vijf medewerkers) van een multinational met een personeelsbestand van 100.000, dan zet u een kruisje bij 'Mammoet'.

⚠ Hoe snel 'mag' uw favoriete organisatie groeien en veranderen? Nauwelijks, een beetje of juist erg veel? Houdt u van turbulentie? Als u nogal eens dezelfde soort kritiek krijgt te horen op uw functioneren, vraag u dan af of het misschien iets te maken heeft met de grootte van de organisatie waar u in dienst bent.

Om over na te denken: Bij indiensttreding van een grote organisatie wordt uw wagon gekoppeld aan de lange en rijdende trein. Vindt u het belangrijk dat uw bijdrage aan de organisatie aantoonbaar moet zijn? Of bent u er tevreden mee een druppel in een regenbui of een korrel op het strand te zijn?

Oefening 9.5   Typering organisatie

Organisaties, van de kleinste tot de grootste, ademen hun eigen sfeer. Het is wel de kunst dat in te ademen wat u prettig doet voelen. Hier ziet u in een aantal steekwoorden kenmerkende eigenschappen van organisaties. Zet weer kruisjes bij de voor u plezierige eigenschappen. (Zie ook hoofdstuk 6.)

Vind ik:	Positief	Neutraal	Negatief
Formele werksfeer (gekenmerkt door procedures en regels)	❏	❏	❏
Democratische leiding	❏	❏	❏
Familiebedrijf	❏	❏	❏

Vind ik:	Positief	Neutraal	Negatief
Traditionele normen en waarden	❏	❏	❏
Gericht op geld verdienen	❏	❏	❏
Informele (vrijetijds)kleding toegestaan	❏	❏	❏
Innovatief bedrijf	❏	❏	❏
Informatie altijd en voor iedereen beschikbaar	❏	❏	❏
Steunt op één persoon (vaak: de oprichter)	❏	❏	❏
Hoe harder je werkt, hoe hoger de beloning	❏	❏	❏
Erkenning van je werk	❏	❏	❏
Kwaliteit is belangrijk	❏	❏	❏
Buiten de organisatie bestaat ook nog intelligent leven...	❏	❏	❏
Stabiliteit	❏	❏	❏
Gemakkelijk toegang tot directie (het 'machtscentrum')	❏	❏	❏
Vaste werktijden	❏	❏	❏
Goede contacten met andere afdelingen	❏	❏	❏
Flexibiliteit van op te nemen vakantiedagen	❏	❏	❏
Beursgenoteerd	❏	❏	❏
Gemakkelijke interne mobiliteit	❏	❏	❏
Image van het bedrijf	❏	❏	❏
Ouderdom van het bedrijf	❏	❏	❏
Nadruk op productie	❏	❏	❏

Pas afgestudeerden opgelet!
Zit er voldoende zoektijd tussen een afstudeerdatum en het gewenste begin van een nieuwe baan? Heb je al bedacht hoe de eerste baan iemands leven drastisch verandert?

Snel carrière maken?

Snel op de carrièreladder stijgen is voor sommigen belangrijk. Anderen menen dat het einddoel ook via telkens korte stappen is te bereiken. Het weekblad *Intermediair* heeft globaal onderzocht hoe je een snelle stijger kunt worden. Het is in vijf punten op te sommen:

- Deelneming aan een management-development-programma (als uw organisatie die heeft) is onontbeerlijk.
- Volg alle noodzakelijke cursussen. (Een MBA-opleiding is *altijd* nuttig.)
- Het gaat niet om de titels, maar om de poen. Periodieke salarisverhogingen leiden tot een hogere functie.
- Van afdeling of functie verwisselen kan leiden tot een nieuwe, hogere functie.
- Dubbele competenties zijn belangrijk. Het eigen vakgebied beheersen en daarnaast (bijvoorbeeld) marketing of financiën.

TIP: Als u een carrièrestijger wilt worden of blijven, moet u wel een opleidingsplan in de steigers zetten. Begin daar tijdig mee.

Wat betekent dit alles voor ú?

1. U zult voortdurend moeten bijleren. Dat kan via formele opleidingen, trainingen, maar u kunt zich ook in algemene zin verder ontwikkelen. Wees leerbereid!
2. Maak een zorgvuldige afweging bij de 'verblijfsduur' in een baan. Jobhopping is in het algemeen uiteindelijk voor geen van beide partijen gunstig.
3. Schrijf een loopbaanplan, dat bestaat uit lange- en middellange- (en soms korte-) termijndoelstellingen. Vermeld hierin ook welke belemmeringen er zijn te verwachten, hoe deze zijn weg te nemen en acties die moeten worden ondernomen.
4. Het bezit van een portfolio- of combinatieloopbaan kan uiteenlopende voordelen opleveren.
5. De arbeidsmarkt is in een groot aantal branches onder te verdelen. Om u verder op weg te helpen zijn functieaspecten en werksoorten genoemd. Heeft u wel eens stilgestaan bij 'andere' sectoren, aspecten en soorten werkzaamheden?

HOOFDSTUK 10

Netwerken en persoonlijke pr bedrijven

Theo Dogiscu wilde graag in het buitenland werken, bij voorkeur in Engeland of de Verenigde Staten en wel voor een universiteit. Onderwijs en onderzoek waren zijn 'kerncompetenties' en daarin was hij gepokt en gemazeld. Helaas stond zijn naam niet bovenaan in de boekjes van head-hunters. Hij besefte dat maar al te goed, want de telefoon rinkelde niet. Hij reageerde op papieren advertenties en de vacatures op internet. Maar tot zijn grote teleurstelling moest hij constateren dat bruikbare reacties uitbleven.

Een van zijn vrienden adviseerde dan ook een compleet andere benade-ring: netwerken. Theo zou zijn kansen vergroten door de belangrijke Engelse en Amerikaanse congressen te bezoeken en daar 'nieuwe vrien-den' op te doen. Het kostte hem uiteindelijk drie jaar voordat hij zijn droombaan in de U.S.A. had gevonden. Het succes weet hij geheel aan het opgebouwde netwerk.

Nog geen 1% van de werkzoekenden krijgt een belletje van een head-hunter of wordt 'gevraagd' voor een baan. (Een uitzonderlijke enkeling krijgt een transfersom bij het ondertekenen van het contract.) Dus 99% zal het zelf moeten doen: zoeken naar een passende baan.

Ging de Neanderthaler nog op mammoetjacht, wij gaan op visitekaart-jacht. Dat is minder slopend voor het bestaan en levert contacten op – en misschien een toekomstig contract. Onze moderne beschaving is op dit ritueel gestoeld. Sprak men vroeger van 'vitamine-R', het inschakelen van 'kruiwagens', 'relaties' of het principe 'de vrienden van mijn vrienden zijn mijn vrienden', tegenwoordig moeten we netwerken – en natuurlijk ook nog steeds nét werken - om onze loopbaan te behouden en vaart te geven. Het netwerk biedt talrijke mogelijkheden voor carrièremanagement.

Dit hoofdstuk kent twee belangrijke onderdelen, zoals de titel al aangeeft. U wordt geleerd hoe een netwerk op te zetten en te onderhouden en hoe uzelf in de kijker te spelen (binnen de eigen organisatie, in de branche, et cetera). We hadden dit hoofdstuk ook de titel *'Haal méér uit uw (nieuwe) kennissen'* kunnen geven. Want het gaat om het maken van kennissen met voorlopig één doel voor ogen: een (volgende) baan. We behandelen hier uiteenlopende onderwerpen. U zult de vele voordelen leren kennen van een netwerk. We wijzen onder meer op de verschillende mogelijkheden van het opzetten ervan en leren u de kunst (of kunstjes) uzelf te introduceren. We gaan in op het voeren van effectieve 'netwerkgesprekken'. U treft ook een telefoonscenario aan. Het probleem van een netwerk is dat het betrekkelijk snel veroudert. U zult uw eigen 'onderhoudsploeg' moeten vormen om het netwerkbestand up-to-date te houden.

De vele voordelen van netwerken

Deskundigen schatten dat 60% van de vacatures in Nederland *niet* openbaar wordt gemaakt. Deze *verborgen banenmarkt* is ook niet semi-openbaar: '*Voor één onzer relaties in de randstad zoeken wij..*'. Deze vacatures worden onder andere via speurwerk van executive searchers vervuld. Ook het eigen personeel en vrienden en kennissen vormen vaak een goede bron voor de werving van nieuwe medewerkers. Dus het netwerk.

Een netwerk kan vaag en diffuus zijn, zoals al je vrienden en kennissen, maar ook formeel: een beroepsvereniging of een genootschap.

Naast het opsporen van passende en aantrekkelijke banen bewijst het netwerk ook andere diensten:

- Het zorgt ervoor dat u goed op de hoogte blijft van alle nieuwe ontwikkelingen in uw vakgebied. Zie het als een vorm van loopbaanonderhoud.
- Misschien zijn de besten in uw gebied lid van het netwerk. Dat betekent dus de mogelijkheid hen te ontmoeten en van hun ervaring en kennis(sen) te profiteren. Het netwerk opent deuren die anders waarschijnlijk gesloten zouden blijven.
- U kunt aankloppen bij uw netwerk voor allerlei praktische (werk)problemen en er technische knowhow verkrijgen.
- Het kan uitwijzen of de eigen kennis en vaardigheden nog op het juiste niveau zijn of misschien aanvullende training en opleiding behoeven.
- Het eigen cv laten toetsen tegen wat in een onbekende branche gangbaar of wenselijk is.
- Geïntroduceerd worden waar anders toegang moeilijk zal zijn.
- Het kan dienen als een vraagbaak voor opleidingen, tips over seminars, et cetera.
- U kunt 'gevraagd' worden voor het lidmaatschap van bepaalde verenigingen.
- Misschien kunt u voorinformatie van bepaalde publicaties verkrijgen, legale tips over de effectenbeurs, et cetera. (Illegale zijn natuurlijk veel interessanter...)

Netwerkmijders

Verlegen mensen hebben een broertje dood aan netwerken. Ze willen anderen niet 'lastigvallen', geen gunsten vragen, bij voorkeur niet opvallen, oncomfortabele posities vermijden. Deze mensen vergeten erg gemakkelijk dat zij zelf ook een bijdrage aan een netwerk leveren en dat het dus om tweerichtingsverkeer gaat.

Het is heel belangrijk om met de juiste houding uw netwerk te 'exploiteren'. Denk niet: wie wil mij nou verder helpen? Enkele 'zelftorpederende' denkbeelden:

1. 'Betekent netwerken dat ik opeens een (nieuwe) vriendenkring moet aanschaffen?' Nee, zelfs niet dat u uw bestaande netwerk moet uitbreiden! De kern is eerder dat u zich bewust wordt van de potentie van uw huidige netwerk en selectief en strategisch leert omgaan met het inschakelen van uw netwerkcontacten. Het gaat er dus om het huidige netwerk anders te 'runnen', om een ander netwerkmanagement.

2. 'Maar ik heb helemaal geen netwerk!' Dat is niet mogelijk. U bezit er een, maar bent zich dat (nog) niet bewust!

3. 'Het heeft geen zin veel tijd en aandacht aan het opzetten van een netwerk te besteden.' Dat heeft het inderdaad niet wanneer u geen duidelijke doelen voor ogen heeft, geen idee heeft van de baan die u ambieert of als u niet het plan heeft het netwerk binnenkort in te schakelen.

4. 'Netwerken is vies.' 'Netwerken is niet voor ons soort mensen'. 'Ik hou er niet van om met mezelf te koop te lopen, mezelf in de etalage te zetten, met mezelf te leuren.' En zo zijn er nog veel meer redenen te bedenken om *geen* netwerk op te bouwen. (Er zijn altijd meer redenen te bedenken om iets niet te ondernemen, dan wél de handen uit de mouwen te steken!) Nee, uw contactpersoon bewijst u een dienst – waar hij misschien zelf ook direct of indirect van profiteert. Hij slaat uw naam op in zijn 'gunstenbank', voor het geval dat... Wanneer hij in de toekomst een beroep doet op *uw* netwerk zult u hem op allerlei manieren helpen. Voor wat hoort wat, tenslotte...

 Sommige netwerkers lopen rond met de houding 'Wat kan *ik* allemaal van iemand gedaan krijgen?' 'Wat levert die persoon mij op?' Dit is niet de juiste mentaliteit. Het is uiteindelijk tweerichtingsverkeer.

Oefening 10.1 Is netwerken moeilijk?

Hier ziet u tien redenen om géén netwerk op te zetten. Wilt u aankruisen welke reden(en) op u betrekking hebben.

- Ik ken niemand. ☐
- Ik heb geen goede relaties. ☐
- Ik ben net afgestudeerd. ☐
- Ze zien mij al komen. ☐
- Ik heb niets te melden/te vragen. ☐
- Ik durf niet; ik ben te verlegen. ☐
- Ik heb geen gelegenheid (nieuwe) mensen te leren kennen. ☐
- Ik heb geen tijd zo'n netwerk te onderhouden. ☐
- Ik ben niet systematisch aangelegd ☐
- Ik heb er een hekel aan anderen lastig te vallen (met mijn probleem). ☐

Hoe meer kruisjes, des te meer excuses aangevoerd. Niemand dwingt u tot het aanleggen van een netwerk. Op de oude voet doorgaan kan altijd. Maar of daarmee het gewenste resultaat wordt bereikt...? Als u nu zeker weet dat de meeste mensen bereid zijn met u te spreken of u te helpen (binnen het redelijke), verdwijnt de 'netwerkangst' dan?

Wat te verliezen?

Misschien bent u bang om afgewezen te worden, bijvoorbeeld door de experts die u wilt benaderen. Wat is het *ergste* dat u kan overkomen? Zonder contact had u de gewenste informatie sowieso niet. Dus wat heeft u te verliezen?

Het is vandaag de dag mogelijk om op een onpersoonlijke manier te netwerken: we doelen op gebruik van de elektronische snelweg. Maar daar staat tegenover dat netwerken mensenwerk is: elkaar in de ogen kijken, aftasten of met elkaar lachen is effectiever dan communiceren via onpersoonlijke internetfora, '*communities*' of '*chatten*'.

Het netwerk als olievlek

Sommige netwerkspecialisten schatten dat iedereen zo'n 400 'kennissen' bezit (een wat breed begrip, dat geven we grif toe). Als dat inderdaad waar is, dan:

- heeft u 400 mensen in uw netwerk zitten – zonder dit te beseffen;
- hebben deze 400 elk ook weer 400 'in portefeuille'.

Uw indirecte netwerk is een 'olievlek' van 400 × 400 = 160.000 potentiële contacten, die u met een enkele verwijzing kunt bereiken. Als in deze 'middelgrote stad' ook weer 400 mannen en vrouwen in het adresboek staan, spreken we over 400 × 160.000 = 64 miljoen adressen. Ongelofelijk, hè? Zelfs als het magische getal van 400 aan de ruime kant is, zijn er nog ruim voldoende potentiële 'telefoonnummers' over...

Waarom netwerken werkt

Zult *u* een 'vriend-van-een-vriend' willen teleurstellen? Zult u een gesprek met zo'n relatie gauw weigeren? Waarschijnlijk niet! En de mensen met wie u contact zoekt, denken er net zo over.

1. Via het persoonlijk netwerk kunt u gemakkelijker in contact komt met voor u interessante werkgevers, deskundigen en informatieleveranciers. Dát is het centrale idee achter netwerken. Voor de ander (dat kan uw sponsor zijn) kan het ook voordelig zijn om zijn bedrijf, of een waarmee hij samenwerkt, aan een goede werknemer te helpen. Vooral als daarbij zijn naam wordt genoemd.

2. Aangezien u vele contacten legt (= schieten), zult u, alleen al door de hoeveelheid, vroeg of laat bruikbare contacten aanboren (= raken).

3. Veel mensen zien netwerken nog te veel als een meervoud, terwijl dit vooral een actieve bezigheid, een werkwoord moet zijn. Het feit dat u actief naar informatie zoekt, maakt een positieve indruk op veel werkgevers.

4. U ontdekt banen die voor anderen verborgen blijven. Soms ook moet een baan nog worden gecreëerd op het moment dat u wordt uitgenodigd voor een gesprek. Er zal dan niet voor worden geadverteerd (extra kosten!), omdat u de juiste persoon op het juiste ogenblik bent. Een plezierige toevalstreffer.

5. U kunt natuurlijk direct een werkgever of welke persoon ook benaderen met het verzoek om een informatief gesprek. Als deze eerste drempel is genomen en u krijgt een uitnodiging voor een interview, doemt een probleem op: u verschijnt als een 'onbekende'. Dankzij uw contactpersonen bent u geen onbeschreven blad meer. Men heeft vaak, positief, over u gehoord.

Primaire, secundaire en volgende 'lagen' in het netwerk

Wat men zaait zal men oogsten. Gelijk een landbouwer levert een gedegen aanpak vroeg of laat de gewenste resultaten op (tenzij zich natuur- of economische rampen voordoen).

Niemand begint zonder enig netwerk, hoe groen en onervaren ook, behalve een zwerver, dolend en dwalend in een vreemd land. Er zijn verschillende routes om uw netwerk op te bouwen. Een bruikbaar criterium is 'diepte'. Vaak is het handig uw netwerkproject in uw eigen kring van vrienden, bekenden en relaties te beginnen.

U kunt dit primaire netwerk aanboren via uw eigen adressenbestand of dat van uw partner. U verzoekt uw netwerkcontact om hulp. Leg goed uit wat voor (soort) baan u zoekt en wat uw kwaliteiten (in termen van kennis, vaardigheden en capaciteiten) zijn. Verzoek ook nadere namen en telefoonnummers te noemen van personen *uit hun netwerk* die u mag benaderen. Hierdoor ontstaat uw secundaire netwerk. Deze groep vraagt u ook weer om namen, waardoor uw derde laag ontstaat, et cetera.

U zult merken dat u vrij eenvoudig een persoonlijk netwerk kunt opbouwen van mensen die u kennen, die weten wat u kunt en zoekt. Na verloop van tijd zult u echter die contacten moeten selecteren die voor u het 'heetst' zijn en maakt u een afspraak met deze personen. Maar hoe bepaalt u nu welk contact belangrijk is? Handzame criteria hiervoor zijn onder andere:

1. Hoeveel levert een contact op? Scoor niet alleen op de korte termijn, maar houd ook in de gaten of het op den duur zoden aan de dijk zet. Bewandel een juiste mix tussen uw eigenbelang op korte termijn en de waarde van de informatie op langere termijn.

2. Wat is het informatiegehalte van het contact? Heeft u een *profit* instelling of verzamelt u informatie bij wijze van hobby?

3. Hoeveel relaties heeft deze relatie zelf weer en welke relaties zijn dat? Sommige mensen zijn een spin in het gigantische web dat zij noest om zich zelf heen hebben geweven.

Welke relaties aanboren?

Om een gepaste benaderingswijze te bepalen moet u voor ogen te houden in welke categorie uw relatie zich bevindt:

- Mensen die u persoonlijk kent (uw primaire netwerk) en die u rechtstreeks of indirect kunnen helpen. U kunt de beleefdheidsfrasen in de ijskast laten en doorgaans snel '*down to business*' komen. Sommige mensen 'horen' veel. Als zij goed thuis zijn in de branche, kunnen zij veel voor u betekenen. U kunt bijvoorbeeld denken aan verkopers of reclameacquisiteurs van tijdschriften, die de grotere reclamebureaus bezoeken. Als u regelmatig contacten onderhoudt met vertegenwoordigers, kunt u gemakkelijk informatie via hen inwinnen over allerlei vacante functies. Misschien bent u bij machte er een paar uit te nodigen voor een presentatie of demonstratie in uw bedrijf. En vraag hun eens of zij iemand kennen die zijn stoel wil verruilen voor een andere.
- Mensen die u niet kent en die interessant zijn om mee in contact te komen. De kunst is om door eigen onderzoek of via benadering van de juiste tussenpersonen deze mensen op te sporen.

Denk ook eens aan de volgende personen om in uw netwerk te stallen:

1. Functionarissen die een centrale rol spelen in de maatschappij. Bijvoorbeeld executive searchers, medewerkers bij uitzendbureaus, wervings- en selectiebureaus.

2. Functionarissen die een sleutelpositie innemen in hun organisatie. Bijvoorbeeld marketing- en reclamemanagers, personeelsmanagers.

3. Mensen die u persoonlijk of 'via-via' kent: buren, oud-collega's, docenten, et cetera.

4. Voor sommigen blijkt de beste bron te bestaan uit studievrienden en jaargenoten die pas kort geleden 'aan de bak' zijn gekomen. (Niet die er pas uit zijn gekomen.)

5. Allerlei toevalstreffers, zoals toevallige recente ontmoetingen (op recepties, feestjes, congressen, trainingsdagen, bijeenkomsten), vrienden, vroegere werkgevers. Soms kan een aanrijding een 'leuk contact' opleveren. Maar beschouw dit niet als een advies om met een stralend gezicht een verkeersongeval te veroorzaken.

6. Lidmaatschappen van verenigingen kunnen belangrijk zijn. Als u lid bent of kunt worden van een *sportvereniging* of een *serviceclub*, zoals Rotary, Lions, Kiwanis, Soroptimists, Roundtable of Juniorkamer, zult u merken dat dit vaak goede netwerkgelegenheden zijn. Bezoek de bijeenkomsten en bespreek met uw vrienden en kennissen uw 'loopbaanwensen'. Studiegroepen, politieke partijen en hobbyclubs kunnen ook een belangrijke rol vervullen.

7. Hetzelfde geldt natuurlijk voor *branchevereningingen*, gebruikersgroepen (hardware- en softwareprogramma's), professionele organisaties, vakbonden. Buit uw lidmaatschap uit! Bezoek de vergaderingen – ook als u zich er misschien verveelt of het nut niet meteen inziet.

8. Er bestaan verenigingen die maar één doel hebben: de leden te laten netwerken, bijvoorbeeld lokale zakenclubs. Als u zich aanmeldt bij zo'n netwerk, betekent dat maar één ding: u wilt zo snel mogelijk met zo veel mogelijk gelijkgestemden aan de toekomst bouwen. Zo'n moeder van alle netwerken is te vinden binnen een vakgebied of heeft meer het karakter van een gezelligheidsvereniging. Het doel van gezamenlijk theaterbezoek is de deelnemers elkaar 'aanspreekstof' te geven, die in de korte tijd leidt tot het echte werk. Wat te doen als je in een bepaald netwerk opgenomen wenst te worden? Benader de juiste persoon en wees direct, na een korte zelfinleiding. Geef aan waarom u graag in dit netwerk (deze ploeg, dit genootschap, deze kring, et cetera) opgenomen wilt worden.

9. Een informeel netwerk is bijvoorbeeld KennisKring Amsterdam. Zij organiseert eens per kwartaal een grootschalige excursie binnen haar 'werkgebied' om de deelnemende partijen (vertegenwoordigers van bedrijven, wetenschappen, onderwijs, et cetera) losjes met elkaar kennis te laten maken. Misschien bloeit er nog eens iets moois op uit deze contacten... Dat geldt ook voor bijvoorbeeld een VrouwenNetwerk.

Hierna volgt een opsomming die u een eind op weg kan helpen. Het zijn slechts steekwoorden, misschien frissen ze uw geheugen op. Mensen die wel eens wat horen...:

Accountants	Leden van clubs/ verenigingen waarvan u lid bent (geweest)	Reclamebureaus
Technische adviesbureaus	Managementadvies- bureaus	Studievrienden/ jaargenoten, alumni
Advocaten/juristen	Trainingsbureaus	Cliënten
Bankiers/verzekerings- agenten	Marketing- (onderzoek)bureaus	Vrienden en kennissen
Commissarissen van bedrijven	Medici/specialisten/ tandartsen	Collega's en ex- collega's
Concurrenten	Organisatieadviseurs	Buren
(Hoog)leraren, docenten	Politici (landelijk, plaatselijk, deelraad)	(Bestuurs)leden van beroepsverenigingen
Ouder- en school- commissies	Politieke vrienden	Medeleden van service- clubs (Rotary, Lions, et cetera)
Familieleden	Geestelijken, kerk- leiders en -leden	Plaatselijke Kamer van Koophandel en Kamercommissies
Journalisten (van vaktijdschriften)	Public-relations- bureaus (algemene en gespecialiseerde)	Toeleveranciers, verkopers, vertegen- woordigers, account managers

Tot slot doen we u een checklist aan de hand waarmee u op effectieve wijze invulling kunt geven aan uw netwerkactiviteiten:

1. Identificatie van het netwerk
- Wie maakt deel uit van het netwerk?
- Hoe een brug te slaan tussen uzelf en iemand die u niet kent?

2. Het stellen van doelen
- Heeft u duidelijk omlijnde doelen, sporend met de carrière/levensver- wachting?
- Hoe helpt uw netwerk die doelen te bereiken?

237

3. Ontwikkelen van netwerkvaardigheden
- Hoe stelt u zich voor aan anderen?
- Hoe betrekt u anderen bij wat u wilt?
- Luistert u goed naar anderen?
- Gebruikt u uw netwerktijd effectief?
- Maakt u uw beloftes waar?

4. Onderhouden van het netwerk
- Biedt u ideeën en steun aan anderen?
- Hoe gebruikt u uw persoonlijke stijl om het netwerk levend te houden?

> **TIP:** Wilt u iemand beïnvloeden (om bijvoorbeeld in een netwerk opgenomen te worden)? Benader hem of haar dan direct – na een kort introductie. Geef aan waarom u graag tot een netwerk wilt behoren. (U hoeft zich toch nergens voor te schamen?) Verzuim niet de ander te laten weten wat u zelf kunt bijdragen aan het netwerk!

Oefening 10.2 Toestand van het eigen netwerk

Hoe staat uw netwerk ervoor? Ga eens na of u zelf tevreden bent over de volgende antwoorden:

- Van hoeveel beroepsverenigingen bent u lid? En hoeveel leden kent u van elk van deze verenigingen? ....
- In welke van deze verenigingen zal het de moeite waard zijn een bestuurs- of commissiefunctie te bekleden? ....
- Waarom heeft u dat dan nog niet gedaan? ....
- Van hoeveel andere verenigingen, genootschappen en formele netwerken bent u lid? ....
- Hoe blijft u op de hoogte van wat zich in de verenigingen en netwerken afspeelt? (Is dat voldoende?) ....
- Tot welke verenigingen en netwerken zou u graag willen toetreden? .
  ....
- Waarom heeft u dat dan nog niet gedaan? ....
- Met hoeveel namen is uw adresboek de afgelopen twaalf maanden gegroeid? (Vindt u dat veel of weinig? Waarom?) ....
  ....

Netwerkadministratie

Het is belangrijk om uw netwerk systematisch in kaart te brengen. Daarnaast dient u zelf zorg te dragen voor de juiste follow-up. Het aanleggen van een netwerk zal verloren tijd zijn wanneer u de eenmaal geactiveerde contacten niet verder inschakelt voor uw speuractiviteiten.

Het opzetten en bijhouden van een netwerk is een flinke klus. U kunt alle belletjes en briefjes natuurlijk onthouden. Maar als uw brein geen computer is, loopt u al snel op tegen het probleem om te onthouden met wie u welke afspraken heeft gemaakt. Het verdient dan ook sterke aanbeveling meteen te beginnen met het aanleggen (en bijhouden) van een systeem via een kaartenbak, ordner of volledig geautomatiseerd. Voor dit doel is software op de markt waarmee u een databank in de (palmtop) computer kunt opbouwen.

Hier een voorbeeldkaartje voor uw netwerk:

```
Naam: ........................................................................
Eigen bron/relatie van: ...........................    .....................
Functie/beroep: .......................................................
Opleiding: ................................................................
Interessegebieden: ..................................................
Andere punten van belang (bijvoorbeeld publicaties,
lidmaatschappen): ...................................................
Hoe kan hij of zij mij helpen? ...............................
Wat is de beste benaderingswijze?[1] ............    .............
Adres: ......................................................................
Telefoonnummer (privé): .........................................
Telefoonnummer (zaak): ...........................................
Telefoonnummer (mobiel): .......................................
Fax: .........................................................................
E-mail: ....................................................................
Website: ..................................................................
Doel gesprek: .........................................................
Eerste (tel.) contact gehad op: ...............................
Resultaat: ...............................................................
Gemaakte afspraken: ...............................................
Tweede (tel.) contact gehad op: ..............................
Resultaat: ...............................................................
Gemaakte afspraken: ...............................................
Derde (tel.) contact gehad op: ................................
Resultaat: ...............................................................
```

[1] Denk hierover na *voordat* u deze persoon benadert.

```
Gemaakte afspraken: ...................................................
Verwijzingen naar andere contacten: ....................................
Notities: ..........................................................
          ..........................................................
          ..........................................................
          ..........................................................
```

Restaurantbezoek

Netwerkgesprekken kunnen goed in eetgelegenheden (neutrale grond) gehouden worden. En we doelen niet op het beste uit-de-muur-restaurant van de stad.

Nodig, al dan niet systematisch, vrienden en kennissen uit voor een lunch of diner en 'praat tegen ze aan'. Onder het genoegen van een hapje en een drankje zullen zij uw gedachten kunnen scherpen en nieuwe ideeën aandragen. Niets weerhoudt u ervan dit te doen met toekomstige zakenrelaties, als u bijvoorbeeld consultant wilt worden. (Betaal wél hun maaltijd.)

Recepties

Recepties (hoe vervelend soms ook) zijn goede gelegenheden om 'nieuwe' gezichten te ontmoeten. Vaak kunt u maar kort met de jubilaris of andere gelukkige spreken, want zijn of haar tijd is beperkt. Dus waarom dan niet meteen kwistig zijn met uw visitekaartjes? Die kosten toch bijna niets per stuk. Maak van een receptie geen deceptie. Meng u onder de gasten.

Concrete doelen

Netwerken is werken en kost dus tijd en energie. Of het nu gaat om een forum op internet, een studiegroep, bezoek aan een receptie of losse contacten die u wilt benaderen, een netwerkactiviteit is eigenlijk pas zinvol als u een doel heeft. Er zijn vele doelen denkbaar:

- Op een congres wilt u in gesprek komen met de drie topsprekers, die u al eerder als zodanig heeft aangemerkt. U wilt huiswaarts keren met hun visitekaartjes.
- Op een internationale conferentie wilt u de visitekaartjes bemachtigen van minstens vijf van de aanwezige vertegenwoordigers van ICT-bedrijven. (De deelnemerslijst is hiervoor een uitstekend instrument.)
- De zuster van een van uw vrienden is personeelsmanager in een branche waar u graag wilt werken. Het maken van de afspraak is snel geregeld.

U wilt te weten komen bij welk van deze bedrijven er mogelijk vacatures zijn of binnenkort ontstaan en bij welke cultuur u het best zou passen.

- U bezoekt de afscheidsreceptie van de commercieel directeur van uw bedrijf. Diens Engelse collega zal ook van de partij zijn. Aangezien u graag overgeplaatst wil worden naar diens vestiging, bent u besloten deze persoon te benaderen en hem ter plekke te polsen.

> **TIP:** Netwerken is een kwestie van geven en nemen – en niet alleen nemen. Zo u wilt: halen en brengen – ook brengen. Als u anderen niet wilt helpen, zal het netwerk u vroeg of laat de rug toekeren. Als netwerker moet u zich steeds afvragen: wat voor soort tegenprestatie kan ik (wanneer dan ook) leveren? Soms kan dat meteen, bijvoorbeeld door commentaar te leveren op een brochure van de organisatie, de telefonische bereikbaarheid (en hoe dat te verbeteren is) of de website. Andere voorbeelden zijn een introductie verzorgen bij een collega, beloven na te denken over een bepaald probleem, een interessant krantenartikel opsturen, et cetera.

Oefening 10.3 Contacten leggen met nieuwe relaties

Hoe 'handig' bent u in het aanboren van nieuwe relaties? Beantwoord de volgende vragen:

	Ja	Nee
Als ik een 'nieuw gezicht' ontmoet, denk ik snel aan de 'mogelijkheden'.	❑	❑
Ik stel mijzelf meestal meteen voor op recepties	❑	❑
Ik probeer er altijd eerst achter te komen (via een deelnemerslijst) wie aanwezig zullen zijn op een bijeenkomst, zodat ik van tevoren weet of mijn komst de moeite zal lonen.	❑	❑
Ik nodig anderen (bijstanders) uit om aan een gesprek of discussie mee te doen.	❑	❑
Ik vermijd zelden bijeenkomsten waar ik niemand ken.	❑	❑
Ik bied altijd visitekaartjes aan bij het begin of einde van een gesprek.	❑	❑
Ik heb een aantal openingszinnen paraat.	❑	❑

	Ja	Nee
Ik maak geen strikt onderscheid tussen privé en zakelijk als het om het ontwikkelen van relaties gaat.	☐	☐
Ik weet meestal wat ik de ander (op termijn) kan bieden.	☐	☐

Hoe meer 'ja's' u heeft, des te sterker uw netwerkersmentaliteit.

TIP: Als uw 'netwerkgesprekspartner' u niet verder kan helpen, hoeft dit nog geen eindpunt te markeren. Vraag naar een verwijzing. Stel de vraag wie wél de juiste antwoorden kan verschaffen of de gewenste introductie kan verzorgen.

TIP: Trek eens de stoute schoenen aan en bel onbekenden op, bijvoorbeeld uit het adresboek van de beroepsvereniging waarvan u lid bent...

Congresbezoekers

De congressen, symposia, seminars, et cetera die u bezoekt, bieden ongetwijfeld inhoudelijk interessante programma's. Maar daarnaast moet u niet uit het oog verliezen dat het ook *ontmoetingsplaatsen* zijn, goede kansen uw netwerk uit te breiden!

U kunt dit volledig aan het toeval overlaten. De wereld hangt immers van toevalligheden aan elkaar, al zijn sommige gebeurtenissen misschien minder toevallig... Heeft u het plan een congres te bezoeken, loop dan van tevoren de ledenlijst/deelnemerslijst door en kruis aan wie u van de verwachte aanwezigen wilt ontmoeten. Sommige organisaties doen u deze van tevoren toekomen, een standaardservice. Is dat niet het geval, vraag hier dan naar. Het zal u niet verbazen dat er ook mensen zijn die hun congresbezoek *uitsluitend* bepalen aan de hand van de deelnemerslijst...

Vooral bij langer lopende cursussen ontstaat er een band tussen de deelnemers. 'Verse' informatie wordt uitgewisseld, waaronder die van nieuwe en/of aanstaande vacatures. Het maakt niet veel uit of de cursus een vaktechnische, bedrijfsspecifieke of een meer algemene managementtraining is.

Een mooie conversatie starten, ofwel de kunst van het introduceren

Verlegen personen (een hedendaagse benaming is *subassertieve* mensen; een vooruitgang?) hebben nogal eens moeite, enige schroom, een gesprek met vreemden te beginnen. We kunnen dat niet gemakkelijker maken als u zo iemand bent, maar u wel adviseren met enkele openingszinnen.

Bij het bezoeken van een *receptie* zou u de volgende zinnen gereed kunnen houden (experimenteer er eens mee!):

- 'Als ik vragen mag: wat is uw relatie met de jubilaris?'
- 'Had u ook zo veel moeite een parkeerplaats te vinden?'
- 'Wacht u ook al zo lang op een drankje?'
- 'Weet u toevallig hoe laat de receptie eindigt?'

U kunt zelf ongetwijfeld vele soortgelijke openers bedenken.

Laten we aannemen dat de ander u antwoordt, in plaats van ogenblikkelijk de beveiliging te bellen. Op een gegeven ogenblik stokt het gesprek misschien. Wat dan? Stel weer één of meer vragen. Probeer nu iets persoonlijker te worden. *Toon belangstelling* voor de ander. Tenslotte spreken de meeste mensen het liefst over hun grootste deskundigheid: zichzelf. Enkele voorbeelden (voor op de receptie):

- 'Wat doet u in dit leven, beroepshalve?'
- 'Voor welk bedrijf werkt u dan?'
- 'Is dat op het hoofdkantoor?'
- 'Kent u daar toevallig de heer Eisner?'
- 'Wat vindt u van de nieuwste tv-commercial van uw grootste concurrent?'
- 'Wat vindt u ervan dat de overheid tabaksreclame wil verbieden?'

Om op een *congres* met vreemden in contact te treden bieden we de volgende handige en voor de hand liggende gespreksonderwerpen aan (maar hoe 'vreemd' is een medecongresganger; u heeft waarschijnlijk veel met de ander gemeen – anders zou u beiden niet aanwezig zijn):

- Hoe staat het bedrijf van de ander ervoor?
- Welke nieuwe ontwikkelingen zijn er in de branche?
- Waarom is de ander juist aanwezig op *dit* congres? (Wat zijn de verwachtingen?)
- Wat zijn de laatste brancheroddels?
- Welke recente interessante vakbladartikelen kunnen worden besproken?
- Hoe is de loopbaan van de ander begonnen en voortgezet?

Een alternatief dat we niet echt kunnen aanbevelen is de 'koffie-morsmethode'. Deze grove – en misschien pijnlijke – techniek werkt als volgt. U staat samen met uw 'slachtoffer' in de rij voor de koffie. (De minder verlegen persoon was allang aan de praat gegaan met het nieuwe contact.) U bent aan de beurt en grijpt uw koffiekop. En dat doet de ander ook. Als u wegloopt, morst u per ongeluk wat koffie (niet de hele inhoud!) over de ander. U komt er dan niet onderuit hem of haar aan te spreken, want u zult zich moeten verontschuldigen. Een laatste redmiddel om het ijs (bijna letterlijk!) te breken...

> **TIP:** Om te oefenen: spreek eens een complete vreemde aan, bijvoorbeeld in de trein, in de rij in de winkel, voor een loket, in het station. Mocht u zich *ernstig* sociaal gehandicapt voelen, dan kan een assertiviteitstraining of een meer algemene sociale vaardigheidstraining wellicht uitkomst bieden.

Een gesprek eindigen

Voor sommigen is het gespreksbegin niet moeilijk, maar juist het einde. Hoe breek je een gesprek af – zonder te kwetsen – zodat je ook nog met anderen in contact kunt treden?

Enkele hulpjes:

- Bedank de ander voor de verstrekte informatie.
- Gebruik een zin als 'Het was heel plezierig met u van gedachten te wisselen over ... En ik hoop dat we het gesprek nog eens kunnen voortzetten.' (Nadat de visitekaartjes zijn uitgewisseld.)
- 'Wilt u mij verontschuldigen. Daar staat iemand die ik dringend moet spreken.'

- U kunt ook verwijzen naar het cadeau dat u nog aan de jubilaris moet geven, dat u zich als spreker gereed moet maken, het poederen van de neus, de toiletgang, et cetera.

Telefoonscenario

Bellen naar mensen die u niet kent en dan nog vragen of ze tijd voor u hebben is niet zo gemakkelijk als het lijkt. Een telefoonscript biedt houvast bij de voorbereiding en kan u ervoor behoeden afgepoeierd te worden. Onthoud echter dat voor veel mensen niets zo vleiend is als een verzoek om advies en informatie.

Om u te helpen is het handig de volgende stappen te zetten op weg naar een succesvol telefoongesprek.

1. Gespreksvoorbereiding
Voordat u de telefoon oppakt, is het goed uzelf de volgende vragen te stellen:

- Weet ik wie ik moet spreken?
- Waarom juist deze persoon? (Dat zult u moeten uitleggen.)
- Wat moet ik daarom nu al van deze persoon weten?
- Wat moet ik hem vragen/vertellen?
- Welke vragen kan ik van de ander verwachten en hoe moet ik hierop reageren? ('Droog' oefenen!)

2. Introductie
- Stel uzelf voor en leg in een enkele zin de reden van uw initiatief uit. (Verwijs naar de wederzijdse kennis.)
- Vraag of het gesprek de ander nu gelegen komt. Zo niet, maak een afspraak.

3. Doel en uitleg
- Mag u nu spreken: kom dat meteen ter zake.
- Leg iets uitgebreider uw (hulp) vraag uit.
- Bied gelegenheid vragen aan u te stellen.

4. Afspraak en afscheid
- Als uw doel is een persoonlijk onderhoud of een contactadres te verkrijgen, maak dan nu de 'deal'.
- Bedank de ander voor zijn tijd, aandacht, belangstelling.
- Laat weten dat u te allen tijde bereid bent de ander een wederdienst te bewijzen.
- Neem afscheid.

Netwerkonderhoud

De enige constante in deze wereld is verandering. En dat geldt zeker voor de poppetjes en koppetjes in uw netwerk. Een van de belangrijkste redenen waarom vaak weinig rendement uit relatienetwerken wordt gehaald, vindt zijn oorzaak in een slechte verslaglegging. Daarnaast is het netwerk onderhevig aan snelle slijtage. U moet dus uw eigen 'onderhoudsploeg' vormen en *periodiek* contact onderhouden. Dat kan met een briefje, 'mailtje' of een 'bijspreekafspraak'. Soms volstaat één telefoontje, waarin u de ander laat weten (vooral wanneer u eerder iets van hem of haar wenste) hoe uw vlag er nu bijstaat. Bevredig de nieuwsgierigheid van de mensen die u gunstig zijn gezind! Benader uw 'netwerkklanten' ook wanneer u ze *niet* nodig heeft! Des te gemakkelijker is de tocht wanneer hun hulp of advies goed is te gebruiken.

> **TIP:** Nodig eens een andere baas dan de eigen uit voor een lunch. Heeft hij of zij belangrijke adviezen, informatie of te zijner tijd een interessante baan te vergeven? Maar ook zonder zo'n direct succes is het een goede zaak om 'voeling' te houden met anderen in de organisatie, in plaats van met telkens dezelfde gezichten.

Persoonlijke pr bedrijven

Vroeger was carrière maken eenvoudig. Als je lang genoeg op je post bleef, steeg je automatisch in rang. Tegenwoordig word je dan tot het meubilair gerekend. Je zult je nu in de kijker moeten spelen van je bazen en collega's. Dat bereik je niet alleen door je werk goed te doen en galeislaaftrouw te zijn aan je broodheer. Natuurlijk, de beste enkele rit naar de kasseien is slecht en ongeïnspireerd werken. Maar door eindeloos te sappelen en te ploeteren kom je er evenmin. Beter is via wat 'kunstgrepen' reclame te maken voor jezelf, zodat niet alleen het eigen bedrijf je beter leert kennen, maar ook de omgeving of de branche. We bieden een aantal ideeën waarmee u uw *zichtbaarheid* kunt vergroten. Verwacht geen directe wonderen, maar op termijn zullen de telefoontjes uit het netwerk volgen.

1. Geeft uw organisatie een eigen tijdschrift (*in-house magazine*) uit, ga daar dan eens voor schrijven. Uw naam raakt bekend – en misschien uw visage ook. Probeer hier een zekere regelmaat in te brengen. Voordat u uw diensten aanbiedt, is het goed eerst te bedenken *wat* u zoal kunt en wilt melden. Misschien zit er te zijner tijd een hoofdredacteurschap in?

2. Een soortgelijk avontuur kunt u aangaan in het vaktijdschrift dat uw branche ongetwijfeld rijk is. Als u regelmatig prijkt (met bijvoorbeeld een artikel, een congresverslag, een kolom) in zo'n blad met een oplage van 15.000 stuks, entert u waarschijnlijk minstens 30.000 breinen.

3. U verzuimt natuurlijk nooit een kopietje van uw artikel door te sluizen naar de redactie van juist genoemd bedrijfstijdschrift – en belangrijke collega's en hoger-geplaatsten. Dat ze 'u' niet lezen is onbelangrijk. Het gaat erom dat uw naam onder hun neus verschijnt.

4. In het verlengde hiervan: bied u aan als redactielid (soms betekent dat alleen maar praten, het schrijverschap wordt 'gedelegeerd') of lid van een redactieraad, die het beleid van het tijdschrift bepaalt en periodiek nagaat of het schip nog op koers ligt.

5. Lanceer intern het idee een seminar of workshop te organiseren, waar u vanzelfsprekend uw naam aan verbindt. Schrijf of mail alle betrokkenen – en maak een eindverslag (onder uw naam!), zodat u *in the picture* blijft.

6. Er zijn congresorganisaties die hun aanbiedingsbrochures in 50.000 stuks versturen. Als spreker komt u dus op veel bureaus en leestafels terecht. Goed voor de naamsbekendheid. Als men u onverhoopt niet weet te vinden, draai de rollen dan om: benader zo'n infoleverancier zelf met een kant-en-klaar plan (en u bent één van de sprekers). Misschien dat uw bedrijf als sponsor wilt optreden, zodat de acceptatiekans van de congresorganisatie toeneemt.

7. Laat u eens interviewen door een vaktijdschrift, een dagblad of een publiekstijdschrift. Van *'exposure'* is niemand doodgegaan. We hebben het over publiciteit, niet over radioactiviteit. Als u niets heeft te 'melden', is het raadzaam een *pr-adviseur* in te schakelen, die samen met u tot een mooi verhaal komt. (De kosten zijn vast wel fiscaal af te trekken met behulp van een slimme belastingadviseur.)

8. Misschien is deze activiteit gemakkelijker voor u: organiseer een feest (intern of voor externe relaties), neem zitting in een feestcommissie of regel een kegelavond. Toon uw organisatietalent. U 'lift mee' met de aankondigingen en de eventuele reportages over het evenement.

9. Richt een werkgroep of commissie op binnen uw branchevereniging. Deze moet natuurlijk wel in een bepaalde behoefte voorzien, anders heet

uw groep noodgedwongen n=1. En u kunt verzekerd zijn van veel publiciteit – en dat jarenlang. Als oprichter bent u het gidsend licht.

10. Stel u verkiesbaar voor de OR. Dat kan met veel tamtam gebeuren. Als gekozen lid hoort u nog eens wat en leren de hogere goden in de organisatie u kennen. Misschien een goede springplank tot het echte management?

11. Als laatste aanbeveling: wat is er mis met lobbyen? Bestook de voor u relevante personen regelmatig met belletjes en briefjes.

Tot besluit: kom voor uw mening uit en spui suggesties. Veel organisaties zijn juist op zoek naar mensen met visie, ideeën en lef!

> **TIP:** Creëer je eigen 'wereldnieuws'. Grote ondernemers doen niets anders, want zonder initiatieven gebeurt er weinig.

Enkele belemmeringen

Wat nu, als uw baas niet wil dat u voor een vakblad schrijft? Vraag hem allereerst naar de reden van zijn 'advies'. Is hij misschien jaloers op uw prestaties en profiel in de markt? Of is hij bang dat u de goede naam van de organisatie bezoedelt? Bestaat er angst dat u uit de school klapt of de vuile was buiten zult hangen? Of dat de vermeende objectiviteit van de organisatie verloren dreigt te gaan? U zult zelf moeten uitmaken hoe sterk en geloofwaardig de argumentatie van de baas is – en hoeveel moeite u wilt doen om de pen te hanteren.

In sommige organisaties mag er niet gepubliceerd worden buiten de pr-afdeling (voorlichting) om. Zij bezitten 'schrijfrecht' en alle andere uitingen worden eerst door hen gescreend en geschoond. Vindt u dit een aantasting van de grondwettelijke vrijheid van meningsuiting of een reële reputatiebescherming? Als uw schrijfvingers jeuken, kunt u altijd nog onder pseudoniem produceren. Maar levert dat het gewenste resultaat op?

> **TIP:** Als u een enkele, maar voor u bijzondere persoon wilt ontmoeten, bijvoorbeeld de hoofdredacteur van een krant of vakblad, kan het de moeite waard zijn uit te vinden waar deze (van) zijn liquide middelen geniet. Bezoek die locatie en begin een gesprek met uw prooi.

Wat betekent dit alles voor ú?

1.   Een netwerk kan een goed instrument zijn voor zowel uw loopbaan-management, als voor het verkrijgen van een nieuwe baan en het ontvangen van allerlei tips.

2.   Een netwerk werkt twee kanten uit. Wat kunt ú voor uw netwerk-partners allemaal doen?

3.   Begin met netwerkactiviteiten pas nadat een doelstelling hiervoor is geformuleerd.

4.   Een netwerk is alleen effectief als het goed wordt onderhouden (net-werkmanagement).

5.   Om u in de kijker van uw werkgever en/of de branche te spelen dient u persoonlijke pr te bedrijven.

HOOFDSTUK 11

Financieel plaatje en arbeidscontract

Grada van Deventer was in alle staten toen ze hoorde dat de keuze op haar was gevallen voor de baan waar ze op had ingezet en die perfect paste in haar loopbaanplan. Nadat de hoerastemming langzaam met de wolken was weggedreven, realiseerde zij zich dat er nog overeenstemming moest worden bereikt over haar beloning. Bovendien wilde ze tijd en geld ontvangen voor haar vervolgopleiding. Toch maar eens het weekend hier aandacht aan schenken...

Jan Klutz dacht: 'Dat kan mij niet overkomen...' Het doet er niet zoveel toe waar u het accent legt op deze zin. Feit is dat het doek dreigt te vallen voor hem – na al die jaren van trouwe dienst (geen hond was trouwer). De promoties die hij in de loop der jaren had gemaakt, speelden door zijn hoofd. Avonden en weekends opgeofferd voor het bedrijf. Thuis vonden ze dat niet 'normaal'. Maar ja, je hield van je werk... en je dacht dat je onmisbaar was... En dan ben je plotsklaps overcompleet... Klutz' eerste gedachte was: 'Dat gebeurt toch alleen met goederen?' De tweede betrof geld. 'Hoe zit het met de hypotheek? Kan die nog wel worden betaald? Waar moet ik van leven?' Klutz was de kluts kwijt.

Men zegt dat je je geld niet met je mee kunt nemen in je kist. Dat is onjuist. Het kan wel degelijk, maar of dat zinvol is, is een andere zaak... Over geld hebben we tot nog toe angstig gezwegen. Dit hoofdstuk draait daar wel om, gelijk het leven zelf. *'Geld is niet alles'* luidt misschien uw lijfspreuk. Een ander zal daaraan toevoegen: *'Maar het maakt het leven aangenamer.'* Weer een ander zal als devies hebben: *'Geld is alles.'* (Kan het korter?) Bedenk dat een hoog salaris plezierig is als je tijd hebt het te spenderen. Ook andere zaken zijn belangrijk: geluk en welbevinden, bevrediging in het werk, plezierige collega's, interessante – en misschien maatschappelijk – belangrijke taken, stressvrij werken, et cetera.

Aan de orde komen onder andere informatiebronnen waaruit u gegevens kunt verkrijgen voor de salarisonderhandeling, het 'nieuwe' arbeidscontract, de kosten van werken, de financiële kant van ontslag, het cafetariaplan, nieuwe beloningsvormen en jaar- en flexi-overeenkomsten. Misschien brengt dit hoofdstuk u in net zo'n goede stemming als uw lievelingsmuziek.

De baanboekhouding

Heeft u wel eens een balans opgesteld tussen wat u in uw baan stopt, wat dat de werkgever oplevert en wat u hier uit haalt? Zo kennen we iemand die in zes jaar tijd de omzet van zijn afdeling van twee naar twaalf miljoen had getild. Zijn salarisverhogingen staken hier heel schril tegen af. Bij zijn voorzichtige vragen naar opleidingsmogelijkheden – hij moest zijn kennis op peil houden – keken zijn bazen steeds heel zuinig. Hij heeft ten slotte zelf zijn cursuskosten betaald en is een andere baan gaan zoeken.

Oefening 11.1 Waar staat u nu?

Hoe 'salarisbewust' bent u eigenlijk? Heeft u enig idee over de werkelijke hoogte van uw maandelijkse inkomsten? Schrijf in de tabel op wat u bruto per jaar verdient, inclusief alle emolumenten, en wat dat bij benadering netto betekent. Ga uit van dit jaar of het vorige jaar, al naar gelang wat voor uw situatie het meest logisch is.

Kunt u de volgende tabel invullen *zonder te spieken* in uw arbeidscontract en/of maandelijkse salarisspecificatie?

Onderdeel	Bruto (jaar)	Netto (jaar)
Salaris	....	....
Vakantiegeld	....	....
Auto van de zaak	....	....
Reiskostenvergoeding	....	....
Representatiekosten	....	....
Ziektekostenverzekering	....	....
Pensioenpremie	....	....
13^e maand	....	....
Winstdeling	....	....
Telefoonvergoeding	....	....
Overige: (zelf invullen)	....	....
....	....	....
....	....	....
....	....	....
Totaal	....	....

Vraag 1. Valt het huidige bruto-inkomen mee of tegen? En het bijbehorende 'nettoplaatje'?

Vraag 2. Vergelijk de resultaten van uw invularbeid met de werkelijkheid van de salarisspccificatie of arbeidsovereenkomst. Hoe goed bent u op de hoogte van de feitelijke honorering van uw baan?

De geleidelijke weg omhoog

In grote organisaties, waar al dan niet met een CAO wordt gewerkt, hanteert men vaste schalen voor het personeel. Medewerkers en sollicitanten weten wat hun financiële carrièrepad zoal inhoudt. De route laat zich gemakkelijk voorspellen wanneer er zich tussentijds geen ongelukken voordoen. Maar die zekerheid is niet meer zo vanzelfsprekend...

Sommigen vinden het heel plezierig precies te weten wat zij over vier jaar zullen verdienen – en welke nauwkeurig omschreven werkzaamheden hierbij horen. Anderen willen juist meer spanning en enige onzekerheid in hun leven. Wat wilt ú?

> **Om over na te denken:** Eén van de belangrijkste kanten van een baan is het plezier-in-het-werk. Salaris en toekomstperspectieven volgen vanzelf. Zonder plezier zult u weinig gemotiveerd zijn, wat leidt tot mindere prestaties – en de rest kunt u zelf invullen...

Wanneer u in een situatie verkeert of terechtkomt waar de salarissen vastliggen, hoeft u niet meteen het hoofd in de schoot te leggen. Ook voor u zijn er misschien mogelijkheden:

- Hoeveel concurrenten zijn er binnen de organisatie beschikbaar voor de desbetreffende functie? Wanneer er schaarste heerst, zal uw haan koning kraaien. Onderzoek zal moeten uitwijzen in hoeverre de wetten van vraag en aanbod u gunstig gezind zijn.
- Hoe is het gesteld met de secundaire arbeidsvoorwaarden? Welke ruimte bieden de regels? Als er hiervoor geen geformaliseerde afspraken zijn, ligt het schootsveld helemaal voor u open!
- Wat biedt de organisatie u qua loopbaanplan? Misschien kunt u (bij gebleken geschiktheid) een versnelde loopbaan uitonderhandelen. Indien de organisatie naast functieschalen ook periodieken hanteert, kunt u het misschien voor elkaar boksen dat uw crvaring hoog in wordt geschaald, zodat u 'opschuift'.

Tegen welke prijs zekerheid?

Wilt u (werk- en financiële) zekerheid? Het is onze ervaring dat medewerkers die bij een 'verkeerde' organisatie hebben gewerkt, of er nog in dienst zijn, daar een licht trauma aan overhouden. Dat nooit weer! Men gaat dan ook op zoek naar zekerheid. Dat impliceert overigens niet dat het bedrijfsleven wordt ingeruild voor de (semi-)overheid. Maar wel zijn klinkende bedrijfsnamen (multinationals) en expanderende organisaties in groeimarkten aantrekkelijke bruiden voor menig sollicitant.

Kiest u voor het 'Japanse' of het 'Amerikaanse' model? We bedoelen: geeft u uw leven bij voorkeur aan één enkele, betrekkelijk zekere (patriarchale) werkgever of springt u liever van 'baas naar baas', het zogenaamde '*jobhopping*'? De Nederlandse werknemer is redelijk trouw. Maar hoe loyaal hij is, hangt natuurlijk sterk af van iemands persoonlijkheid en wat het bedrijf in kwestie biedt qua zekerheid, opleidingsmogelijkheden, groeikansen en natuurlijk pecunia en aantrekkelijke '*fringe benefits*'.

Zou u willen werken voor een zekere, goedbetalende organisatie met een slechte reputatie (wapenhandel) of een die politiek niet door al uw vrienden en kennissen hoog wordt gewaardeerd, of wilt u eigenlijk alleen maar werken voor een onzekere maar 'groene', milieubewuste organisatie? Of maakt het u allemaal weinig uit?

Sparen voor noodgevallen

In heel Europa veranderen de sociale wetten. De verantwoordelijkheid voor zwaar weer en noodweer willen de overheden overhevelen naar waar ze thuishoort: bij de persoon zelf. (En het scheelt veel overheidsgeld.) Mensen moeten weer zelfstandig worden en het heft in eigen hand nemen. Die kreet bent u al vaker in dit boek tegengekomen.

Bent u financieel toegerust voor zwaar weer? Heeft u voldoende aan een beperkte WW-uitkering tijdens een werkloosheidsperiode? Maakt het u niets uit wanneer u daarna (voor de volgende twintig jaar) in de bijstand komt? Wanneer uw antwoord 'ja' luidt, bent u misschien een gelukkig mens. Maar voor de meesten is dat toch een reden voor bleekheid, vooral wanneer de gezichtsteint in overeenstemming raakt met het persoonlijke economische klimaat... Ook wanneer u een veilige (???) baan heeft, is het goed orde op zaken te stellen – u zult zich nog prettiger voelen met een kapitaaltje achter u, op de bank of de nodige toezeggingen.

Verwacht u in de toekomst barre tijden? Wees conservatief en zorg voor een financiële buffer. Het maakt u een stuk rustiger – evenals uw gezinsleden. Het helpt als u onverhoopt een afscheidspremie krijgt toegeworpen...

In noodgevallen kan er altijd worden geleend. Het vervelende is dat geldschieters altijd terugbetaald willen worden. Vooral op de ogenblikken dat het even minder goed uitkomt...

Oefening 11.2 Maandlasten

Hoe belangrijk is geld voor u? 'Heel belangrijk', zult u zeggen. En terecht. Want u moet in leven blijven, maar dat klinkt wat tragisch en armetierig. U wilt ook goed leven – want zolang u niet in reïncarnatietherapie bent geweest, weet u niets over herkansingen in het aardse hiernamaals (één 'maals', twee maals, drie maals?) Bent u eventueel bereid een achteruitgang in salaris te aanvaarden?

Er is een verschil tussen wat u strikt genomen *nodig* heeft om van te leven en wat u elke maand zou willen incasseren. Wanneer u overweegt financieel een stapje terug te doen, probeer dan eens een berekening te maken van uw tegenwoordige maandelijkse lasten. Kunt u zich dat permitteren? Of wordt u vanzelf '*weightwatcher*'? De volgende tabel toont in één oogopslag hoe duur uw leven is.

Kostenpost	Maandelijkse last
Huisvesting (hypotheek, huur)	....
Energie, water, kabel	....
Telefoon, vast en mobiel, fax, internet, kabel	....
Vervoer (autokosten, incl. onderhoud; OV-kosten)	....
Voeding en drank	....
Lidmaatschappen	....
Kleding	....
Belastingen	....
Verzekeringspremies	....
Pensioenpremie	....

Kostenpost	Maandelijkse last
Onderwijs (lesgeld, boeken, excursies)	....
Vakantie en trips	....
Persoonlijke verzorging	....
Medische kosten (niet verzekerd)	....
Aflossing en rente van leningen	....
Vrijetijdsbesteding, ontspanning, hobby's, clubs, sport	....
Contributies, bijdragen aan charitatieve instellingen, donaties, 'sponsoring'	....
Anders, nl.	....
Anders, nl.	....
Onvoorzien (5% van het totaal)	....
Totaal	....

Is het totaalbedrag in balans met uw inkomsten? Als het salaris van uw nieuwe baan met zeg 20% daalt, heeft u dan ruimte om op oude voet door te leven? Zo niet, waar vallen dan de spaanders? Als u een 'creditcardjunkie' bent, is het leven soms gemakkelijk – of juist niet.

Over ontslagonderhandelingen gesproken...

Het zal inmiddels duidelijk geworden zijn dat het beter is bij een werkgever te vertrekken als het úw tijd is, niet de zijne. Dat is niet alleen goed voor het ego, het kan ook voor de portemonnee prettig uitpakken.

Als u wegens 'overcompleet zijn' de deur wordt gewezen, is het handig, alvorens een handtekening te zetten onder wat voor papier dan ook, eerst eens te kijken naar de financiële gevolgen. En vervolgens wat de werkgever toch nog voor u zou kunnen betekenen. Want u moet natuurlijk ook 'door'...

1. Loonsuppletie
Sommige functionarissen komen er (te laat) achter dat de huidige werkgever goed betaalt. Misschien is trouw beloond, zijn er voortdurend promoties gemaakt, is er een royale salariëring of is de werkgever gewoon gul. Hoe dan ook, het blijkt onmogelijk elders een vergelijkbaar salaris te

bedingen voor uw capaciteiten. De mededeling dat u daarom voorlopig nog geen ontslag kunt indienen (als tenminste uw baas het verdere initiatief aan u overlaat), kost geld. Bedrijven zijn dan ook nogal eens geneigd om gedurende een bepaalde periode het verschil tussen het huidige salaris en het toekomstige uit eigen zak bij te passen. Loonsuppletie heet dat formeel. Sommige werkgevers gaan tot maximaal vijf jaar. Maar elk jaar wordt de suppletie minder. Het achterliggende idee is dat u elk jaar, ondanks de slechte start, meer gaat verdienen, zodat u per saldo hetzelfde inkomen naar huis zeult bij de nieuwe werkgever. Probeer dan ook een (reële) loonsuppletie uit te onderhandelen wanneer u na noodgedwongen vertrek elders op een lager salaris zal beginnen.

2. Vertrekpremie
Een vertrekpremie is ook uit te onderhandelen. Vaak spelen deze onderhandelingen zich af op het scherp van het 'win-win principe': er moet een prikkel voor werkgever *en* werknemer in zitten. Ook hier wordt de geleidende schaal van stal gehaald. Hoe eerder de medewerker zijn verhuizing aankondigt, des te meer geld zal de werkgever op des werknemers bank storten. Een leuke bijdrage voor die Caraïbische cruise die u altijd al wilde boeken! Hoe langer de zoekperiode (soms oplopend tot drie jaar!), des te lager de vertrekpremie. Als u razendsnel een nieuwe job vindt, zal de werkgever dan ook (in zijn voordeel) niet kinderachtig zijn.

3. Opleiding
Sommige werknemers hebben een rol als meubelstuk weten te bemachtigen in hun organisatie. Ze zijn ongemerkt achter gaan lopen in de nieuwste ontwikkelingen. Een training of cursus hebben zij al jaren niet meer bezocht. Dat was niet echt nodig; ze wisten alles toch al... Na een lange afwezigheid op de arbeidsmarkt blijkt misschien dat tussen nieuwe en huidige baan diploma- en cursushindernissen liggen. Hoe is dat met u gesteld?

> **TIP:** Constateert u een achterstand waardoor een nieuwe functie buiten beeld blijft, onderhandel dan met uw werkgever over een alsnog te volgen opleiding om uw kansen op de arbeidsmarkt te vergroten. Het klinkt paradoxaal, maar ook van deze extra (en misschien onverwachte) kosten kan uw werkgever voordeel hebben. Vertel hem hoe.

Kent u uw marktwaarde?

Probeert u de volgende vragen eens naar eer en geweten te beantwoorden. Kunt u niet meteen een antwoord formuleren, ga dan op onderzoek uit! Ga lezen, spreek met collega's, vrienden en schakel uw netwerk in.

1. Waar staat u in uw beroepsveld? Bent u bekend als een voorloper, iemand uit het middengebied, een achterblijver?
2. Als uw huidige functie vervalt, heeft u dan voldoende bagage (en motivatie) om intern een andere functie te aanvaarden?
3. Welke kwaliteiten (een modernere term: kerncompetenties) zou u eigenlijk moeten verbeteren? Waarom? Hoe, waar en wanneer gaat u dat dan doen?
4. Hoe is uw functie vertaalbaar naar andere werkgevers?
5. Wordt u op dit ogenblik onderbetaald of overbetaald (denk naast het brutosalaris ook aan allerlei emolumenten) ten opzichte van vergelijkbare organisaties? Waar baseert u dat op?
6. Waar denkt u redelijk betrouwbare en actuele salarisinformatie te verkrijgen? Peil uw waarde regelmatig, zoals de olie van uw motor.

*** Zie ook *Alles over salarisonderhandelingen* ***

De vriendendienst van de fiscus

De fiscus laat u niet in de steek wanneer het gaat om het behoud van uw baan, positieverbetering binnen uw organisatie of de stichting speurwerk nieuwe banen. De volgende kosten zijn in het algemeen aftrekbaar (natuurlijk als u iets heeft af te trekken):

- gerichte trainingen (dus niet bloemschikken of worstelen, tenzij u een baan als bloemist of uitsmijter ambieert);
- reis- en verblijfkosten inzake deze trainingen;
- congresbezoek (contacten leggen!);
- 'correspondentiekosten' (postzegels, faxen, koeriersdiensten, et cetera);
- te plaatsen 'aanbodadvertenties' in vakbladen;
- opdrachten hiervoor aan een tekstschrijver (en eventuele andere deskundigen).

U zult zelf een goede administratie moeten voeren als u deze kosten aan de belastingdienst wilt presenteren.

Dure bedrijfsopleidingen

Wat heeft u liever? Een mandje met kakelverse eieren of een levende kip? De investering in de kip zal een aantal jaren van eierenproductie opleveren. Het mandje is leeg na enkele omeletten. Een opleiding volgen is als een kipkoop – dus een training of cursus mag best wat kosten!

Sommige opleidingen, denk bijvoorbeeld aan MBA of automatiseringscursussen, zijn kostbaar. Menig werkgever stelt dan ook hierover een aparte overeenkomst op. Hiermee wordt voorkomen dat de vers opgeleide medewerker spoorslags naar de concurrentie vertrekt, de bloedende oude werkgever hartelijk (hatelijk?) dankend. De medewerker die binnen een bepaalde periode (twee jaar, vier jaar) vertrekt, zal meestal via een geleidende schaal de kosten terug moeten betalen.

Het plaatje hoeft overigens niet zo somber te zijn, want het leed kan op de volgende manieren worden verzacht:

1. De fiscus betaalt met u mee, onder het hoofdje 'aftrekbare opleidingskosten'.
2. Misschien kunt u het terug te betalen bedrag over verschillende jaren uitsmeren. (Maar dat kan fiscaal juist weer ongunstig zijn.)
3. U bent waarschijnlijk door de gevolgde opleiding meer waard geworden. Er is dus sprake van een 'inverdieneffect'.
4. Sommige nieuwe werkgevers zijn bereid uw studieschuld over te nemen. U zeilt dus vrolijk weg.
5. Zowel met de nieuwe als de oude werkgever zijn afspraken uit te onderhandelen. Misschien dat de drie partijen elk eenderde deel voor hun rekening willen nemen? Het is maar een suggestie.
6. Misschien is het verstandig om iets langer in dienst te blijven van de oude werkgever, zodat de schuld afneemt. (Dit speelt vooral wanneer de schuld pro rato – in maanden – terugloopt.)

De financiële kosten van werken

Sommigen beweren dat werken best aardig is, maar – helaas – het kost te veel vrije tijd. Als u toch aan het denken bent gezet: heeft u enig zicht op de financiële kosten van werken? En dan zijn er gedragskosten, zoals ergernis en stress. Filerijden mag dan voor sommigen een sport zijn, voor de meesten behoort het tot de moderne verschrikkingen. (Is Fileland de nieuwe naam van Nederland?) Van veel filerijden worden weinigen (job)fitter... Hoe lang kunt ú dit volhouden? Dichter bij het werk wonen is één oplossing. Veranderen van baan is een andere, want reken er maar op dat de 'autodruk' blijft groeien.

Wat denkt u van vervoerskosten? Parkeer- en tolgelden? Al dan niet representatieve werkkleding (en onderhoud hiervan) en extra kosten voor uiterlijke verzorging? Moet u betalen voor kinderoppas en crèche? De kosten van maaltijden buiten de deur? Lidmaatschap van de beroepsvereniging? En dan zijn er allerlei verborgen kosten. Producten en diensten die u moet inkopen omdat ze u tijd besparen of omdat u te moe thuiskomt en ook nog 'wilt leven'... Enkele voorbeelden. De tuinman die uw tuin onkruidloos houdt, de wekelijkse schoonmaak en huishoudelijke hulp, de aankoop van snelle (en soms minder gezonde) magnetronhappen, et cetera.

Als u nu tot de conclusie komt dat u zich niet kunt veroorloven te werken of dat een baan alleen voor de rijken is weggelegd, bent u te ver doorgedraaid. Toch is het iets om over na te denken of arbeidskosten voor bepaalde functies niet te hoog zijn...

Het cafetariaplan

In 1977 werd in Nederland het zogenaamde cafetariasysteem geïntroduceerd. Dat wil zeggen dat een werknemer de gelegenheid wordt geboden zijn eigen beloningspakket samen te stellen. Waar wil men een bepaalde hoeveelheid loon voor ruilen: vrije tijd, extra vakantie of betere pensioenvoorzieningen? Een jonge werknemer zal misschien vrije dagen willen 'kopen' van zijn werkgever; een oudere medewerker geeft de voorkeur aan meer werkdagen, die gecompenseerd worden door een hogere of eerdere pensioenuitkering.

Het aardige van het cafetariaplan is dat het voor werknemer en werkgever financieel aantrekkelijk is, onder andere vanwege enkele fiscale tegemoetkomingen en de in de praktijk gebleken verhoogde productiviteit.

Oefening 11.3 Het eigen cafetariaplan

Wat zijn uw eigen beloningswensen? Wat heeft u zelf liever: meer vrije tijd en minder geld of juist omgekeerd?

In deze oefening kunt u uw eigen beloningspakket samenstellen. Hoe werkt dat? U krijgt 100 punten toegewezen. Dit is uw totale inkomen op jaarbasis. Dit 'puntensalaris' mag u geheel naar eigen inzicht verdelen over de volgende categorieën. Het minimale aantal punten dat een categorie moet ontvangen is 1, het maximale is 100.

Dit zijn de categorieën:

• Salaris	.... punten
• Minder werkdagen/geen overwerk	.... punten
• Kortere werkdag	.... punten
• Levensverzekering	.... punten
• Pensioen	.... punten
• Vervroegde uittreding	.... punten
• Vakantie(verlof)dagen	.... punten
• Studie(verlof)dagen	.... punten
• Aanvullende verzekeringen	.... punten
Totaal	**100 punten**

Nieuwe beloningsvormen

Nieuwe vormen van beloning (die steeds vaker in organisaties worden ingevoerd) zijn gebaseerd op de geleverde prestaties:

- bonusplan;
- *'incentives'* (bijvoorbeeld buitenlandse reizen, congresbezoek);
- opties op aandelen;
- aandelen;
- *'portable benefits'* (die mee zijn te nemen naar de volgende werkgever);
- telewerkmogelijkheden;
- *'family care issues'* (door werkgever betaalde verzorging van de ouders van de medewerker of tijd hiervoor beschikbaar stellen, crèchefaciliteiten, kinderopvang van de eigen kinderen);
- persoonlijke verzorging (kapper, fysiotherapeut, was-en-strijk-faciliteiten).

> **TIP:** Als u onzeker bent over uw financiële toekomst, is het misschien raadzaam eens een *'financial planning'-seminar* bij te wonen of een persoonlijk advies op dit gebied aan te vragen.

Het nieuwe arbeidscontract

Het arbeidscontract is eigenlijk een erfstuk van de industriële revolutie. Maar het biedt beide partijen nog steeds een goed houvast voor het geval meningen over afspraken uiteenlopen, geheugens falen of wanneer werkgever en werknemers zich niet meer bij elkaar thuis voelen.

Er bestaan verschillende soorten arbeidsovereenkomsten, die alle hun voor- en nadelen hebben. Een opsomming:

- vast dienstverband (onbepaalde duur);
- tijdelijk dienstverband, bepaalde duur (bijvoorbeeld één jaar);
- tijdelijk dienstverband (bijvoorbeeld opzetten van project);
- fulltime;
- parttime;
- vaste werktijden;
- variabele werktijden;
- freelance (met of zonder 'urengarantie');
- oproepbasis.

Waar ligt uw voorkeur – en waarom juist daar?

Veel werkgevers hanteren standaardarbeidscontracten. Sommige zullen gunstig zijn voor de werknemer, andere niet. Bedenk dat u altijd de vrijheid heeft over een of meerdere clausules te onderhandelen. (Dat betekent niet dat u altijd uw zin krijgt...) Sta eens stil bij de volgende punten die in uw (nieuwe) arbeidscontract een plaats kunnen veroveren en waarover misschien onderhandeld moet worden.

- Het is belangrijk dat de overeenkomst mee kan groeien. Dat bespaart latere onenigheid en narigheid. Maak daarom tijdig afspraken over enkele belangrijke toekomstgerichte clausules. Contracten kunnen overigens te allen tijden worden opengebroken – vraag het elke profvoetballer – maar er zijn wel twee danspartners voor nodig...

- U heeft begrepen dat opleiding heel belangrijk is voor de rest van uw loopbaan. Sommige organisaties zijn ruimhartig en hebben een potje voor uw opleidingsbehoeften. Voor andere is het pure noodzaak, omdat bijvoorbeeld de technologie zich razendsnel ontwikkelt (denk aan computertoepassingen). Is uw (aanstaande) werkgever allergisch voor opleiding? Probeer een *individueel* jaarbudget vast te stellen voor training en opleiding. Misschien hoort daar voor u ook een bezoek bij aan een (internationaal) congres. Vergeet de reis- en verblijfskosten niet. Wie draait daar voor op? PS: Sommige congressen zijn ideale plaatsen om potentiële werkgevers tegen het lijf te lopen.

- Wees 'pessimistisch' over de toekomst – als het op een arbeidscontract aankomt. Welke professionele hulp heeft u nodig bij onvrijwillig ontslag? Een advocaat? Een mediator (een niet-juridische bemiddelaar)? Een outplacementadviseur? Een pensioendeskundige? Het is heel mooi om met zo'n entourage te verschijnen bij de werkgever in tijden van tegenspoed. Maar wie betaalt wat? Tegen juridische kosten kunt u zich indekken met een rechtsbijstandsverzekering. Zo'n verzekering bestaat (nog?) niet voor outplacement. Ons advies: bespreek deze mogelijke kosten met de werkgever en gebruik inkt om uw wensen onvergetelijk te maken. Alhoewel niemand in dienst treedt met het oog op ontslag, wordt werknemers nu en dan de wacht aangezegd. Dat kan op grond van slecht functioneren, een conflict, onverenigbaarheid van karakters, economische tegenspoed en nog vele andere redenen. Het op laten nemen van een clausule over outplacement hoeft de werkgever geen geld te kosten, tenzij... Het biedt u in ieder geval meer zekerheid voor het geval u er wordt uitgekegeld. Vooral in turbulente tijden en in risicovolle jobs misstaat zo'n regel niet. Dit moet worden vertaald in een vast bedrag ten gunste van de begeleiding.

- U bent het roerend eens met de (aanstaande) werkgever dat het bedrijf flexibel moet blijven. Dat impliceert het eind van het onbepaalde-duurcontract. Geen nood. U gaat naar een eindig contract, bijvoorbeeld met een looptijd van drie of vijf jaar. Mochten er kinken in de kabel komen binnen de overeengekomen periode, dan wordt uw contract uitgediend, of u nu lijfelijk aanwezig bent of niet. Misschien dat u nog een boetebeding kunt opnemen als u in een wel erg vroeg stadium van uw contract het veld moet ruimen... Zie dit als een overbruggingskrediet naar de nieuwe functie of een transferbedrag. Hoe flexibel wilt ú zijn? Leg samen met de (nieuwe) werkgever de afspraak vast. (Werkgevers zullen de voorkeur geven aan overeenkomsten voor langere bepaalde duur: drie of vijf jaar, zolang de arbeidswet inflexibel blijft.)

- Het opbouwen van een netwerk, we hebben er eerder over gesproken, kost tijd en geld. Lidmaatschap van een of meer beroepsverenigingen helpt. Nog beter: actief lid worden, bijvoorbeeld in een bestuur of commissie. Laat uw contract vertellen dat deze mogelijkheid verzilverd kan worden voor x uur per maand.

- Het is plezierig om als nummer 13 op de circulatielijst van bedrijfs-abonnementen te staan. Maar u zult alerter zijn als de noodzakelijke vaktijdschriften op uw huisadres worden bezorgd. Het privé-abonnement zal uw baas geen fortuin kosten, maar zorgt ervoor dat door anderen uitgescheurde artikelen en coupons tot het verleden behoren.

- Het is een eer om voor een nieuwe functie gevraagd te worden door een *executive searcher* of werkgever. U kunt het toeval een handje helpen door *zichtbaar* te worden in uw arbeidsmarkt. Het af en toe schrijven van artikelen voor de vakpers helpt, een redacteurschap is ook mooi, spreken op congressen werkt. Als u een 'gezicht' wilt krijgen in branche of beroepsveld, moet u hiervoor tijd vrijmaken. Misschien kan uw werkgever u een stuk tegemoetkomen in tijd en het bieden van faciliteiten. (Zie voor meer adviezen hoofdstuk 10.)

- Het recht op welzijn. De arbeidsproductiviteit zal *moeten* blijven stijgen. De tol hiervoor heet stress. Preventie van en hulp bij stress dient tussen beide partijen prettig geregeld te worden. Een 'jaargat' genaamd 'burnout' staat slecht op het cv...

- Dring erop aan dat minstens twee keer per jaar een functioneringsgesprek wordt gevoerd. Blijf geïnformeerd. Blijf alert.

- Als u een lease-auto ter beschikking wordt gesteld: kan u die dan op een bepaald moment overnemen (als u dat zou willen) – en tegen welke prijs?

- Steeds meer werknemers hebben belangstelling voor 'meeneembare' vergoedingen, zoals het pensioen en de ziektekostenverzekering. Ga na welke wensen u heeft.

- Kunt u gebruikmaken van kinderopvang (de crèche) op of bij het werk? Zijn hier kosten aan verbonden of is deze service te zien als een prikkel voor het personeel?

Er is niet gezegd dat uw (aanstaande) werkgever in gejuich uitbarst wanneer u één of meer van deze aspecten noemt in een onderhandeling, evenmin dat hij hiermee spoorslags akkoord gaat.

Sommige werkgevers bieden hun personeel een zogenaamd '*benefits statement plan*' aan. Hierin zijn opgesomd welke financiële rechten elke medewerker heeft en wat hiervan de bruto- en nettowaarde is. Iets voor u, wanneer u in het duister tast over de waarde van uw totale 'salaris-pakket'?

*** Zie *Alles over salarisonderhandelingen* ***

Jaar- en flexicontracten: voordelen en risico's

Bent, wilt of kunt u niet in vaste dienst, dan moet u eens nadenken over een flexicontract, dat u enige bescherming geeft tegen gure poolwinden. Beide partijen profiteren van de openheid en eerlijkheid die hierna wordt besproken. Het wederzijds begrip zal toenemen en daardoor ook de motivatie.

Flexiwerkers hebben enkele voordelen boven de 'vaste werknemer':

- zelfstandigheid (opdrachten kunnen worden geweigerd);
- vaak per opdracht of periode méér verdienen dan de collega's in vaste dienst;
- meer en langere vakanties (of juist kortere!);
- zelf opleidingen kiezen, werken aan de eigen ontwikkeling.

Flexiwerkers moeten noodgedwongen beter en vaker nadenken over hun arbeidsvoorwaarden dan collega's die van een vaste aanstelling genieten. De volgende punten kunnen zorgenkindjes worden:

- vakantieaanspraken;
- 'aanpassing' van salaris;
- beëindiging van de overeenkomst;
- proeftijd;
- verlenging van de overeenkomst;
- tussentijdse opzegging;
- doorbetaling bij ziekte;
- overwerk;
- ouderschapsverlof;
- sociale verzekeringen;
- pensioen.

Bij de zogenaamde min/maxcontracten staat soms vast hoeveel uur (minimaal en maximaal) de oproepkracht werkt, soms is hierover niets overeengekomen. Is er werk, dan ontvangt de flexwerker een belletje. Deze contracten munten niet altijd uit door helderheid. Zorg er dan ook voor dat u een duidelijk antwoord van de werkgever verkrijgt over de risico's en de zaken die zwaar op uw hart liggen.

265

Goede tijden, slechte tijden. De economische geschiedenis leert ons over deze afwisseling. Als u op een gegeven moment geen hosanna meer kunt uitroepen, dient u over:

1. een financiële buffer te beschikken;
2. de kasstroom onder controle te hebben.

Houd deze twee punten telkens tegen het licht als u een flexibel werknemer of freelancer bent.

> **TIP:** Als u uw loopbaan in een ander land wilt voortzetten, concentreer u dan niet alleen op het (hogere) salaris. De kosten van levensonderhoud zijn in het nieuwe land misschien zo hoog dat uw papieren rijkdom als aarderts in een hoogoven wegsmelt.

Wat betekent dit alles voor ú?

1. Het is aan te raden tijdig te bepalen waar u financieel staat indien er problemen met de werkgever dreigen.
2. Werken brengt kosten met zich mee. Heeft u hier zicht op?
3. Misschien wenst u een maatwerkbeloning te bedingen via het cafetariaplan.
4. Jaar- en flexicontracten bieden voordelen, maar er zijn ook risico's aan verbonden. Ga hier kritisch mee om.

HOOFDSTUK 12

Tijd voor afweging en overweging

Monica Loews was al tijden 'bezig' met haar loopbaan. Dat wil zeggen erover nadenken, praten met collega's en vrienden – aan het woord 'netwerk' had zij een hekel –, tests invullen, checklists raadplegen. Ze was druk in de weer, maar het had haar nog weinig opgeleverd. De flits van inzicht was nog niet bij haar ingeslagen. Moest ze dan maar naar Frustralië emigreren of een politieke carrière beginnen? Haar beste vriendin bracht haar met beide benen op de grond: 'Waarom zo'n haast?'

In dit hoofdstuk gunnen we u tijd voor reflectie, tijd voor een terugblik. Ook voetbalcoaches doen het – meestal samen met de interviewer. (Helaas moeten we er te vaak naar luisteren...) Dus waarom u niet?

Als al uw inspanningen hebben geleid tot de overweging een nieuwe baan te accepteren, is het goed de voors en tegens tegen elkaar af te zetten. Veel banenzoekers klagen dat de baan die zij aanvaardden, niet gelijk was aan die zij op hun netvlies hadden. In de praktijk bleek het werk behoorlijk anders dan voorgeschoteld. Werd de baan 'goed verkocht' door de werver of aanstaande baas? Speelde selectieve perceptie hier een rol? Hoorde de banenzoeker alleen wat hij wilde horen? Of was het werk in deze snelle tijden inmiddels drastisch veranderd? Hoe dan ook, het is aan te bevelen kritisch na te denken over de volgende stap.

Ook als het allemaal 'tegenzit', is er nog niets verloren. U heeft dan meer tijd nodig. We stippen enkele alternatieven aan.

Primaire affectieve reactie

Uw beste vriend komt op bezoek. U weet dat hij lang bezig is geweest een nieuwe baan te vinden en uit zijn glimlach leest u af dat dat nu eindelijk gelukt moet zijn. 'Ik word waarschijnlijk de nieuwe *brand manager* (dat klinkt nu eenmaal duurder dan merkbeheerder) van Frivolous Foods.' U wilt de pret niet bederven, maar weet ook dat hij wel eens een misstap heeft gemaakt in zijn loopbaan. Dus u vraagt: 'Weet je zeker dat dit de juiste baan en de juiste werkgever voor je is?' Uw vriend, ietwat geïrriteerd: 'Zeker, het voelt goed aan.' U heeft de neiging nu door te bijten, in zijn belang, en vraagt daarom 'Waar baseer je dat op?' 'Tja, ik kan dat niet goed onder woorden brengen...', klinkt het met enige schaamte.

Een modern inzicht is dat mensen andere mensen, situaties, gebeurtenissen, advertenties eerst razendsnel emotioneel goed- of afkeuren. Een hele primitieve reactie dus. Pas in tweede instantie volgen de argumenten, de logica. De jongen die als bij bliksemslag verliefd wordt op het meisje, heeft niet als eerste gedachte: 'Zal zij voor mijn bewassing zorgen?' Het meisje vraagt zich niet bij háár inslag af of hij een goede vader voor de kinderen zal zijn.

Een primaire affectieve reactie bij een baanaanbod is niet slecht. Maar stel uzelf steeds deze vraag: '*Wat* maakt het voor mij tot een aantrekkelijke baan?' Want misschien is liefde op het eerste gezicht toch minder sterk...

Een baanaanbod overwegen

Na lezing van dit boek en nadat u zich door alle oefeningen heeft geworsteld kunt u tot de conclusie komen dat uw huidige baan eigenlijk uitstekend bevalt. Dat is een plezierige conclusie, want de periode van zoeken en onzekerheid kan worden afgesloten. Aan de andere kant bent u misschien gaan solliciteren en heeft u een aanbieding gekregen van een werkgever. Aannemen of afslaan, dat is de vraag. Wat is verstandig? Of u krijgt twee nogal verschillende banen aangeboden. Welke kiezen?

Een nieuwe baan is soms verleidelijk door het hogere salaris of de mooie titel van de job. Een wetenschappelijk hoofdmedewerker werd door beide verleid: hij kon hoogleraar worden. Korte tijd later begon hij zijn nieuwe baan te haten. Hij was geen organisator, geen vergadertijger, geen politicus en geen administrateur. Aan doceren – zijn passie – kwam hij nog maar heel weinig toe. Zelf onderzoek verrichten – zijn tweede favoriete activiteit – moest ook op een laag pitje worden gezet. Een vrouw ontdekte dat de verdubbeling van haar salaris op papier aardig oogde. Nadat de belasting toehapte en zij nauwelijks tijd had haar geld te spenderen – ook vele weekends 'behoorden' voortaan aan de baas – kreeg zij heimwee naar haar oude werk...

U heeft uzelf inmiddels beter leren kennen en inzicht gekregen in de banen die u zouden moeten aanspreken. Het is dus zaak de aanbieding af te zetten tegen de eerder *ontwikkelde criteria*. De volgende oefening helpt te bepalen in hoeverre de aanbieding in overeenstemming is met de baanwensen.

Het is onwaarschijnlijk dat een enkele baan al uw wensen zal bevredigen – hoe aanlokkelijk de aanbieding ook mag zijn. Idealiseer niet, blijf realistisch. Dat doet u door onder andere de aangeboden baan te analyseren in termen van taken en verantwoordelijkheden. Komen deze overeen met uw verwachtingen? Tast u nog in het duister? Is uw toekomstige dagindeling nog onduidelijk? U doet er verstandig aan de aanstaande baas te bellen, te faxen, te mailen, te schrijven om de onduidelijkheden opgehelderd te krijgen.

Oefening 12.1 Baanaanbieding toetsen

Via deze oefening kunt u gemakkelijk en snel bepalen of de aangeboden baan bij u past. (Kruisjes zetten.)

Aanbod van werkgever	Komt helemaal overeen met mijn wens	Komt gedeeltelijk overeen met mijn wens	Komt niet overeen met mijn wens
Salaris	❏	❏	❏
Andere arbeids- voorwaarden	❏	❏	❏
Locatie	❏	❏	❏
Reistijden (en -kosten)	❏	❏	❏
Zichtbaarheid van het bedrijf	❏	❏	❏
Opleidingsmogelijkheden (vrij besteedbaar budget)	❏	❏	❏
Introductieprogramma	❏	❏	❏
Betrokkenheid bij producten en/of diensten van de organisatie	❏	❏	❏
Organisatiecultuur	❏	❏	❏
Maatschappelijke relevantie	❏	❏	❏

Wat is het aantrekkelijkste dat mij in baan A wordt aangeboden?	....
Met welke mensen zal ik daar het best kunnen samenwerken?	....
Wat zullen de grootste problemen zijn waar ik tegenaan loop – hoe denk ik die op te lossen?	....
Past deze baan bij mijn loopbaanplan? (Meerjarenplan?) Hoe?	....
Welke onderdelen van de functie bereiden mij voor op mijn verdere toekomst?	....

In de hoofdstukken 6 en 11 treft u oefeningen aan die u eveneens kunt gebruiken om criteria te vinden om baanaanbiedingen met elkaar te vergelijken. Indien u meer bent geïnteresseerd in de financiële kant (salaris en emolumenten), verwijzen we u naar *Alles over salarisonderhandelingen*.

> **TIP:** Toets regelmatig de eerder geformuleerde doelstellingen (korte en lange termijn). Zit u nog op 'schema'?

Oefening 12.2 Wat zijn de risico's?

Als u nog twijfels heeft over de nieuwe baan, of u moet twee functies met elkaar vergelijken, is het handig de risico's zo goed mogelijk in kaart te brengen. De volgende tabel leent zich daar voor:

Afbreukrisico bij taak	Grootte faalkans (groot, middelgroot, klein, niet)	Hoe te verkleinen?
Voorbeeld: Verkoop aan grote accounts	Middelgroot	Training volgen vóór indiensttreding
....	....	....
....	....	....
....	....	....

CV actualiseren

Ook als er geen dramatische veranderingen in uw (loop)baan zijn, is het aan te raden om desondanks een of twee keer per jaar na te gaan of er wapenfeiten zijn die aan het cv moeten worden toegevoegd. Enkele voorbeelden:

- een nieuwe vaardigheid die u heeft verworven (bijvoorbeeld via een gerenommeerd trainingsinstituut);
- een nieuw verkregen taak of verantwoordelijkheid binnen uw baan;
- een prestigieus congres waaraan u heeft deelgenomen (of waar u heeft gesproken);
- een publicatie van uw hand;
- het secretariaat van uw sportclub, Rotaryclub of lokale politieke partij dat u op uw schouders heeft genomen.

Coaching

Sommige mensen vinden het plezierig om voor het nemen van een belangrijke (loopbaan)beslissing een 'praatpaal' in te schakelen. Misschien dat u uzelf niet geheel objectief kunt onderzoeken (is dat überhaupt mogelijk?), een buitenstaander kan een ongekleurd en weloverwogen advies indienen.

U kunt een klankbord eenmalig inhuren (voor de Grote Stap), maar ook bijvoorbeeld twee keer per jaar, om 'bij te tanken', of in een periode meerdere sessies om werkproblemen analytisch te benaderen om zodoende rustig een nieuwe koers uit te zetten.

Oefening 12.3 Nog geen succes...?

Als de gepleegde inspanningen niet succesvol zijn verlopen, is het goed de hand in eigen boezem te steken. Wellicht dat de antwoorden op de volgende vragen een ruggensteun vormen om zaken voortaan anders aan te pakken.

Uitgevoerde actie	Hierbij ondervonden problemen?	Welke andere oplossingen waren mogelijk?	Waarom niet hiervoor gekozen?
....	....	....	....
....	....	....	....
....	....	....	....

Wat leert u uit dit overzicht?

....

....

....

*** Zie verder *Alles over selectiegesprekken* *** Hoofdstuk 10

Alternatieven

Als uw persoonlijke speurtocht nog niet de gewenste resultaten heeft bereikt, is het misschien de moeite waard de volgende acties te overwegen:

- Inventariseer wat u allemaal nog kunt bijleren in de huidige baan. Hoeveel groei zit er nog in? Hoe is deze baan qua takenpakket en verantwoordelijkheden te verrijken?
- Probeer deel te nemen aan het managementdevelopmentprogramma van de eigen organisatie. (Misschien is enig lobbywerk vereist.)

'Sabbatical year'/sabbatsperiode

Als u nog steeds geen idee heeft hoe de rest van uw loopbaan in te vullen, probeer dan eens een sabbatical year bij uw baas los te peuteren. Een halfjaar misschien?

Het *sabbatical year* (een eenjarig of korter geheel, gedeeltelijk of niet door de werkgever betaald verlof, met behoud van de dienstbetrekking) is een dure oplossing om eens langere tijd tot rust te komen of nieuwe ideeën op te doen. Het is soms heilzaam in andere culturen en klimaten te vertoeven. Dat verricht wonderen voor uw creativiteit, inspiratie en motivatie.

Organisaties zullen steeds vaker van deze 'motivatiemethode' gebruikmaken om medewerkers fris en scherp te houden. De organisatie vaart er ook wel bij, want de doorstroming wordt erdoor bevorderd. En stel je voor: de herboren functionaris zou eens met nieuwe ideeën terugkomen... Medewerkers kunnen hiervoor sparen via een geblokkeerde bankrekening, terwijl de fiscus heeft toegezegd een handje te helpen. Volgens peilingen bestaat hiervoor belangstelling bij grotere werkgevers en vele werknemers.

Begin tijdig met de voorbereidingen van zo'n verlofjaar. Het is misschien handig om zo'n lange periode te benutten om na te denken over de toekomst en aantrekkelijke banen. U kunt zich natuurlijk altijd nog inzetten voor discriminatieproblemen, bijvoorbeeld de scheiding tussen heren- en damestoiletten in openbare gelegenheden. Vindt u ook niet dat deze ongelijkheid moet worden opgeheven?

Een alternatief zal voor sommigen zijn drie maanden door Afrika, Amerika, Australië of Azië trekken. (Drie maanden Ameland is wat saai.)

> **TIP:** De Stichting Sabbatical Leave probeert in Nederland deze rustperiode te stimuleren. Zij zetelt in Hilversum: 035-5423867. Misschien kan zijn uw vragen beantwoorden.

Loopbaanbegeleiding

Als u dit boek heeft doorgeworsteld, bent u goed voorbereid op de verdere inrichting van uw carrière. Indien u meer ondersteuning nodig heeft, kan een loopbaanadviseur uitkomst bieden. De volgende diensten worden doorgaans aangeboden:

- individuele of groepsconsultaties (deze bestaan meestal uit gesprekken (interviews) en het afnemen van schriftelijke opdrachten en tests; het kan om één bijeenkomst gaan, maar ook een serie);
- toegang tot allerlei publicaties op loopbaangebied;
- opstellen van een cv, portefeuille, sollicitatiebrief en andere 'verkoopdocumenten';
- concrete hulp bij het speuren naar banen (via internet, de gedrukte media en andere kanalen);
- training bij sollicitatie- en selectiegesprekken;
- training voor onderhandelingen;
- coaching voor aanvang van een nieuwe functie en in de beginperiode.

De wereld blijft in beweging

We hebben u in dit boek duidelijk gemaakt dat de langzaam voortkabbelende wereld om zeep is geholpen. De werkplek vormt hierop geen uitzondering. Het kan dus plotseling gedaan zijn met uw ogenschijnlijk rustige bestaan. Donderwolken kondigen zich niet altijd ruim van tevoren aan. Om alert te blijven is het goed af en toe na te denken over de volgende zaken – en te handelen!

- Wordt teamwerk in uw organisatie ook steeds belangrijker? En functioneert u nog steeds gedreven in deze werkgroepen?

- Wordt er druk op u uitgeoefend bij te leren? (Zowel specifieke als algemene zaken.)
- Wordt er in uw organisatie druk geëxperimenteerd? Heeft u enig idee waarom, waar dat toe kan leiden en wat de mogelijke consequenties voor uw baan zouden kunnen zijn?
- Worden cliënten (intern en extern) steeds 'lastiger'? Hoe kunt u hen steeds een stapje voor zijn?
- Zijn er ontwikkelingen denkbaar die de branche of de 'gevestigde orde' in uw bedrijfstak geheel onderuit zouden kunnen halen? (Denk aan de 'internetrevolutie'.)

Carrièrezondag

Onderhoud uw loopbaan zoals uw huis, auto of lichaam. Wacht niet totdat het dak neerstort, de motor explodeert of de chirurg bedenkelijk kijkt. Vergeet uw nobele nieuwjaarsvoornemen – de nieuwe werkdag dénkt u er niet meer over. Trek één dag per jaar uit om alleen te zijn en uw loopbaan tegen het licht te houden. (Dat is 27 pro mille van een jaar! Toch niet teveel gevraagd?) Doe dit op een zondag – en neem dit boek mee. Keer terug naar de oefeningen en bepaal of u nog op koers ligt. Zijn de gestelde doelen inderdaad bereikt? Moeten zij worden bijgesteld of nieuwe worden ingevoerd? Heeft u de geplande cursussen gevolgd? Haalt u het beoogde uit uw baan? (Of wordt u leeggezogen?) Zijn uw promotiekansen vergroot of verkleind? Bent u nog gelukkig?

> **Om over na te denken:** Hoe wilt u herinnerd worden...?

Wat betekent dit alles voor ú?

1. Weeg een baanaanbieding rationeel af en bestudeer de afbreukrisico's.
2. Coaching en loopbaanbegeleiding zijn alternatieven bij het uitblijven van succes.
3. Een *sabbatical year* (sabbatsperiode) kan verfrissend werken en nieuwe ideeën opleveren.

U weet nu wat u voor de boeg heeft. Veel succes met het uitstippelen van de loopbaan!

Geraadpleegde literatuur

Aggelen, R. van, *Je baan of je leven; flexibele arbeid voor iedereen.* Kosmos-Z&K. Utrecht/Antwerpen, 1997.

Alexander, L. *Surviving redundancy.* Plymouth House. Plymouth, 1996.

Ballback, J. & Slater, J. *Unlocking your career potential.* Richard Chang Ass. Irvine, 1996.

Banner, R. *Lifeboat strategies.* Amacom. New York, 1994.

Bassie, L.J., Benson, G. & Cheney, S. *Position yourself for the future; the top ten trends.* ASTD. Alexandria, 1996.

Braham, B.J. *Finding your purpose.* Crisp. Menlo Park, 1991.

Brands, M. 'Loopbaanonderbreking: tussenstation of zijspoor?' *Gids voor Personeelsmanagement*, 1996, 75, 12, 21-24.

Bridges, W. *Jobshift; How to prosper in a workplace without jobs.* Addison-Wesley. Reading, 1994.

Bruce, R.C. & Kennedy, S. (Eds.) *Executive job search strategies; the guide to career transitions.* VGM. Lincolnwood, 1994.

Buck, J.T., Matthews, W.R. & Leech, R.N. *101 ways to power up your job search.* McGraw-Hill. New York, 1997.

Bühler, P. 'Managing your career; no longer your company's responsibility'. *Supervision*, 58, 11, 23-26.

Cabrera, J.C.& Albrecht, C.F. *The lifetime career manager.* Adams. Holbrook, 1995.

Carson, K.D. & Phillips Carson, P. 'Career entrenchment: a quiet march toward occupational death?' In: Altman, Y. (Ed.) *Careers in the new millennium.* Acco. Leuven, 1997.

Churchill, G.A., Ford, N.M. & Walker, O.C. *Sales force Management* (4th ed.). Irwin. Homewood, 1993.

Corrigan, M. *How to find your niche*. ASTD. Alexandria, 1995.

Covey, S.R. *De zeven eigenschappen van effectief leiderschap*. Contact. Amsterdam, 1993.

Crainer, S. *How to have a brilliant career without ever having a proper job*. Pitman. Londen, 1995.

DeCock, G., Brouwer, R., De Witte, K. & De Visch, J. *Organisatieklimaat en -cultuur*. Acco. Leuven, 1985.

Dekkers, J.R.L. & De Lange, W.A.M. 'Mobiliteitsbeleid'. In: Dekkers, J.R.L. & De Lange, W.A.M. (Red.) *Mobiliteits- en loopbaanbeleid*. Kluwer/NVP. Deventer, 1994.

DeRijcke, H. *Het selectie-interview* (2^e druk). Acco. Leuven, 1997.

Dlabay, L.R. & Slocum, J.W. Jr. *How to pack your career parachute*. Addison-Wesley. Reading, 1989.

Eikleberry, C. *The career guide for creative and unconventional people* (revised). Ten Speed Press. Berkeley, 1999.

Evers, G. 'Quo vadis? Interne en externe mobiliteit'. *Gids voor Personeelsmanagement*, 1996, 75, 12, 40-46.

Farren, C. & Kaye, B.L. 'New skills for new leadership roles'. In: Hesselbein, F., Goldsmith, M. & Beckhard, R. (Eds.) *Leaders of the future*. Jossey-Bass. San Francisco, 1996.

Gaspersz, J. & Ott, M. 'Management en employability noodzakelijk'. *Gids voor personeelsmanagement*, 1996, 75, 12, 14-20.

Gilsdorf, J.W. 'The new generation: older workers'. *Training & Development*, March 1992, 77-79.

Handy, C. *Management goden*. Kluwer. Deventer, 1981.

Handy, C. *The empty raincoat; making sense of the future*. Arrow. Londen, 1995.

Handy, C. *Beyond certainty*. Arrow. Londen, 1996.

Heijden, T.J. van der, Reidinga, H.F., Schutte, R.J. & Volz, A.B. *Competitie-management: van belofte naar verzilvering.* Kluwer. Deventer, 1999.

Heijden, T.J. van der, *Nieuwe organisaties, nieuwe carrières.* Kluwer Bedrijfswetenschappen. Deventer, 1996.

Hoekstra, H.A. & van Sluijs, E. *Management competencies: het realiseren van HRM.* Van Gorcum. Assen, 1999.

Hooft, P. van, & de Jong, A. 'Mobiliteit en mobiliteitscentra'. *Gids voor Personeelsmanagement*, 1996, 75, 12, 31-32.

Hopson, B. & Scally, M. *Build your own rainbow.* Management Books 2000. Didcot, 1995.

'Jobhopper heeft negatief imago'. *PW*, 29 apr. 2000.

Johnson, M. *The aspiring manager's survival guide.* Butterworth/Heinemann. Oxford, 1996.

Kahn, S. *The self-employment test.* Longmeadow, Stamford, 1987.

Kleiman, C. *The career coach.* Berkley. New York, 1995.

Knoke, W. *Plaatsloze wereld.* Scriptum Books. Schiedam, 1997.

Kompier, M. 'Recente ontwikkelingen in en rondom arbeid; ontwikkelingen in de A&O psychologie'. *De Psycholoog*, mei 1997, 188-193.

Kotter, J.P. *New rules; how to succeed in today's post-corporate world.* The Free Press. New York, 1995.

Krimpen, K. van, *Blijf je werk de baas!* Kosmos/Z&K. Utrecht, 1998.

'Leeftijd en inzetbaarheid'. *NIVE Management Magazine*, juni 1997.

Leibowitz, Z.B. *Career guidance discussions.* ASTD. Alexandria, 1985, issue 8508.

Leibowitz, Z.B., Kaye, B.L. & Farren, C. 'What to do about career gridlock?' *Training & Development Journal*, 44, 4, 1990, 28-35.

Maslach, C. *Burnout: the cost of caring*. Prentice-Hall. Englewood Cliffs, 1982.

Maslach, C. & Jackson, S.E. *Maslach Burnout Inventory; manual research edition*. Consulting Psychologists Press. Palo Alto, 1986.

Maslach, C. & Leiter, M.P. *Burnout: oorzaken, gevolgen, remedies*. Contact. Amsterdam, 1998.

McDermott, L.C. *Caught in the middle; how to survive and thrive in today's management squeeze*. Prentice-Hall. Englewood Cliffs, 1992.

Meijers, F. & Wijers, G. *Een zaak van betekenis; loopbaandienstverlening in een nieuw perspectief*. LDC. Meppel, 1997.

Minden, J.J.R. van, 'Recht op aanstelbaarheid'. *De Sollicitatiekrant*, 24-10-1995, 6.

Minden, J.J.R. van, 'Loopbaanplanning: het heft in eigen hand!' *De Sollicitatiekrant*, 8-1-1996, 6.

Nathan, R. & Hill, L. *Career counseling*. Sage. Londen, 1996.

Nelson, B. *1001 ways to take initiative at work*. Workman. New York, 1999.

Notitie; Zicht op arbeid. LDC. Meppel, 1997.

Pearce, S.D. & Jackson, K.F. *The graduate connection; a guide to graduate recruitment*. Crac. Londen, 1976.

Peller, M. *Crisis-proof your career; finding job security in an insecure time*. Carol, 1993.

Peter, L.J. & Hull, R. *Het Peter Principe; Waarom alles altijd verkeerd gaat* (5e druk). Veen. Amsterdam, 1995.

Riley Dikel, M. & Roehm, F. *The guide to the internet job searching*. NTC. Lincolnwood, 1999.

Roane, S. *The secrets of savy networking*. Time-Warner. New York, 1993.

Sampson, A. *Company man; The rise and fall of corporate life.* Harper-Collins. Londen, 1995.

Sanou, L. *Mijn loopbaan en ik; (on)gewone mensen aan het woord over opleidings- en beroepskeuzes.* LDC. Rijswijk/Leeuwarden, 1996.

Schein, E. *Career anchors.* Pfeiffer. San Diego, 1990.

Schrank, L.W. *Lifeplan; a practical guide to successful career planning.* VGM. Lincolnwood, 1985.

Simonson, P. *Basics of career advising.* ASTD. Alexandria, 1995, issue 9504.

Spijkerman, R.M.H. *Studie- en beroepskeuze.* Samsom/H.D. Tjeenk Willink. Alphen a/d Rijn, 1989.

Stewart, T.A. *Intellectual capital; the new wealth of organizations.* Doubleday. New York, 1997.

Storey, W. *Career Dimensions.* University Associates. San Diego, 1986.

Straatman, T. *Loopbaanverandering.* Het Spectrum. Utrecht, 1993.

Straub, C. *Creating your skills portfolio.* Crisp. Menlo Park, 1997.

Strebel, P. 'Why do employees resist change?' *Harvard Business Review*, May-June, 1996, 86-92.

Thijssen, J.G.L. *Leeftijd en loopbaanperspectief.* Kluwer. Deventer, 1996.

Toms, M. & Willis Toms, J. *True work; doing what you love and loving what you do.* Bell Tower. New York, 1998.

Vlaming, H. 'Jobshoppen'. *Management Team*, 21, 4, 2000.

Voorwinden, R. 'Een leven lang leren'. *PW*, 5 apr. 1997, 12-13.

Walsh, W.B. & Betz, N.E. *Tests and assessment* (3rd ed.) Prentice-Hall. Englewood Cliffs, 1995.

Waterman, R.H., Waterman, J.A. & Collard, B.A. 'Toward a career-resilient workforce'. *Harvard Business Review*, juli/aug. 1994.

Brancheoverzicht

De volgende opsomming geeft een afgerond beeld van de branches in het Nederlandse bedrijfsleven. U kunt het overzicht gebruiken om die sectoren te selecteren, waarin u het meest bent geïnteresseerd.

Agrarische bedrijven en dienstverlening
Akkerbouwbedrijven
Fokkerijen, veehouderijen en verwante dienstverlening
Tuinbouw
Plantsoendiensten, hoveniersbedrijven
Loonbedrijven en agrarische dienstverlening
Bos-, griend- en rietbouw
Visserij

Bouwindustrie
Aannemersbedrijven, burgerlijke en utiliteitsbouw
Algemene en gespecialiseerde bedrijven, zoals dakbedekkings-, funderings-, ovenbouw-, slopers- en timmerbedrijven
Aannemersbedrijven, huizen- en gebouwenafwerking: onder andere behangers-, schilders-, beglazings- en stukadoorsbedrijven
Aannemersbedrijven, installatiewerken: installatie van verwarming, elektrotechniek, sanitair
Aannemersbedrijven, weg- en waterbouw: baggerbedrijven, bouwmachineverhuur, boorderijen, grondwerkbedrijven, kabel- en buizenleggerijen, straatmakersbedrijven

Detailhandel
Autohandel
Garage-, reparatie- en verhuurbedrijven; caravandealers, benzinestations
Bloemen, planten, dieren
Doe-het-zelf, installatie en hobby
Foto, film, optiek, uurwerken, juweliers
Grootwinkelbedrijf
Kantoor- en schoolbenodigdheden, boeken, tijdschriften
Medische en cosmetische artikelen, drogisten
Rijwielen, bromfietsen, motorrijwielen
Schoeisel, lederwaren, reisartikelen
Sport, recreatie, huisvlijt
Textiel, kleding, mode

Voedings- en genotsmiddelen
Supermarkten, speciaalzaken
Woninginrichting: meubelen en woningtextiel, elektra/gas, sier- en gebruiksvoorwerpen

Dienstverlening, zakelijk
Bank-, krediet- en financieringswezen
Centrale bank, girodiensten, handels-, hypotheek-, landbouwkrediet- en spaarbanken
Computerdiensten
Detacheringsdiensten, informatiebeheer, dataverwerking, softwareontwikkeling, -advies en -consultancy
Financiële en bedrijfsadviezen
Accountancy, administratie, adressenbureaus, bedrijfsorganisatie, belastingadviezen, handelsbemiddeling
Beheer van octrooien, namen en merken
Effecten-, krediet- en financieringswezen
Beleggingsinstellingen, creditcardorganisaties, effecteninstellingen (beheerkantoren, kredietinstellingen, makelaardij), financieringsadviesbureaus, financieringsinstellingen, holdingmaatschappijen, participatiemaatschappijen, volkskredietbanken, wisselmakelaars)
Exploitatie van, bemiddeling in onroerend goed
Beheerkantoren, bemiddelingsbureaus, exploitatiemaatschappijen en -verenigingen, makelaardij, projectontwikkeling, bouwverenigingen
Onderzoek, publiciteit, promotionele bemiddeling
Congresbureaus, marktonderzoekbureaus, statistische onderzoekbureaus, vertaalbureaus
Pers en publiciteit: fotopersbureaus, knipseldiensten, persbureaus
Reclame en public relations: etalageverzorging, public-relationsbureaus, reclameadviesbureaus, reclameverspreidingsbureaus
Personeel: psychologische-testbureaus, wervings- en selectiebureaus, executive searchers, arbeidsbemiddelingsbureaus, uitzendbureaus, trainings- en opleidingsbureaus, human-resourcesbureaus, loopbaanbegeleidingsbureaus en -instellingen
Rechtskundige diensten: advocatenkantoren, deurwaarderskantoren, incassobureaus, notariskantoren, octrooibureaus, juridische adviesbureaus
Reiniging, ontsmetting, wasserijen: autowasserijen, chemische wasserijen, ongediertebestrijdings- en ontsmettingsbedrijven, schoonmaakbedrijven, stoppage-inrichtingen, vuilverwerkingsbedrijven
Techniek, ontwerp, advies, onderzoek
Architectenbureaus, binnenhuisarchitecten, bouwtechnische ontwerp- en adviesbureaus, raadgevende adviesbureaus (bedrijfsorganisatie en finan-

ciën, bouw, waterbouw en bouwfysica, elektrotechniek, ruimtelijke ordening, technische installaties, technologie, warenonderzoek), ingenieursbureaus (elektrotechniek, scheepsbouw, warmte- en luchttechniek), technische keuringsdiensten, technische ontwerp- en adviesbureaus
Verzekeringswezen: instellingen voor assurantiebemiddeling, expertise en taxatie, bedrijfspensioenfondsen, verzekeringsmaatschappijen (levensverzekeringen, pensioenen, spaarkassen, schade-, ziektekosten- en ongevallenverzekeringen)
Diverse: onder andere bewakingsdiensten, tekstverwerkingsbureaus, verhuur onroerende goederen
Wetenschappelijke diensten: onderzoekinstellingen voor landbouw en visserij, researchfondsen, technische en natuurwetenschappelijke instituten, proefstations en laboratoria

Dienstverlening, maatschappelijk en medisch
Algemeen en bijzonder
Landelijke overleg- en adviesinstellingen, instellingen op uitvoerend niveau
Speciale groepen
Algemeen maatschappelijk werk (onder andere gezinsverzorging, bejaardenzorg), fondsenwerving, geestelijke gezondheidszorg, gemeentelijke sociale diensten, inspecties geestelijke en lichamelijke volksgezondheid, instellingen voor onderzoek, documentatie en voorlichting, samenlevingsopbouw, sociale werkvoorziening, wetswinkels, ombudsmannen en dergelijke
Bejaardentehuizen
Bedrijfs-, werkgevers- en werknemersorganisaties
Gehandicaptenzorg
Kruisverenigingen
Medische en paramedische dienstverlening: audiologische centra, bedrijfsgeneeskundige diensten, bloedbanken, medische (sport)keuring, opvoedkundige instellingen, gezondheidscentra, instellingen voor psychotherapie, sociaal-psychiatrische diensten
Politieke partijen
Verzorging en verpleging
Psychiatrische inrichtingen, revalidatiecentra, sanatoria, verpleeghuizen, ziekenhuizen

Groothandel
Agrarische sector
Bouw- en installatiemateriaal
Chemicaliën, oliën en vetten
Delfstoffen, olieproducten, metalen

Doe-het-zelfmateriaal en huishoudelijke artikelen
Farmaceutische, medische en cosmetische artikelen
Foto, film, optiek, goud, zilver, uurwerken
Machines, onderdelen en toebehoren, transportmiddelen
Papier, boeken, kantoor- en schoolbenodigdheden
Recreatieartikelen
Recuperatiematerialen
Metalen, lompen, papier, schroot, slachtafval
Textielgrondstoffen, leer en huiden, tropische producten
Textiel, schoeisel, lederwaren
Diverse vakbenodigdheden
Horeca, scheepsbouw, verpakkings- en opslagmateriaal
Veilingen: antiek, bloemen, boedels, eieren, tuinbouwproducten, vis
Voedings- en genotsmiddelen
Woninginrichting, meubelen

Horeca
Bar- en buffetexploitatie
Maaltijd- en/of drankverstrekking
Cafés, catering, traiteurs, restaurants
Conferentieoorden
Hotels, motels, pensions

Industrie
Bouwmaterialen: baksteen, aardewerk en dakpannen, beton en cement, kalk en gips, glas, kalkzandsteen, natuursteenbewerking
Chemie, aardolie en delfstoffen
Delfstofwinning: aardolie- en aardgaswinning, kolenmijnbouw, zand-, grint- en mergelwinning, zoutwinning- en raffinage
Delfstofverwerking: aardolieraffinaderijen, bitumenverwerking, cokesfabrieken, overige aardolie en steenkoolproducten
Productie chemische grondstoffen en eindproducten: onder andere bestrijdingsmiddelen, fotochemische producten, geneesmiddelen, kunsthars, kunstmest, cosmetica, poetsmiddelen, reuk- en smaakstoffen, verf, lak en vernis, zeep- en wasmiddelen, kunstmatige en synthetische garens, rubber- en kunststofverwerking
Elektrotechniek: draad- en kabelindustrie
Elektromotoren en dergelijke
Elektrotechniek: onder andere accu's, (mini-)cd's, cd-rom's, geluids- en videobanden, huishoudelijke en niet-huishoudelijke apparaten, industriële installaties, lampen, meet- en regelapparatuur, tv, radio en audio, telecommunicatie

Grafische producten: papier en karton
Grafische industrie: boekbinderijen, chemigrafie en fotolithografie, (licht)drukkerijen, zetterijen
Papier en karton: behangpapier, etiketten, kantoor- en schoolbenodigdheden, enveloppen, papier- en kartonemballage, zakken
Uitgeverijen: boeken, dagbladen, tijdschriften, adresboeken, kalenders, landkaarten
Hout- en meubelbranche: hout kurk en riet en dergelijke (kisten, kratten en pallets, geprefabriceerde gebouwen, houtconservering, houtwaren, houtzagerijen, kurk, riet, vlechtwerk en borstelwaren, parketvloeren, timmerfabrieken, triplex, vezel- en spaanplaat)
Meubelen: interieurbouw en -afwerking (voor kantoren, winkels, et cetera)
Stoffeerderij
Machines en apparaten: hef-, transport-, delf- en graafmachines, krachtwerktuigen, landbouwmachines, machinewerktuigen, computers, kantoormachines, weegwerktuigen
Metaal en metaalwaren: basismetaalindustrie, non-ferro-ertsverwerking en walserij-, trekkerij- en extrusieproducten
Basismetaalindustrie, ijzer en staal: ruwijzer en -staal, stalen buizen, walserij-, trekkerij- en zetterijproducten, constructiewerken, gieterijen, grofsmederijen, stamp-, pers- en draaiwerk, metalen emballage, meubelen, smederijen, oppervlaktewerking, verwarmings- en kookapparaten
Textiel en kledingindustrie, onder andere ook pels- en bontverwerking, leder-, lederwaren- en schoenindustrie, katoen, rayon, linnen en zijde, linoleum en viltzeil, tapijten, kokos en vloermatten, textielveredeling (drukken en verven), tricot en kousen, wol
Transportmiddelen: automobielindustrie, aanhangwagens, auto-onderdelen, autofabricage en -assemblage, motorenfabricage, carrosseriebouw, reparatie en onderhoud
Scheepsbouw: bouw en reparatie (binnenvaart, handelsvaart, passagiers- en marineschepen, vissersschepen, baggermateriaal, booreilanden), cascobouw, jachtenbouw, schilders- en schoonmaakbedrijven, sloperijen
Vliegtuigbouw- en reparatie
Voedings- en genotsmiddelen: brood, beschuit, banket, biscuits; brouwerijen, distilleer- en alcoholproducten, cacao, chocolade en suikerwerken, frisdrankenindustrie, meel-, gort- en rijstproducten, suikerindustrie, tabaksindustrie, veevoederindustrie, visbewerking en -verwerking, vleeswarenindustrie, zetmeelindustrie, zuivel- en melkproducten, plantaardige en dierlijke oliën en vetten
Nutsbedrijven: elektriciteitsproductie- en distributie, gasdistributie; waterwinning en -distributie, warmteproductie en -distributie

Onderwijs
Universiteiten, Hogescholen (hbo), vwo, havo, mavo, lbo, mbo, basisonderwijs, vervolgonderwijs, schriftelijk en mondeling, bestuursscholen, instellingen voor bedrijfs-, handels-, informatica-, reclame- en marketingopleidingen, instituten voor schriftelijk onderwijs

Overheid
Algemeen bestuur, landelijk: ministeries (directie, documentatie, personeelsbeleid, interne diensten, voorlichting), gerechtshoven en rechtbanken, rijkswaterstaat
Algemeen bestuur, provinciaal: provinciale griffies en griffies openbare lichamen, provinciale waterstaat
Algemeen bestuur, gemeentelijk: culturele zaken, economische zaken, maatschappelijke en sociale zaken, onderwijszaken, openbare werken, volksgezondheid en milieu
Overheid en semi-overheid: onder andere arbeidsvoorziening, arbeidsinspecties, bedrijfsverenigingen, belastingdiensten, Kamers van Koophandel, keuringsdiensten, archieven, planologische diensten, product- en bedrijfschappen, rijksdiensten wegverkeer, rijksgebouwendienst, waterschappen
Diverse: onder andere diplomatieke dienst, bureaus gemeentepolitie, marechaussee en rijkspolitie

Recreatie, sport, cultuur
Bibliotheken
Cultuur en recreatie: onder andere bioscoop-, theater- en schouwburgexploitatie, dienstverlening; theaterwezen, filmproductie en -verhuurbedrijven, kunstgalerijen en -zalen, musea, muziek-, ballet- en theaterscholen, muziek-, opera-, toneel- en balletgezelschappen, planten- en dierentuinen, exploitatie feestzalen, wijk- en buurthuizen
Toerisme: reisbemiddelings- en adviesbureaus, reisbureaus en touroperators, touringcarondernemingen, VVV-kantoren
Exploitatie sport- en spelaccommodatie: onder andere bowlingbanen, golfbanen, jachthaven, recreatiecentra, landschapsparken, zwembaden
Sportbonden en -organisaties

Verkeer, vervoer, communicatie
Communicatie: onder andere distributie (radio, tv, kabel-tv), postdiensten, fax, telefonie
Bevrachting, opslag, overslag: onder andere cargadoors, expediteurs, transportbemiddeling, koel- en vrieshuizen, pijpleidingexploitatie, veem-, pakhuis- en silobedrijven, wegings- en metingsbedrijven
Binnenvaart en ondersteunende diensten

Luchtvaart, luchtbevrachting en ondersteunende diensten
Wegvervoer van goederen, personen en ondersteunende diensten
Zeevaart, zeebevrachting en ondersteunende diensten

Dit brancheoverzicht is gebaseerd op gegevens van de bedrijfsindeling van verschillende direct-mailbureaus, de Standaard Bedrijfs Indeling (SBI) van het Centraal Bureau voor de Statistiek en op de Bedrijfsindeling van de Kamers van Koophandel.

Checklist financiële voorwaarden voor de volgende baan

De volgende punten helpen te bepalen aan welke financiële voorwaarden uw volgende baan moet voldoen. Zie verder hoofdstuk 11 en *Alles over salarisonderhandelingen*.

Werktijden
- Vaste werktijden
- Flexibele werktijden
- Telewerkmogelijkheden (thuiswerken)
- Veel vakantiedagen
- Vakantie opnemen tijdens schoolvakanties
- Geen overwerk
- Betaald overwerk
- Weekends vrij
- Vaste lunchtijden

Secundaire arbeidsvoorwaarden
- Dienstauto/lease-auto
- Dienstfiets
- Reiskostenvergoeding
- Parkeerplaats voor en van de zaak
- Representatiekosten
- Pensioen
- Telefoonvergoeding
- Collectieve ziektekostenverzekering
- Andere verzekeringen
- Leningen ('vriendelijk')
- Maaltijdvergoedingen
- Bedrijfsspaarrekeningen
- Aandelen van-de-zaak
- Opties (op aandelen)
- Winstdeling/tantième
- Commissie/provisie
- Opleidingsmogelijkheden (budget)
- Afvloeiing/outplacement
- Vakantiehuis van de werkgever

- Financiële ondersteuning aan/verkoop woonhuis
- Sabbatical year (sabbatical periode)
- Korting op eigen assortiment/eigen diensten
- Betaling in natura
- Creditcard(s)
- Lidmaatschap professionele (vak)organisaties
- Abonnement vaktijdschrift(en)
- Lidmaatschap andere verenigingen (golfclub, serviceclub)
- Computer (thuis, laptop, palmtop)
- Telefoonvergoeding, thuis
- Mobiele telefoon
- Partnervergoeding (bij internationale overplaatsing)
- Crèche/ kinderopvang
- Belastingaangifteadviezen

Overige
- Salaris in overeenstemming met zwaarte?
- Salaris vergelijkbaar met soortgelijke functies?
- Periodieke en voorspelbare promoties?
- Periodieke salarisaanpassingen?

Gedeeltelijk overgenomen uit: *Alles over salarisonderhandelingen* (van dezelfde auteur).

Checklist ondernemerschap

Gebruik deze checklist om na te gaan of u over de juiste eigenschappen en ideeën beschikt om met succes te kiezen voor een leven als ondernemer.

De ondernemende persoonlijkheid en vereiste kwaliteiten
- Vindt u van uzelf dat u een ondernemer bent? Waaruit blijkt dat?
- Welke ondernemerskwaliteiten denkt u in huis te hebben?
- Welke taken en verantwoordelijkheden in uw beroep/functie schenken u het meeste plezier? Is hier een onderneming op te bouwen?
- Het ene ondernemerstype is een allrounder; hij is van alle markten thuis. Bent u zo iemand? Hoe weet u dat?
- Het andere ondernemerstype heeft één specialiteit en kan die goed verkopen. De andere functies worden gedelegeerd aan aan te trekken personeelsleden. Bezit u die ene specialiteit? Welke is dat dan?
- Het derde ondernemerstype is de 'verkoper'. (Het product doet er niet toe.) Kunt u koelkasten aan eskimo's verkopen? Olie aan Saoedi's?
- Bent u iemand die van de status bij uw huidige werkgever geniet? Als starter zult u daar afstand van moeten nemen. Lukt dat?
- Wat zijn uw minder sterke kanten als toekomstig ondernemer? En hoe denkt u deze te compenseren?
- Kunt u 'werkjongleren'? (Tegelijkertijd al uw cliënten veel aandacht geven en doen alsof zij de enige zijn?)
- Bent u een optimist? Vindt u een januaristorm 'verfrissend'? Is een regenbui voor u de voorbode van zonneschijn? Kortom, kunt u uzelf snel opkrikken bij tegenspoed? Wat voor bescherming denkt u op te kunnen zetten tegen een mogelijk persoonlijk faillissement – als de zaken minder florissant blijken?
- Bent u goedgelovig of heeft u de nodige argwaan wanneer een lepe verkoper u de 'tip van de eeuw' geeft – uiteraard tegen betaling...
- Heeft u al eens eerder een onderneming opgezet? Heeft u als kind of student al blijk gegeven van een *entrepreneurial spirit*?
- Niet voor niets (maar dat zal ondernemers aanspreken) luidt het oeroude gezegde 'Het bezit van de zaak is het einde van 't vermaak.' Kunt u zich hierbij iets voorstellen?
- Heeft u wel eens boeken of artikelen gelezen over ondernemers die het 'gemaakt' hebben? En over ondernemers die in het ravijn zijn gestort? Wel eens een borrel gedronken met een bankroete ondernemer?
- Bent u iemand die meestal goed slaapt? Ook bij zwaar weer?

- Heeft u een hoog energieniveau? Hoe weet u dat? Wat is uw toetssteen?
- Heeft u lciderschapskwaliteiten? (Handig voor als uw bedrijf zich gaat uitbreiden...)
- Heeft u wel eens iemand ontslagen? Zou u dat ook kunnen doen als eigen baas of zinkt de moed u dan waarschijnlijk in de schoenen?
- Bent u iemand die altijd risico's mijdt of die gecalculeerde risico's neemt?
- Kunt u het stellen zonder de 'vastigheid' van een maandelijks salaris?
- Ondernemen levert vrijheid op; geen baas die over uw schouder meekijkt. Kunt u die vrijheid aan?
- Kunt u uw doel voor ogen blijven houden, ook bij tegenslag?
- Bent u iemand die snel leert, ook van gemaakte fouten?
- Kunt u tegen onzekerheid?
- Beschikt u over een keiharde zelfdiscipline?
- Bent u een 'zelfstarter'? Of moet er altijd iemand in uw omgeving zijn die u aan het werk zet?

Marketing
- Heeft u een 'gat in de markt' ontdekt? (Of denkt u dat nog wel te zullen vinden?) Hoe weet u dat dit inderdaad een 'gat' is? Waar zijn uw indicaties of bewijzen? (Of misschien is het een gat waar juist geen enkele onderneming in wil stappen – om goede redenen!)
- Welke producten en/of diensten wilt u aanbieden aan welke markt? (En waarom juist deze?)
- Wat maakt uw product/dienst 'uniek'? (Denk hierbij ook aan de verrijking van een product, bijvoorbeeld door een bijzondere service of garantiebepalingen.) Welke motieven zullen toekomstige klanten hebben om juist van u te kopen?
- Hoe weet u dat uw tarieven/prijzen concurrerend zullen zijn?
- Beschikt u al over een klantenlijst? Kunt u er snel en betrouwbaar een maken als de tijd rijp is?
- Hoe denkt u uw aanstaande klanten te kunnen bereiken? Kennen ze u allemaal? Of moet u zwaar investeren in reclame en direct mail?
- Kent u uw toekomstige concurrenten van naam? Kent u hen persoonlijk? Kent u hun meningen over de markt?
- Beschikt u over voldoende geld om: 1. als werkkapitaal te dienen? 2. het geruime tijd 'uit te zingen'? (Het idee is niet zeven dagen per week spaghetti te eten, maar op redelijke voet te leven.) Laat uw dappere strijd niet in een nederlaag eindigen omdat u te veel onder druk staat om de motor aan de praat te houden.
- Hoe schat u de ontwikkeling van de markt (zeg in een periode van drie jaar) in?

- Welke bedreigingen liggen voor uw jonge onderneming in het verschiet?

Overtuigingen

- Als u hoed-in-hand naar de bank of *venture capitalist* moet afreizen, hoe denkt u dan hen te overtuigen van uw zakelijke geldhonger? Bezit u een *'business plan'*? Kunt u een *cashflow*-projectie te voorschijn halen? Heeft u een marketingplan? En heeft u enig idee hoe de eventuele lening terug te betalen?
- Is uw thuisfront rustig of juist veeleisend? Zal men meewerken (vaak: letterlijk!) of nogal terughoudend staan tegenover uw wilde idee?
- Kunt u uzelf goed verkopen? Bent u een netwerker? (Hoeveel 'goede' namen staan er in uw adresboek?)
- Stel, u bent de potentiële geldschieter van uw nieuwe onderneming: waarom zou u hierin *niet* willen investeren?

Management

- Als u van meet af aan personeel in dienst moet nemen: waar haalt u hen vandaan? Kunt u hen betalen?
- Waar moet u uw bedrijf vestigen? Heeft u thuis (voorlopig) voldoende ruimte? Zult u financieel in staat zijn elders bedrijfsruimte te huren?
- Bent u bekend met eventuele subsidiemaatregelen waar ook uw bedrijf van zou kunnen profiteren?

Mocht het ondernemersavontuur mislukken, dan heeft u het in ieder geval geprobeerd. En op zo'n initiatief mag je best trots zijn.

Vrijetijdsbesteding

Hier treft u een lijst aan met allerlei vormen van vrijetijdsbesteding. Een of meer van deze activiteiten brengt u misschien op een idee voor een nieuwe richting in uw loopbaan.

Niemand verplicht u een hobby te onderhouden. U doet het uit vrije wil en u toont hiermee dan ook aan waarin u werkelijk bent geïnteresseerd. Mensen bezitten nogal sterk uiteenlopende vrijetijdsactiviteiten: van het begeleiden van bejaarden tot slangen bezweren, van postzegels verzamelen tot wild water kanoën. Sommige hobby's worden omgezet in een beroep: van je hobby je beroep maken. Zelden gebeurt het andersom.

Voor alle duidelijkheid, een hobby wijst op een belangstellingsgebied, niet noodzakelijkerwijze op een vaardigheid of sterkte.

- Lichamelijke individuele sport (atletiek, boksen, fietsen, paardrijden)
- Lichamelijke teamsport (voetbal, basketbal)
- Denksport (schaken, ma-jong, bridge)
- Spelletjes spelen
- Beweging/vaardigheid (ballet, dans, golf, aerobics)
- Winkelen
- Restaurantbezoek
- Fotografie (schieten, ontwikkelen/afdrukken)
- Lezen (boeken, tijdschriften, handleidingen)
- Schrijven (boeken, korte verhalen, cartoons, reclameteksten, poëzie, romans, columns)
- Tekenen, schilderen
- Toneelspelen (musicals, opera's)
- Reizen (culturele trips, stranden, steden)
- Dieren en planten (verzorgen, bestuderen, ontleden, verzamelen)
- Cultuur (bezoeken van musea, galeries, toneel, opera)
- Handenarbeid (breien, borduren, porselein schilderen, pottenbakken, macramé, beeldhouwen)
- Radio en tv, muziek (concerten bezoeken)
- Zelf muziek maken (instrument bespelen, mixen, componeren)
- Computers, software, internet
- Zelfontwikkeling (studie, lezingen bezoeken, meditatie, yoga)
- Specifieke groepen helpen en begeleiden (ouderen, geestelijk en lichamelijk gehandicapten, peuters)

- Verenigingswerk (bestuur, commissies, geld inzamelen)
- Varen (zeilen, windsurfen, motorjacht)
- Verzamelen (postzegels, munten, sigarenbandjes, natuursteen, edelstenen, antiek)
- Huisinrichting (meubels verzamelen, ontwerpen, decoreren)
- Tuinieren (bloemen, planten, ontwerp, wijn maken)
- Doe-het-zelf (in en om het huis, timmeren, tegels zetten, schilderen)
- Auto's (verzamelen, repareren, rally rijden)
- Techniek (bestuderen, repareren, ontwerpen)
- Kalligrafie/schoonschrijven
- Politiek bedrijven (landelijk, plaatselijk, lid politieke partij, lid belangenbehartigingsgroep, vereniging van huiseigenaars)
- Kamperen, wandelen, bergbeklimmen, jagen, vissen
- Vliegen (zweefvliegen, motorvliegen, parachutespringen, ballonvaren)

Bronnen voor banen

Als u wilt speuren naar banen of meer informatie wenst over bepaalde werkgevers, kunt u op internet steeds beter terecht. Zie bijvoorbeeld het boek *Alles over solliciteren op Internet*, waarin onder andere vele binnen- en buitenlandse vacaturebanken worden beschreven.

Wanneer u meer vertrouwen heeft in het gedrukte woord, kan deze beperkte bijlage u verder op weg helpen. (Een aantal bronnen is zowel gedrukt als digitaal te raadplegen – op internet en via cd-rom).

Personeelsadvertenties:	Dag- en weekbladen Vakbladen
Wervings- en selectiebureaus, executive searchers:	PW Gids voor werving en selectie (verschijnt 2× per jaar) Jaargids van de Gids voor Personeelsmanagement
Bedrijven:	ABC van de Handel Wie levert wat? Top 100 Nederlandse bedrijven (Financieel Dagblad)
Arbeidsbureaus:	Vele lokale vestigingen
Uitzendbureaus:	Tijdelijke banen leiden veelal tot vaste aanstellingen
Banenbeurzen, algemene en specifieke:	Worden doorlopend op vele plaatsen gehouden (zie de aankondigingen)
Vacaturegidsen/bladen:	Diverse landelijke en plaatselijke vacaturekranten
Vestigingsplaatsen:	Plaatselijke Kamer van Koophandel
Branche-informatie:	Talloze brancheverenigingen en hun publicaties
Jaarverslag:	De organisatie zelf (afdeling PR) Een bank
Sociaal jaarverslag:	De organisatie zelf (afdeling PR)
Overheid:	Pyttersen's almanak

Voor veel naslagwerken kunt u terecht in bibliotheken (algemene, gespecialiseerde, academische of bedrijfsbibliotheken).

Oefeningen

Hier treft u alle opdrachten aan. Het eerste nummer verwijst naar het hoofdstuk, het tweede naar de volgorde in het hoofdstuk.

Nummer	Titel	Onderwerp
1.1	Vastgeroest?	Motivatie voor de huidige baan bepalen
2.1	Op de hoogte blijven	Hoe professioneel wordt bijgebleven
2.2	Zelf voorspellen	Greep op de eigen toekomst verkrijgen
2.3	PESTLE	Greep op de eigen toekomst verkrijgen via een zestal invloeden
3.1	Het exitinterview	Vertrekmotieven bij huidige werkgever bepalen
4.1	Heeft u het nog allemaal in huis?	Potentiële gevaren?
4.2	Persoonlijke blokkades en het opruimen ervan	Belemmeringen om een andere functie te vinden
4.3	Toegevoegde waarde bepalen	Wat is de toegevoegde waarde t.b.v. de werkgever?
4.4	Ter overweging	Heroverweging van huidige werkgever
4.5	Onheilssignalen	Bepaling van angsten en kwetsbaarheid
5.1	De droomloopbaan	Hoe ziet deze eruit?
5.2	Het ideale baanpakket	Gewenste taken en verantwoordelijkheden
5.3	De jaloersmakende baan	Waarom bepaalde functionarissen benijden?
5.4	De afgelopen drie maanden...	Door wie beïnvloed en waarom?
6.1	Gelukkig met uw baan?	In welke mate gelukkig met het werk?
6.2	Inactiviteit	Welke acties wel/niet ondernomen op loopbaangebied?
6.3	Geld speelt geen rol voor iemand van stand	Tijdbesteding
6.4	Wilt u veranderen?	Veranderingen doorvoeren op het werk

Nummer	Titel	Onderwerp
6.5	Opstel (deel 1)	Waarom voor bepaalde studie of baan kiezen of gekozen?
6.6	Opstel (deel 2)	Vervolg
6.7	Beroepsinteresse	Bepaling belangstelling voor beroepenclusters
6.8	Knippen voor de toekomst	Aansprekende personeels-advertenties
6.9	Het gat	Balans tussen feitelijke en gewenste werkzaamheden
6.10	Eigen personeels-advertentie schrijven	Ideale baan op papier zetten
6.11	Favoriet	Waar voelt men zich het prettigst? organisatietype
6.12	Welke rol spelen?	Gewenste rol in de organisatie
6.13	Met en voor welke mensen werken?	Favoriete soort mensen, intern en extern
6.14	Cultuur in de organisatie	In welke organisatiecultuur voelt men zich thuis?
6.15	Toetsstenen	Bepaling van criteria voor de volgende baan
6.16	Voor wat voor baas werken?	De ideale baas
6.17	Waarom een eigen bedrijf?	Belangrijkste motieven voor zelfstandig ondernemerschap
6.18	'Reality check'	Bepaling haalbaarheid
7.1	'Unique selling points'	Wat maakt u uniek?
7.2	Leg de middelbare-schooltijd bloot!	Favoriete vaardigheid in de middelbare-schoolperiode
7.3	Opleidingshoogtepunten na de middelbare school	Vervolg
7.4	Hoogte- en dieptepunten	Spreekt voor zich
7.5	Plezierige en onplezierige kanten van de huidige baan	Spreekt voor zich
7.6	Kerncompetenties	In kaart brengen van de belangrijkste competenties

Nummer	Titel	Onderwerp
7.7	Vaardigheden en vermogens	Waarin is men goed?
7.8	Mijn sterkste eigen-schappen	Bewijzen leveren voor deze eigenschappen
7.9	Wat voor mens bent u?	Onderscheid in drie typen qua vaardigheden
7.10	Grote successen	Op welke prestaties trots en waarom?
8.1	Zelfbeoordeling	Lijst met persoonlijkheids-kenmerken
8.2	Waardebepaling gewenste waarden op het werk	Identificatie van belangrijke en
8.3	Het spoor terug	Waarom voor welke banen gekozen?
9.1	Het opleidingscontract met jezelf	Te plannen opleidingen
9.2	Doelen, belemmeringen en acties op schrift zetten	Schrijven van loopbaanplan
9.3	Favoriete branches	Waar zal men zich thuis voelen?
9.4	Bedrijfsgrootte	De ideale omvang van een organisatie
9.5	Typering organisatie	De ideale werksfeer
10.1	Is netwerken moeilijk?	Excuses om netwerken te vermijden
10.2	Toestand van het eigen netwerk	Hoe staat het eigen netwerk erbij?
10.3	Contacten leggen met nieuwe relaties	Bezit men een netwerkers-mentaliteit?
11.1	Waar staat u nu?	Bewustheid en bepaling van het inkomen
11.2	Maandlasten (i.v.m. een nieuwe baan)	Kennis van maandlasten
11.3	Het eigen cafetariaplan	Gewenste onderverdeling van het beloningspakket
12.1	Baanaanbieding toetsen	'Past' de aangeboden baan?
12.2	Wat zijn de risico's?	Afbreukrisico's in kaart brengen
12.3	Nog geen succes?	Inventarisatie van problemen

Zakenregister

303